やすらぎの塔

村田みえ

復刻にあたって―― 二つの「やすらぎの塔」

やすらぎの塔復元を求める会　代表　**大石久雄**

昭和三十三年に駿府公園に建てられた戦没勤労動員学徒の慰霊碑「やすらぎの塔」の建立発起人で元特攻隊員の芦澤定敏さんが、当時、「戦没学徒のことが人々の記憶から薄れていることに憤りを覚える」と嘆いていました。「もはや戦後ではない」が流行語となったこの頃、すでに人々の脳裏から戦争の記憶が薄れ始めていたことがうかがえます。

本書、小説「やすらぎの塔」は、昭和初期の人々の暮らしぶり、とりわけ日中戦争、第二次世界大戦中の静岡の様子や市民の意識をよく伝える本として、とても大切なものです。この本が出版された昭和四十二年は、中国が初の水爆実験を行い、大国間の軍拡競争が激しくなってきていました。

戦争中に少女期を過ごした著者の村田みえさんは、戦時下、家族がどのように暮らしたのか、若者たちはどのような青春をすごし勉学と戦争のはざまで悩んだのか、空襲で街が燃え家を失い親子が死別に泣いた事など、村田さんは、実際に見聞きしたこのようなことを自分の胸にだけしまっておいてはならない、と考えこの本を書いたといいます。

今日私たちが享受している平和・自由・繁栄は、お国のためと命を賭して働いた戦没学徒たちや、勝つと信じて戦った数百万の戦没者、銃後を支えた全国民が求めてやまなかったものです。私たちの生活はこれらの人々の犠牲の上にあることを忘れてはなりません。

「やすらぎの塔」と名付けられた「慰霊碑と小説の二つの塔」は、戦没者を偲ぶよすがとしてだけ存在するのでなく、二度と繰り返してはならない悲劇、命の尊さ、平和への願いを、次世代へと伝え続ける意味を持つものです。それが残された者の責務です。

そのための一つの手段として小説「やすらぎの塔」を復刻しました。本書は発行部数が少なく、今では読むことができなくなっていたものです。次に私たちは、平成十三年の地震で破損したままの慰霊碑「やすらぎの塔」の復元を目指していきます。

本書の復刻を快諾された、著者の村田みえさんとご家族、初版版元の徳間書店さんに感謝申し上げるとともに、復刻に際しお力添えを願った羽衣出版さんに心より感謝いたします。

そして、本書復刻に賛同されご協力いただいた多くのみなさま、本書を手にしてくださった方々に心よりお礼申し上げる次第です。

令和二年八月十五日

静岡市の中央、駿府城跡の駿府公園に、第二次世界大戦中学業なかばで動員学徒として軍需工場に召され戦禍に倒れた少年少女を祀る「やすらぎの塔」がある。

この物語は、花ならばまだ蕾もかたい、若いというよりむしろ幼い命を国に捧げて殉じた美しい少女南条澄子とその七人の家族の愛の記録である。

「やすらぎの塔」碑文

駿府城頭はるかに富士をのぞみ、民族の悲劇に散った動員学徒の像が、年経た今人々の心に刻まれた美姿そのままに、ひたすら霊よやすらかなれと祈りをこめて静かに建立された。

純潔にして凛々しかった君たち若人らは国家と運命を共にして、一片の名誉すらなく献身の二字に消えた。

しかしながら人々はすべての悲喜愛憎をのりこえてこの前にぬかずき、ふたたびくり返すまじきことを誓って、新たなる民族の使命を見出さんとしている。

君たち動員学徒の霊が限りなく希っているであろう自由と平和と真理のある国にすべく、人々は君たちの像を永遠に仰ぎ見る。

昭和三十三年十一月二十三日

静岡県知事

斎藤寿夫

やすらぎの塔

「やすらぎの塔」に眠る数多くの若い御霊に捧げます。

青春の群像――昭和十二年

一

南条澄子は昭和十二年四月に、小学校に入学した。母の手編のピンクのワンピースを着て、胸に大きなハンカチと黄色いリボンをつけ、母に手を引かれて、喜び勇んで校門をくぐった。兄や姉を見習って、もう仮名文字は全部覚え、簡単な漢字や算数ならすらすらと出来る彼女は、もう一年も前から、学校へ行きたくて行きたくてたまらなかったのだ。

静岡市の中央、駿府城跡の、外濠と内濠に挟まれたこの静岡市立城内小学校は、日本ボーイスカウト発祥の地でもあり、ひところは、兄の進や昭も、制服を着て盛んに活躍したものだったが、どうしたわけかこのごろではその活動がだんだん鈍って来て、それと反比例するように、上級や高等科の男子には、専ら軍事教練的なものが幅をきかせ始めていた。この学校は去年創立五十周年の記念行事が行われた市内でも屈指の古い歴史をもつ学校で、その前身は徳川家の学問所であったといわれ、徳川家の葵の紋章がそのまま校章になっていた。

前年まで商業学校のあった南側の一帯もその移転と同時に小学校のものとなり、一万坪に余る校庭に、新旧様様の木造校舎がSの字型に建ち並び、南北の校庭の境には、桜並木が隣の陸軍病院の塀まで続いていた。叔父も、兄も、姉も、みなこの桜のトンネルをくぐって入学し、桜吹雪の中を巣立って行ったのである。

前は、内濠を隔てて、歩兵第三十四連隊の兵営である。右隣は陸軍病院で、左隣は道路の向うに高い煉瓦塀を廻らした刑務所であった。このあたりは市の風致地区、文京地区で、城のぐるりだけでも小学校が四校、女学校が二校、師範学校などがあり、ここに刑務所のあることは、たびたび大人たちの間で問題になるのだが、子供たちは、かえって、この対照的な環境の中から教科書では学びきれない、実際的な教育を受けていた。それは、国のために、一身を顧みず尽すことがどんなに尊いか、法律を犯すことがどんなに恥ずべきことかを、六年間の明け暮れの中に無言のうちに知るのであった。ここの環境は、そのまま生きた修身の教科書であった。子供たちは、カーキ色の軍服に身を引締め、白衣の勇士に無限の尊敬と感謝を捧げ、編笠をかぶった囚人が、門前を通るたびに、決してあんな恥かしい姿にはなるまいと、堅く心に誓うのであった。

正面玄関には、

一、我等ハ神ヲ敬イ、皇室ヲ尊ビ、進ンデ御国ノタメニ働ク。

に始る五ケ条の校訓の額が、厳めしく揚げられていた。講堂の左右には、「忠」、「孝」と墨痕鮮かに大書された額が揚げられてあった。

天皇と国家に対する忠誠と、敬神の念は、イロハのイの字より先に、子供たちの心の中に、深く深く刻み込まれるのである。

学校から帰った澄子は、御飯もそこそこに、真直ぐ離れの勉強部屋へ飛び込み、古い木机の上の本立てから国語の教科書を取出して、まだ手の切れそうに新しいページを繰り、姿勢を正して、大きな声で勉強を始めた。

「サイタ、サイタ、サクラガサイタ。」

「コイ、コイ、シロコイ。」

「ススメ、ススメ、ヘイタイ、ススメ。」

高い、よく通る、美しい声であった。歌うように、流れるように、すらすらと読めた。

この二間続きの離れは、もと祖母の居室になっていたところで、南と西に窓があり、裏庭に面した南向きの日当りのよい六畳と四畳半で、西側の六畳が長姉の初枝とすぐ上の姉の芙次子の相部屋、東側の方が次兄の昭の部屋になっていたが、初枝がこの年、女学校を卒業して、茶の間の隣に居室を移し、入れ代りに小さい澄子が、初枝の古い机を貫って勉強室に仲間入りしたのである。芙次子もこの春、小学校を卒業して、初枝と入れ代りに同じ女学校へ入学することになっていた。明日の入学式を控えて、芙次子は新しい制服の、白線二本のセーラー服を着て、隣の机の前に行儀よく坐り、熱心に四角な青い布切れに、ピンクの糸で刺繡をしていた。

芙次子はせっせと針を運びながら、澄子の元気な朗読を、姉らしく、微笑ましく聞いていた。国語の教科書の朗読はまだ続いていた。

「オヒサマ、アカイ、アサヒガ、アカイ。」

「ヒノマルノハタ、バンザイ、バンザイ。」

「帰って来たな、一年坊主。どうだ、学校は面白いか。」

隣室の堺の襖を開けて、長身のいがぐり頭が顔を出した。とたんに男臭い匂いが、部屋の中に流れて来た。昭も中学三年生になっていた。声変りもして、体格はもう立派に大人並みである。亡くなった父親そっくりの長身、面長で、スマートながらも、剣道と水泳で鍛えた骨格は逞しく、清潔で整った顔立ちの中に、負けん気の激しい気性が、太い眉や、締った口元のあたりに、ありありと現れていた。

「サイタ、サイタ、サクラガサイタ……か。一年生の教科書も変ったな。僕らの時は、ハナ、ハト、マメ、マス、だった。なあ、芙次子。」

彼は、ズボンのポケットに左手を突込んで、教科書をかがんで覗き込みながら、傍らの芙次子に声をかけた。芙次子は、可愛い糸切歯を覗かせて、にっこりと兄を見上げ、無言で相槌を打った。

「ところで君……」

と、昭はそばにあったミシンの椅子を引寄せて腰を下すと、おもむろにポケットに突込んだ手を出して、腕を組みながら、澄子を見下して、

「お前さんは、これから毎日、そんな風に大きな声を出して本を読む積りかね。」

わざとむつかしい顔をした。

「ええ、そうよ。唱歌も練習するわ。シロジニアカク、ヒノマルソメテー。」

澄子は、当然じゃないの、というように、丸い顎をしゃくって、大きな声で歌って見せた。

「かなわねえなあ、今までは姉さんと芙次子で、いつも静かでよかったのに、こう騒々しいのに隣へ来られたんじゃあ、こっちの勉強は上ったりだ。僕の方が兄貴の部屋へでも逃げ出すかな……」

長兄の進の部屋は玄関脇の北向きの四畳半で、京都大学へ行っている彼の部屋は、休暇以外は空室になっていた。

「アラ、お兄ちゃん、そんなにアタシが邪魔？」

澄子は、せっかく勢い込んで勉強を始めた出鼻を挫かれて、ちょっと悲しそうに兄を見上げた。長いまつげが心持かげって、赤い口元がへの字になった。昭は急に妹が可哀想になって、

「ま、いいや、大いにやれやれ。どうせお前の勉強するのは、昼間か宵のうちだけだろうからな。いいよいいよ。お前の声は大きいけれど、とても綺麗で、聞いていて楽しいもんな。」

と、小さい妹の頭を撫でてやった。

昭はこの妹が大好きだった。おっとりした芙次子に比べると、賑やかで、お転婆で、負けず嫌いで、手に負えないと思うこともあったが、打てば響くような彼女の性格は、張合いがあって頼もしい。小さいながらも、彼の自慢の妹である。

「今日は学校で何をやって来た？」

彼は、帳面を広げて書取りを始めた妹に、面白そうに声をかけた。

「お式をして、お宮詣りをして……。お浅間さんの桜、おとといお祭りに行った時にはとても綺麗だったのに、今日はもう散りかけていたわ。」

毎年、四月一日から五日まで、市の氏神浅間神社の祭典が、市中を挙げて賑やかに行われ、それがすむと、一斉に新学期が始るのである。

「そうだ。昨日雨が降ったものな。」

彼は澄子の手元を見ながら、

「ああ、澄子、そんなにぎゅうぎゅう力を入れて書くな。鉛筆が折れるぞ。ア、そーれ、いってるうちに折れちゃった。しょうがねえな。どら、お兄ちゃんが削ってやる。」

と、赤いセルロイドの筆入れからナイフを出してちり紙を広げ、器用に削り始めた。澄子は甘えたように兄の手元を見て首を傾げていたが、

「ア、誰か来た。」

と、西側の窓の外を指さした。そこは裏庭になっていて、南天やつつじの植込みがあり、小さな池があって、その向うに、青いポンプのついた井戸があり、井戸の所

から右へ廻ると、表庭や門へ通ずる小路があった。今、その小路から、中肉中背、小麦色の健康そうな丸顔の、いかにもキビキビした中学生が現れ、その後から、赤いセーターを着た小さな女の子が、ピョンピョン跳ねて来た。

「何だ、川村じゃないか。」

昭は立って窓を開けた。

「オーイ、昭、チビを連れて来たぞ。どうやら君の妹と同じ組らしい。」

昭と同級の川村達弘が、窓下のサボテンの棚の側に突立って、窓に向って声を張り上げた。隣に立った女の子は、赤いセーターの胸に黄色いリボンをつけて、真赤に頬を上気させ、心持ちちぢれた茶色い髪に、お祭りの時の、セルロイドのかんざしを差して、あどけない顔でにこにこ笑っている。妹の恵子だ。

「へえ、恵子ちゃん、澄子と同じ組か。まあ上れよ。」

昭は母屋へ通じる縁を指して二人を手招き、

「澄子、ホラ、友だちが出来た。仲良くしろよ。」

と笑った。達弘が入って来ると、芙次子はぱっと頬を染めて恥かしそうにお辞儀をし、逃げるように部屋を出て行った。達弘もちょっと照れ臭そうに振り向いて、芙次子の後姿を見送った。彼女の着ているセーラー服の大きな衿が左右に揺れて、新しい白線が目にしみた。

「一年坊主ばかり集ったな。」

昭が白い歯を見せてからかうと、恵子は、

「アタシ、坊主じゃないわ、女の子よ。」

と、赤い唇を尖らした。昭は始終達弘の家へ遊びに行っていて、恵子もすっかり彼と顔馴染なのだ。

「ヘーエ、君、それでも女の子か……。僕はまた男の子かと思ったぞ、木登りしたり、こまを廻したり……」

「いい勝負さ、君んとこの澄ちゃんも……。これから受持の先生が大変だぜ。」

二人の兄たちは、赤いホッペのちびちゃんたちを見比べて、大きな口を開いてからからと笑った。

「マッ、シツレイね。」

二人の小さい淑女は顔を見合してツンとした。二人とも、なかなか負けん気らしい。赤いホッペも、大きな瞳も生き生きとして、背丈も同じくらい。澄子はピンクのワンピースを着て、黒い真直なオカッパ頭、黒い瞳。恵子は、茶色の少しウェーブした髪に、茶色の、今にもおどり出しそうないたずらっ子らしい瞳をクルクル廻して、澄子を観察し始めた。澄子も、相手の無邪気な顔立ちや、元気な人なつっこい態度に、仲間意識が働いて、一ぺんにこの新しい友だちが気に入ってしまった。二人は可愛い笑くぼを作ってにこっと笑い合った。これが二人の初対面の挨拶であり、長い友情の誓いとなったのだが、二人はまだ無邪気そのもので、芙次子がお盆にカステラと紅茶をのせて現れると、たちまちその方に気をとられてしまった。

「オッ、芙次子、女学生になったら、急に気が利くようになったな。」

　昭は早速皆をうながして、畳の上に車座になり、自分が真先にカステラを取った。芙次子は恥かしそうに微笑んで、一人皆から離れ、また刺繍の続きにかかった。達弘がチラと芙次子のふくよかな横顔を眺めて、慌ててまた視線を窓の方に移した。

　澄子と恵子はお行儀よく並んで坐り、大きなカステラを一つずつ手に持って、いかにも美味しそうに食べ始めた。昭は紅茶茶碗を片手で口に持って行きながら、目を細めて、達弘に、

「こいつらも僕たちと同じように、うまが合いそうだな。」

　とウィンクした。

「恵子ちゃん、お庭で縄飛びして遊ぼうよ。」

　カステラを食べて紅茶を呑んで満腹した澄子は、恵子の手を引張って庭へ下りて行った。

「僕たちも部屋へ行こう。」

　昭も達弘をうながして、自室へ入りかけた。

「御馳走さま。」

　達弘が労るような目で芙次子を見た。彼女は刺繍を終って、窓際のミシンを踏み始めたところであった。

　裏庭から、かん高い少女たちの声が聞えて来る。窓の外の桜が満開で、開け放して出て行った縁先に、ハラハラと薄桃色の花びらが舞い落ちていた。

　昭の部屋には、大きな勉強机とスタンド、がっしりとした木製の本棚に、ぎっちり本が詰っていた。隣の部屋には人形や壁掛が至る所に飾られていたが、この部屋は何となく殺風景であった。その中で、芙次子の作った、赤いビロードのクッションだけが、可憐に肘掛椅子の上に、主待ち顔に載っていた。

「君はいいなあ、兄弟が大勢あって。兄貴に姉さん、妹が二人に弟、皆、揃っている。」

達弘が羨ましそうに指を折りながらいった。彼は恵子と二人きりの兄妹で、まだ小さい恵子は余り話相手にもならず、大勢の兄弟の中で、賑やかに暮している昭を、いつも羨ましく思っていたのだ。

「親父がいないよ。」

昭はクッションの上にドカリと腰を下しながら、ポツンといった。淋しい声だった。

「そうか、失敬。」

達弘は悪いことをいってしまったと思った。

「いいや、いいんだ。僕は失ってしまったものは追わない。あのおふくろの独楽ねずみのようによく動く、小さな体を見ていると、もうそれで充分だと思うんだ。あんな小さな体で、大勢の子供たちを翼の下にしっかりと抱え込んで庇いながら、世の荒波と闘って立派に生き抜いているおふくろを見ると、全く頭が下る。」

昭の目頭が熱くなった。

「うーん、本当にそうだ。君のお母さんは偉い。いつも、うちのおふくろも感心しているよ。大勢の子供を育てながら、先生としても立派に活躍している。超人的だって。」

達弘の母は、昭たちの母しずの古い教え子である。

「うん、僕がいうのもおかしいかも知れないが、家のおふくろさんは偉いよ。外に出て先生としても立派に働きながら、ちゃんと、大勢の子供たち一人一人の心をしっかりと掴んでいる。それでいて干渉しない。ま、日本一だろうな。」

昭は、窓の外にちらちら動く小柄な母の姿を目で追いながら、深い愛情を篭めていった。

澄子の入学式に附添って行ったしずは、もう食事も着替もすませて、かいがいしく襷掛けで洗濯物を干していた。明日は芙次子の入学式に行って、明後日は、初枝のお花の先生の所へ挨拶に行って……。その翌日からは私も新学期……。こうしている間にも、しずの頭の中は、忙しいスケジュールで一杯だった。暖かい日差しが、彼女の小柄な体一杯に照っていた。四十八歳にしては皺も余りない若々しい額に、うっすらと汗がにじんでいた。

彼女はせっせと沓下や、シャツや、エプロンを竿に掛けては、手の平でポンポンと叩いて、紋り皺を伸ばしていた。

縄飛びにあきた子供たちは、庭にござを敷いて、ままごと遊びを始めた。

「ぴーひょろろろ。」

傾きかけた黒い瓦屋根の上の大空で、とんびが鳴いた。洗濯物を干し終えたしずは、のどかな花曇りの大空を見上げ、それからまた、傾きかけた軒先に目を移した。

古い徳川時代の武家邸を改造したこの家は、やたらに広く、暗ぼったくて、土台は白蟻に喰われ、はめ板には、つた、かずらがからみつき、屋根の上に、たんぽぽや、ぺんぺん草が風に揺れていた。

結婚した当初に住んでいた中学校脇の小さな借家に、郷里の岐阜から溢れるような大家族を迎えて、足の踏み場もないほどの大混雑に閉口した夫の茂が、広くて安いのが取柄《とりえ》で、無理して買い込んだ東草深町のこの家は、それまで退役軍人が住んでいて、その人の建て増した離れだけは比較的新しかったが、母屋はもうすでに、廂が傾きかけていた。厩《うまや》はそのまま物置きになり、そこへ入ると、未だに馬具や馬糞の匂いがしそうだが、しずたちがここに来てからでももう二十何年になる。その間に、関東大震災あり、去年の伊豆の大地震あり、よくこれまで持ちこたえたものだと、しずは、古ぼけた家を眺めてつくづく感心した。しかし、明かるい春の日差しの下で、改めてこの我が家を眺めて見ると、さすがにもう寿命を感じさせられる。

（どこか、新しい家を見つけて移らなければ……）

しずにまた、頭の痛い仕事が一つ殖えた。

彼女は庭を見廻した。武家邸だっただけにさすがに庭は広く、裏の稲荷の社の境の向うは手入れも行届かず、青草が勢いよく芽ぶいて、もう三十センチを越していた。そのあたりの草むらをかき分ければ、維新の幕臣、山岡鉄舟や勝海舟たちの足跡が、そのまま残っていそうな草深い邸町。西隣は、元貴族院議員の老紳士が、抜けるように美しい衿あしをした愛妾と、ひっそりと住い、東隣には、老官吏夫婦が、婚期を過ぎた娘ばかり三人と、これまた、一日中物音一つしないような静かな暮し方をしていた。しかし、南条家だけは活気に溢れ、裏庭も表庭も、古い家屋とは反対に、綺麗に整理され、季節の草花が咲き乱れ、びわやいちじく、柿、蜜柑などが、季節にたわわの実を成らせて、子供たちを喜ばせた。みな、姑のまつや茂の丹精である。今、夫はすでに他界し、姑もこの家から去って行ったが、果実は毎年よく実をつけて、子供たちにもしずにも、ありし日の父や夫の面影、去って行った祖母の、躾には厳しいが、孫思いの優しい、腰の曲った姿を思い出させるのである。

（やはり、どこにも移れそうもない。）

しずは、傍らの大きなびわの木を見上げて思った。この木は茂がお地蔵様の縁日で苗を買って来て、しずも手伝って、二人して植えたものだった。小さな苗もいつの間にか大木になった。この家のはめ板の一枚一枚、庭木の一本一本にも、茂と暮した苦節の二十年の深い年輪が刻み込まれていた。

（この家が朽ちる時、私もこの思い出の家と一緒に朽ちたい。でも、子供たちにはやはり新しい家が必要だ。また、大地震でも来ないうちに、子供たちとも相談して、真剣に考えて見なければ……）

しずは空になったバケツを下げて、井戸端へ廻り、暗い台所へ入って行った。

二

澄子の父、つまりこの家の主人である南条茂が亡くなってからもう二年近くになる。彼は、長くこの土地の県立静岡中学校の教頭をしていたが、昭和五年に県西部の県立高等女学校長となり、単身赴任して行ったが、一人暮しの無理が祟ったのか、丈夫な体はいつの間にか病魔に蝕まれて、明治末期以来の教鞭生活を退職しなければならなくなった。

こうなると、この一家のさまざまな重荷は、自然主婦のしず一人にかかって来た。昼間は市内の双葉学園で教鞭を執り、夜は夫の看護や、子供の世話、姑や女中と一緒に家計のやり繰りと、ほとんど寝る暇もないほどの忙しさになった。

岐阜県郡上八幡の士族の出で、官吏だった舅は、嫁に来るとじき亡くなったが、十二人兄弟姉妹の長男の嫁であるしずには、今までだって休む暇もない忙しさだったのに……。大家族の家計を援けるために勤めに出てからもう二十年になる。その間、夫と共に次々と小姑たちを一人前に育て上げて巣立たせ、残るのは一番下の弟が来春大学を出るのを待つばかり、やっと一息つける日を目の前にして、またこの不幸であった。

しかし、しずは決して挫けるような女ではなかった。子供たちのためにどんな苦労も耐え忍んで頑張ろう。もう一度夫を立ち上らせることの出来る日まで。しずは死物狂いで働いた。家計も切り詰められるだけ切り詰めて、夫の治療と栄養に当てた。だからどんなに忙しくても、仕立物や編物は、人手を借りないで必ず自分で手掛けるようにした。

一日の勤めを終えて夕食をすませると、まず小さい子供たちを蒲団に誘い込んだ。

「お母さん、子守歌、歌って。」

澄子は、赤い花模様のメリンスの軽い夜具から丸い顔をのぞかせて、向う側の弟の功の蒲団に添寝している母にねだった。

ねんねんおころりおころりよ
坊やはよい子だねんねしな
坊やのお守りは何処へ行った
あの山越えて里へ行った

優しい歌声に、幼い功はもうすやすやと安らかな寝息を立て始める。

「今度は、ここはおくに（軍歌戦友）。」

澄子は温かい蒲団から体をのり出して催促した。意味は何にも解らないのに、この歌を聞いていると、何となく物哀しくなって、広い野原に沈む赤い夕日や、コチコチと時を刻む時計を胸に描くうち、涙が一筋、二筋頬を伝って、いつの間にか眠ってしまうのだ。

「早くお寝み。」

しずはそっと功の側を離れると、澄子の枕もとに来て、軽く赤い花模様の小さな蒲団を叩いて歌い出す。

此処は御国を何百里
離れて遠き満州の
赤い夕日に照らされて
友は野末の石の下

低い、静かな声であったが、その中に、若い生命を国に捧げた同胞をいとおしむ切々の情が溢れていた。この歌は軍歌であるが、決して勇ましい突撃的なものではなく、戦争という極限状態におかれた人々の、深い人間愛と悲しみが歌詞とメロディー全体に溢れていて、人々の魂をゆさぶるのである。しずもこの歌を歌っていると、自分自身も、愛する肉親を戦に奪われたような悲痛な思いに駆られるのであった。彼女はそっと与謝野晶子の詩を口ずさんで見た。

（弟よ、君、死に給うことなかれ……）

しずの目からも涙が溢れて来た。二人の息子たちもそしてまだ赤ん坊の功も、いつかは軍隊にとられる日が来るのだろう。日本男子と生れ来て、凡そ心身共に健康な人間なら、一度は軍隊の飯を食わねばならぬことは解っている。自分もその積りで、早くから息子たちを鍛えて来た積りだが、ああ、どうか戦争など起りませんように……。子供たちの行く末々まで平和な幸せな日をと祈らずにはいられなかった。

幼い子供たちが夢路につくと、しずは隣の居間に引返し、襖は開けたままで電灯にそっと覆いを掛けて、そのあどけない寝顔に時々目をやりながら、編物を始めた。

男の子には冬は小倉の、夏は霜降りの学生服を着せるが、女の子には秋から春にかけては、必ず手編みのセーターを着せた。小さくなったり傷んだりすれば、ほどいては編み替え、巧みに配色して、更生品とは思えない美しい服に仕立上げるのが何よりの楽しみだった。しずはせっせと糸を繰って竹の編棒を動かした。

しかし、こうしてじっと坐っていると、昼間の疲れに生活の重みものし掛って来て、いつの間にか手もとがにぶり、代りに体がこっくりこっくりと動き始める。大きく舟を漕いで、ハッと我に返り、また気を取直してせっせと針を運んだ。家中が静まり返って、雨戸の外に北風がひゅうひゅう鳴っていた。柱時計がのんびりと十二時を打ち始めると、明日の勤めに差しつかえてはと、そそくさと仕事を片づけて床についた。しかし、床についても仲々寝つかれなかった。私は一体、何をしにこの世へ生れて来たのであろう。楽しかった少女時代、そして、嫁いでからは、苦しいことの連続であった。

しずは、生れて、七つの年まで育った掛川城跡の観音像に散る桜吹雪を夢うつつの間に瞼に描いていた。

郡役所に勤めていた父政信と、母の和歌と、姉のてると、弟の政之、平和で幸せな毎日だった。生家の野上家は徳川普代の家臣で、大元祖は遠州堀江において二万石、元祖三五郎は、三河の松平家に仕え、三方ケ原の合戦では抜群の功績を立てて重く用いられたが、武田方と内通した家康の正室の処刑のことから、家康の勘気に触れて閉門となった。その後、家康が全国を平定して浜松城へ凱旋の途中、行列の沿道に平伏して、三カ日蜜柑を献上した老いさらばえた三五郎を見て、家康は、この忠臣を一時の感情から冷遇した自分の非を悟り、後に孫を呼び寄せて、旗本に取り立てたといわれる。以来、野上家は、普代の大大名に列する家柄にありながら、清貧に甘んじ家名を重じて、ひたすら徳川家に忠誠を尽して仕えた。しずの父の政信は、十一代目に当り、九歳の時、明治維新を迎えるまでは、旗本の嗣子としての誇りをもって、厳しく心身を鍛錬していた。大政奉還の後に、政信は、両親と一緒に十代三百年近くを住み馴れた江戸を離れて、駿府から静岡と改ったこの土地に移り、維新後の幕臣が一様にたどったさまざまな苦節をなめながら、教員や官吏を勤めて身を立て、しずの生れたころには掛川の郡役所に勤めていたが、しずが七つの時に、静岡県庁の土木課に移り、長くここに勤め、最後は日赤静岡支社の主事になり、昭和の初めに官職を退いて、今は悠々自適の晩年に入っていた。しずの娘時代には、大雨が降る度に政信は、手甲脚絆に草鞋ばきで必ず山奥の増水現場へ視察に出掛け、復旧工事の指揮をして、労働者たちと起居を共にし、三日も四日も帰らないこともたびたびあった。仕事熱心で部下を愛し、曲ったことは大嫌い、役所のものは、たとえ反古紙一枚でも私用には使わない、清廉潔白な彼の信条は、そのまま、娘のしずに受け継がれた。しかし政信は外には強い人だが、家庭では実によき夫、よき父であった。

しずは娘時代を思い出すたびに、温かい、楽しい思い出に満たされる。夢の中の彼女はいつもいつも幸せであった。活発だった小学生時代、夢多い女学生時代、彼女はいつも丸々太って健康だった。正月には親戚や近所の子供たちが集って、かるた取りに夜の更けるまで打興じた。五番町といえば、今は商店や職人の家が軒を並べる賑やかな街だが、その当時は安倍川の川原まで広々とした茶畑が続き、その中に点々と、官吏や教員の邸が散在している静かな町はずれであった。広い茶畑の上を、姉のてるの奏でる琴の音が流れる。てるは山田流の琴の名手だったが、その他にも、茶の湯、活花、仕舞い、何でもこなした。

しかし、しずの方はこういうお稽古事には、さっぱり興味がなかった。学校の帰りには、そのころ流行し出したテニスに、長い袂と袴をひるがえして暗くなるまで汗を流し、家へ帰ると夜中までバリバリ勉強した。そのころ、県下に初めて出来た県立高等女学校を卒業すると、着物も何にもいらないから、上の学校へやって下さいと両親にせがんで、東京女子高等師範学校（現お茶の水女子大）に入学した。

しずは丸い胸を未来への大きな希望にふくらませて、小さな柳行李を片手に、日露戦争の戦勝の気分の未だにさめぬ帝都に上京した。

叔父の修造に迎えられて、新橋駅から芝高輪の叔父の家まで、二台の人力車を連ねて走った時の喜びは、二十年余り経った今でも忘れることの出来ない、胸躍る思い出である。当時の彼女は大きな夢を持っていた。文学を専攻して、立派な女流文学者になりたいと思っていたのだが……。

学校を卒えるとすぐ、義務年限を果すために、舞鶴に近い、京都府綾部の郡立女学校に勤めることになった。

綾部は狭い福地山盆地の一隅、大野川のほとりにあり、丹波の山々に囲まれた静かな田舎町であった。明かるい表日本育ちのしずは、朝夕に寄宿舎の窓から、山また山の周囲を眺め、大江山や、由良の港の古い伝説をたどって、ここから本格的な創作生活の第一歩を踏み出そうと心に定めた。夏休みが近づくと、しずは、資料を纏めて、今度は京都周辺の古い女性の足跡を尋ねようと張切っていた矢先、突然父から、よい縁談があるから、休みに入ったら一日も早く帰って来るようにという便りを受けてびっくり仰天した。

（結婚なんてとんでもない。）

彼女は平凡な人妻になる気などさらになかった。彼女は古い日本の女の伝統を無視して、型破りの一生を送ろうと決心していたのである。自分という人間がこの世に生を得た以上、ただ両親に育てられ、食べて寝て大きくなり、結婚して、夫に身をゆだね、子供を育てて、小さな喜びや悲しみに泣いたり笑ったりして年老いて、墓場に入るだけでは、本当の人間としての価値は認められないような気がした。そんな生活だったら誰にだって出来る。人間が考える動物として生れた以上、そして、自分が女子として最高の教育を受けた以上、何か自分の成し遂げなければならない仕事があるはずだ。しずはこう信じていた。人一人の命は短い。特に女の生き方は限られていた。夫の陰にあって、夫を援け、子供を育て、埋もれたままにこの世から消えて行く。それが今までの女の一生であった。しずはそんな女の生き方に反発を感じていた。私はそんな生き方はすまい。女だって正々堂々と、胸を張って社会の第一線に立てるはずだ。そして、自分の死んだ後までも、輝かしい自分の足跡を残しておくのだ。そのためには、とても結婚なんかしてはいられない。お父さんだって、私が何のために勉強したのかご存じのはずなのに……。

彼女は父に断然抗議を申込もうと、勢い込んで帰省した。彼女は汽車の中でも、駅へ着いて、人力車に乗ってからも憤然としていたが、車から下りて門口に立つと、急に穏やかな表情になって、日よけの赤い房のついた柄の長い洋傘を片手に、学生時代からいつも彼女のお供をして来た小さな柳行李を片手に下げたまま、しばらくそのまま門口に立ち尽した。

深い丹波の山里から帰って来た彼女に、遠い薄紫の富士の姿が余りにも懐かしかった。視界は広々として、青い青い空が続き、南の川口のあたりから徳願寺の山にかけて、真白い入道雲がでんと坐って地上を見下していた。涼やかな川風が、蒸し暑い人力車から下り立って、汗だくになった彼女の丸い額をそっと撫でて通り過ぎて行った。そのそよ風の中にさえ、懐かしい故郷の香りが感じられた。

家の中は、しんと静まって物音一つ聞えない。体の弱かった姉のてるが、しずの在学中にこの世を去ってからは、彼女の奏でる美しい琴の音も聞えて来ず、広い邸の中に、両親と、中学生になった政之だけが、小間使いを相手に、ひっそりと暮していた。

しずは、行李を門の叩きに置いて汗を拭い、胸一杯に故郷の香りを吸い込んでから、格子戸を開けて、玄関までの長い砂利道を、ざくざくと踏みしめて歩いた。玄関の戸を開けようとすると、奥からバタバタと足音がして、いが栗坊主の政之が、にこにこ顔で現れて、

「ねえさん、今帰りだったの。電報打ってくれたら、駅まで迎えに行ったものを。」

と姉の行李を軽々と持上げて奥へ運んでくれた。優しい、姉思いの素直な弟であった。殊に上の姉を亡くして

からは、姉弟の情愛は一層細やかになった。しずは頼もしげに弟の少し広くなった肩幅や、がっしりと男らしくなった腕や、黒光りのする廊下についた汗ばんだ大きな足型を眺めながら、彼の後について茶の間に入ったが、茶の間にも奥の座敷にも両親の姿が見えないので、裏庭に面した縁側に出て見ると、二人共、暑い夕日を浴びて、桑畑の草取りの最中だった。しずが声を掛けると政信は、

「おう、帰て来たか。」

と、いかにも待ち兼ねたようにいって、すぐ縁に上り、衣服を改めて、床の間のある座敷に導き、早速、今度の縁談について、上機嫌で話し始めた。

「立派な男じゃ。政之の中学の英語の先生での、私も一、二回会って、こういう人がしずの婿になってくれたらと思っておったら、何とお前の従兄の、松坂元治が高師時代、同じ寮にいた友だちだということが解ってな。元治に当って貰ったら、元治君の従妹で政之君の姉さんならと、先方もその気になって、国元の岐阜へ相談したら、お母さんが早速出向いて来られたそうで、実は明日見合ということに話が決って、お前の帰りを待ち兼ねておったのじゃ。」

しずは、あきれてしばらくは物もいえずに父の顔を見上げていた。何事も頑固一徹で、自分がこうと定めたら、寸刻も躊躇せず、断固としてやり抜く父の気性は、兼ねてから知り抜いてはいる彼女だったが、こうも気が早いとは思ってもいなかったのである。しずが不服そうな顔をして、いつまでも黙っているので、政信はちょっと自分の一方的な態度に気がついて、

「いや、実は、私もこうもとんとん拍子に話がすすむとは思わなかったが、何しろ、向うのお家にも事情があるらしくて、お母さんが急に出て見えたので……」

と口篭った。母の和歌も側へ来て淑やかに坐った。彼女は、この三十年間、夫の傍らにあって、つつましく夫を援け、何事も夫の意一つに心を砕いて生きて来た、典型的な武家の妻であった。しずはこの母を非常に愛し、尊敬もしていたが、母と同じ生き方をしたいとは思わなかった。彼女は決然と父を見上げて、

「お父さん、私、一生結婚なんかしません。」

と激しい口調でいった。

「な、なんだと？」

父が顔色を変えた。しずは勢い込んで、

「私、私、ただの女になるのは厭です。それじゃあ、今まで勉強して来たことの意味がなくなります。私は、文学を通して人間の本当の生き方を見いだしたいんです。女だって男と同じように仕事を持って、男と同じように立派に生きることが出来る。そういう実例を自分で作って、世間に示して、弱い女の人たちを励ましてやりたいんです。でも、結婚なんかしていたら、私も今までの女の人たちと同じように、男の附属物になって、一生頭が上らなくなります。私は頭を上げて昂然と世の中を歩き、男に勝るとも劣らない仕事を残して死にたいんです。」

と、一生懸命に主張した。この父なら解ってくれると思った。女があまり学問をするのはと、女学校さえ出ししぶる親たちの多い中で、自分が女学校を出て、もっと勉強したいといった時、快く許してくれた父であったから……。

ところが、今度はそうは行かなかった。

「お前の考えは間違っとる。」

と、父は断固として娘を睨み据えた。

「一生結婚せんだと。とんでもないことだ。一体お前はどこから生れて、どうして一人前になったのか、いって見い。」

しずはますますあきれて、父の顔を穴のあくほど見詰めた。いつの間にこんな解らずやになってしまったのだろう。前はもっと話の解る人だったのに……。頭から見も知らない男を押しつけて、おまけに生みの恩、育ての恩まで、恩着せがましく持出して来る。しずはますます反抗的な気持になったが、そこは、知性豊かな彼女のことで、父を説得しようと優しくいった。

「勿論、私はお母さんに生んで頂いて、御両親の温かい愛情の下で育てられ、女としてはこれ以上は希めない、立派な教育を受けさせて頂いて、世に出して頂いたのですわ。だから私は御両親から頂いたこの素質を最大に生かして、立派な女流文学者になって、御両親に御恩返しがしたいと……。」

そこまでいった時、父は、右手を大きく振って、しずの言葉をさえぎった。

「そこじゃそこじゃ。そこが間違っておるのだ。いいか、しず、人間は木の股から生れて来るのではない。皆、両親の愛と苦労の結晶で一人前になるのだ。それが解っておったら、なぜ、自分も新しい生命を生み育てて、新しい時代へ送り出そうとしないのだ。それが順送りの恩返しというものだ。その人間の一番大切な基本的な務めを回避して、何が仕事だ、何が文学だ。私はお前に親孝行をして貰いたくてこんなことをいったんではないぞ。親は子を一人前にするまでは、全責任を持つのが当り前だ。お前は、いわゆる親孝行はせんでよろしい。その代り、新しいよい家庭を持ち、新しいよい子孫を育てることによって、人間として完成して貰いたいのだ。まず人間としてこの世に生をうけたことに対する義務を果して、その上に、仕事をする分には、私は両手を上げて大賛成だが、この大切な義務を果さずに、どんな立派な仕事をしても、私は決して褒めはせん。解ったな。」

父に、諄々と諭されて、しずは赤くなり、未熟な知識で思い上っていた自分が恥かしくなってうつむいた。

「だがの、いくら新しい生命を生むことが人間の務めだからといって、ただ、無考えに相手を選ばずそれをすることは、獣と変らん。人間ならば人間らしく、その行いに魂を入れることが大切じゃ。私は、その意味でも、あの男は間違いなく、お前の夫としてふさわしい人間だと見込んだ。悪いことはいわん。明日会って見い。その上で、どうしても厭というなら私もまた考え直そう。会わず嫌いは感心せん。」

こういわれて見ると、しずは、明日の見合を断る口実がなくなってしまった。彼女は、しどろもどろになりながらも、

「でもお父さん、猫の子が貰われて行くわけじゃあるまいし、私には嫁入仕度なんて、何にもありませんもの。」

と苦しまぎれにいったが、政信は、安心せいというように笑って、妻に隣の納戸の襖を開けさせた。そこには、しずがまだ見たこともないような立派な真新しい総桐の簞笥や、大きな長持ち、丹塗りの鏡台などが、薄暗い納戸の中で、落着いた光択を放っていた。政信はちょっと得意そうににっこりして、

「お前の嫁入道具じゃ。この三年間、私らは、この日の来るのを楽しみに、お母さんは蚕を飼って糸を紡ぎ、私は、庭の桐の木を切倒して、この簞笥を作らせたのじゃ。お前に本当の女の幸せというものを、味わせてやりたくてな。」

そういえば、先刻庭を見た時、ばかに清々と庭が広くなったように感じたが、あれは、数本あった桐の木を切

倒したためだったのか。しずは瞳をうるませた。

父の最後の言葉には、今までの強さがなくなって、心の底から溢れ出る精一杯の父親の愛情が篭められていた。傍らの母も、父により添うようにして、優しく頷いて娘を見詰めていた。その目が赤く潤んでいるのを見ると、しずの目頭も熱くなった。彼女は、もう決して両親に、さからうまいと思った。

翌日、彼女は母の命ずるままに、おとなしく髪を結わせ、晴着に着替えて、両親と、その男の住んでいるという中学校わきの小さな借家へ出掛て行った。路地を曲り、どぶ板を踏んで玄関に立つと、長身の若い男が出て来て、座敷へ案内してくれた。それが当の相手の南条茂であった。

茂の母と、従兄の松坂元治、それに政信ら三人で、型通りの挨拶がすんだ後、皆は奥の茶の間へ下って、座敷に二人きり残されると、しずは心持青ざめた顔で相手を見上げた。おとなしく下ばかり向いていては、最初から男にあなどられると、力んでいた。しかし、まともに彼を見た途端、彼女は、自分でも思い掛けないほど、あやしく身内が震えて、狼狽した。紫檀の大きな机を前にして、端然と坐ったその人は、自分とはたった二つしか年が違わないのに、遥かに年上の大人に見えた。色は白く、坐っていても丈が高く、真黒いふさふさした髪と、引締った口元をして、鼻も高く、整った顔立ちをしていたが、何よりもその人の眼が、しずの心を捕えた。澄んだ深い瞳だった。どんなに汚れた物を見詰めても、その瞳の色は、絶対に濁りそうもないように思えた。しずは冴え冴えとした眼を上げて、もう一度、この美しい瞳を見据えた。眼と眼がカチリと黒い卓子の上で切結んで、虹色の光が輝いたようであった。しずがその輝きに眩惑されて、目を伏せようとした時、その人がきりりと締った口を開いて、

「実は、私は、今日、直接貴女にお会いして、このお話をお断りしようと思っていたのですが……」

といった。しずの顔色がさっと変った。

(断る?)

何ということだろう。厭だという自分をここまで引張り出して、やっとその気になって来て見たら、口を開くなり、いきなり断るとは……。私のどこが気に入らないのだろう。そっちがそうなら、こっちもこっち。始めか

ら私だって結婚の意志はまるでなかったことを、この高慢な男に知らせてやろう。

　彼女は憤然として男を見上げた。丸い頬に赤みがさして、怒った瞳が生き生きと燃えた。しかし、口を開く前に彼の瞳を見ると、彼女は妙に気おくれがして黙ってしまった。男は眩しそうにしずの顔を見て、悲しそうに声を落して、また口を開いた。

「私は、学生時代、元治君から貴女のお噂は伺っていましたので、今度お話があった時には、私自身乗気になって、国元から母まで呼び寄せたのですが、そうしておきながらお断りするというのは、全く失礼な話と思いますが、実は、これには事情がありまして……」

　そういう声がまた、静かではあるが、張りがあって、男らしい非常に美しい声であった。しずは何となくこの男に魅せられて来る自分を腑甲斐なく思いながらも、ついうっとりとして、男の次の言葉を待った。

「私は、十二人兄弟姉妹の長男です。父は岐阜県の元士族の出で、歴とした家柄の息子ですが、今は貧乏官吏の子沢山で、苦しい生活の中で、私を東京へ出してくれようとした矢先に、病に倒れました。私はせっかく受かった高師を断念して、郷里で働こうと思っておりましたが、母の弟に当る叔父が、学資は貢ぐから、学校だけはやり遂げて、早く母を安心させよ、それがわしの姉に対する愛情だといって、日露戦争で右手を国に捧げた不自由な身で働き出した金を、一月も欠かさず送り続けてくれたのです。お陰で私は、無事に高師を卒えてこうして教壇に立つことが出来たのですが、今度は身を固めよと喧しくいうのです。別に候補は押しつけては来ませんが、姉思いの叔父は、早く私の母を安心させたいのでしょう。それで私も、松坂君の話に乗気になったのですが、今度母が来ての話に、父はどうやら再起不能のことが解りました。父の再起が希めないとなれば、私が当然母や大勢の弟妹を見なければならない。私はこれが叔父への順送りの恩返しであると思い、よろこんでこの仕事と取組む積りだが、貴女にまで、その苦労を背負わせることは気の毒だと思いますので、お断りしようと思いました。」

　彼の静かな言葉を聞いているうちに、しずの身内に何か得体の知れない力が湧き上って来た。「これだ」という感情が強く彼女の心の中を支配した。この人とならどんな苦労でも……。今日初めて会ったばかりなのに、どうしてこんな気になるのだろう。しずは、自分の心変りに狼狽しながらも、この人には何か自分の心を奪って放さないものがある。それが何か解らないもどかしさを感じながらも、これで別れてしまっては、すべてがお終いなのだ。この人を放したくない、絶対に放したくない、という思いが強く心に湧き上って、彼女は必死の思いで彼を見上げた。

「私にもお手伝いさせて下さい。」

と、いおうと思って唇を動かしかけた時、彼が、

「しかし……」

と口篭って、じっとしずの眼を真正面から見詰めて、思い切ったようにまたいった。

「貴女とお会いしたら、お断り出来なくなった。お断りすればこれ切りになってしまう。私は、一目貴女を見ただけで、貴女を愛し始めてしまったらしい。だが、愛したならなおのこと、私は、お断りすべきなのだが……。貴女のような清らかな人に、苦労は絶対にかけたくない。でも、男のエゴイズムでしょうか。貴女のような人と、一生の苦楽を共に出来たらどんなに幸せかと、私は一人の男としてそう思います。しずさん、もし貴女がその気になって下さるなら……。だが、苦労知らずのお嬢さんの貴女にそんなことを頼むのは無理だ。お帰りになって下さい。御無礼は平にお許し下さい。」

お終いの方は悲痛な声であった。しずの丸い胸が感動に震えた。一種の霊感のようなものが彼女の全身を貫いた。しずは夢中で顔を上げると、自分でも何をいっているのか解らずに、ただ、この男を放したくない一心で、上ずった声でいった。

「私、出来ます。どうぞ貴方のお手伝いをさせて下さい。他の人には出来なくても、私なら必ず出来ます。どんな苦労でもいといません。貴方と御一緒なら。」

といって、急に自分が何をいってしまったのか気付いて真赤になって差しうつむいた。

こうしてしずは自分でも思いも掛けず、日ごろのたしなみも忘れて、見合の席でいきなり相手に愛情の告白をしてしまったが、決して後悔はしなかった。

それからは全く慌しい日々が続いて、彼女は一月と経たぬうちに、南条茂の妻となり、墓参をかねて夫の郷里へ新婚旅行に向った。汽車がごうごうと音を立てて安倍川の鉄橋を渡った時、彼女の人生も新しいスタートを切

ったのであった。

あれからもう二十年になる。

その間彼女は夫を援け、姑に仕えて、身を粉にして働き続けながら、六人の子供を生み育てて、父の教えも守り通した。苦しい日々の連続だったが、信ずる夫と共に暮す毎日は生き甲斐があった。そして、この二十年の間に、あれほど情熱的で生一本だった彼女の気性も、もの静かで思索的な夫に感化され、いつの間にか角がとれ、丸みを加えて、今は誰よりも円満な優しい人柄の、落着いた奥様振りになっていたのだが……。

後一息で末の弟も大学を卒えるという時になって、愛する夫に倒れられた彼女は、今さらのように自分たちの余りにも犠牲の多過ぎた過去を省みざるを得ないのであった。

でも彼女は、ここまで来て挫けてしまっては今までの苦労も水の泡だと気を取直した。もう一息頑張れば末の弟も大学を卒えて巣立って行く、それから先は自分たちだけの世界だ。姑を労り、子供たちのことだけに全力を注いで行くことが出来る。何とかしてもう一度夫を立ち上らせることが出来れば、その時こそ明かるい未来が待っているのだ。彼女は蒲団の中で拳を固めた。子供たちのためにもう一頑張りしなければ……。

しかし、そんな彼女の努力も空しく、茂の病気は次第に悪化して、昭和十年の夏、茂は遂に帰らぬ人となってしまった。

澄子はまだ幼くて、父を失った実感は余り湧いて来なかった。ただ、大勢の親戚、知人、教え子たちが集り、しめやかな読経の後に、火葬場へ運ばれた棺が、鉄の扉の赤い焔の中へ吸い込まれたのが、強く印象に残って忘れられなかった。

姑のまつは、茂の死後、次男を頼って郷里の岐阜へ帰り、そこで余生を送ることになった。

実家の父はすでに亡かった。しずは少しでも生活を援助しようという実弟や夫の弟妹たちの申出を断って、自分の手一つで立派に子供を育て上げる決心をした。彼女の内に秘めた強い独立心が、人の情けを受けるのをこばんだからでもあったが、それればかりでなく、子供たちが大きくなってから、叔父や叔母への義理にしばられてはいけないとの、深い親心もあったのだ。

長男の進はすでに京都の高等学校へ行っていた。家に残った子供と共に、しずは再び苦闘の第一歩を踏み出したのである。

しずは父親譲りの高い鼻と、その才気を現す豊かな額の他は、どこも小作りでまろやかであった。子供に対しても、生徒に対しても、優しく静かで、声を荒げたことなど一度もなかったが、その丸く柔らかな物腰の中に、祖先伝来のしっかりした筋金が、いつも一本ピンと通っていたのである。

三

茶の間の前の縁先に、笹の葉がさらさらと鳴っていた。夏休みも近づいて、大分学校にも馴れた澄子は、夕食後のひとときを、縁側に腰を下して、澄んだ夜空に瞬く星を仰ぎながら、団扇を片手の浴衣姿で、元気よく「キラキラ星」を歌っていた。七夕を過ぎても何となく笹飾りを焼いてしまう気になれず、さやさやと風に鳴る短冊を仰いで、「天の川」、「星まつり」などと、皆で心を篭めた筆の跡を、茶の間の明りにすかして読みながら、

「トインクル、トインクル、リトルスター」

と、また歌い出した。赤い朝顔の花模様の浴衣がよく似合い、湯上りの上気した頬に、茶の間の明りが当って、つやつや光っていた。茶の間では、初枝が夕飯の後片づけを終えて、戸棚に拭き上げた食器をしまいながら、ラジオに耳を傾けていた。

「昨七日、蘆溝橋附近で演習中の、わが支那駐屯軍に対して、中国軍が、突如、実弾を以て攻撃を開始し……」

「トインクル、トインクル、リトルスター」

澄子の歌はまだ続いている。彼女は歌いながら、星の瞬きの中に、亡き父の姿を求めていた。この歌は、生前、父が床の中で教えてくれたものだった。

「お父様は天国へいらっしゃったのよ。」

父が亡くなった時、母が目を真赤に泣きはらしてそういった。

（あの沢山のお星様のどれかに、お父さんがいらっしゃるのかもしれない。）

澄子は父の星に聞いて貰い度いと、益々声を張り上げた。

「澄ちゃん、ちょっと静かにして。大変よ、戦争が始る

かも知れないわ。」

「戦争？」

澄子は、クルリと姉の方に向き直った。

「どこの国が？」

「呑気ねえ、日本が、シナとよ。」

「シナってどこにあるの？」

「日本のお隣の国よ。」

「どうしてお隣と仲良くしないの？　なぜ戦争なんかするの？」

「さあ？」

初枝は困って黙ってしまった。また、この子のどうして？　何故？　が始った。これをやられると初枝は全く閉口するのだ。こんな時、母がいてくれたら、この、好奇心と知識欲の人一倍旺盛な妹に、ちゃんと納得の行くまで説明してくれるのだが、生憎く今日は年度末の職員会議でまだ帰宅していない。昭や芙次子は離れへ行って、功が隣室の母衣蚊帳の中でスヤスヤ眠っていた。

「シッ！」

初枝は旨い口実を見付けて、ほっとして指を口に当てた。

「功ちゃんが起きると困るから、大きい声を出さないで。きっと大丈夫よ。」

しかし、初枝の言葉とは正反対に、蘆溝橋で起った数発の銃声は、見る見る中国大陸全土に戦火を拡大して行った。

歩兵第三十四連隊にも動員令が下った。

連隊の正門前に一杯に並んだ人垣と旗の波に挟まれて、初枝に連れられた澄子も、固唾を呑んで、営門から出て来る隊列を待った。

正門右手の土手の上に、日露戦争の軍神、橘中佐の銅像が群衆を見下している。門の奥正面には、日露戦争当時の連隊長、関屋大佐の銅像、その奥には、岳南神社が、歓声をよそに、鎮まり返っていた。憲兵が馬に乗って、鈴なりになってともすればはみ出そうになる群衆を押えていた。澄子の前に止った馬は、興奮して嘶き、足を踏み鳴らし、長い尾をばさっばさっと勢いよく振り立てた。いつもなら悲鳴を上げて逃げ出すはずの澄子も、今日はその馬よりもっともっと興奮していたから、恐いとも思わなかった。

やがて、営内から軍靴の音が高らかに響いて来て、人人の興奮はその極に達した。まず先頭を、騎馬に護られた軍旗が、粛々と進んで来た。

旗は飛び来る弾丸に
破るる程こそ誉れなれ

澄子はその軍歌を心の中で繰返した。日清日露の戦役に、陣頭に立ったこの旗は、旭日の部分はすべて引きち切れ、周りの房だけが風にはためいていた。その後から、栗毛の駿馬に跨った連隊長、大谷義春大佐が、堂々とあたりを払って進んで来た。四十歳そこそこであろうか、厳めしい金ぴかの勲章を胸に、戦国の武将の出陣を思わせる、誠に天晴れな武者振りであったが、まだ若さの残る温顔が、妙に幼い澄子の心を引いた。顔立ちはまるで違っていたが、何となく父のイメージを思い出したのだ。

続く兵隊たちの顔は緊張に引締り、肩に喰い込む完全軍装の重みにもよく耐えていた。この兵隊さんたちは、活きがよかった。皆、現役のパリパリばかりである。

万朶の桜か衿の色
花は吉野に嵐吹く
大和男子《やまとおのこ》と生れなば
散兵線の花と散れ

傍らの「在郷軍人会」の大幟りを立てた男たちが、蛮声を張り上げて「歩兵の本領」を歌い出した。

「万歳、バンザーイ。」
「しっかりやって来いよう。銃後は引受けたぞー。」

歓呼の声の中に、兵隊たちは堂々の行進を続けた。おびただしい数である。後から後から兵隊が繰り出して来る。皮の匂いと汗の匂いと、人いきれが充満して、人々は益々興奮した。

肉親をこの部隊に送った家族にとって、これは今生の別れであるかも知れない。

澄子には、この中に親しい人はいなかった。だが、濠端でいつも会ったあの将校、この間、学校の講堂で行われた徴兵検査に、素裸の肌を晒していたあの青年も、この中にいるのかも知れなかった。

天に代りて不義を討つ
忠勇無双の我が兵は
歓呼の声に送られて
今ぞ出で立つ父母の国
勝たずば生きて帰らじと
誓う心の勇ましさ

在郷軍人会の蛮声が、つんざくような大声でまだ続いている。

突然、澄子は、アッ、と叫んだ。

隊列の中ほどに、白手袋をした、若く逞しい将校を見たのだ。去年の夏、橋の上で、功が「ヘイタイさん、ケンクダサイ、ケンクダサイ」と叫んで、演習帰りの兵隊の列に飛び込んだとき　功の頭を撫でてくれた優しく勇ましい将校さんだった。その時は銀色のサーベルを下げていたが、今は日本刀を腰に、唇を真一文字に引結んで、タッタッと兵隊たちの横を大股に歩いて、澄子の目の前を通り過ぎようとしていた。

「ショウコウさん、しっかり。」

澄子は思わず群衆の前に飛び出して、白手袋にすがらんばかりにして叫んだ。憲兵が慌てて制止に掛った。馬の鼻面が澄子の前で「ヒヒヒーン」と嘶いた。若い将校の顔にサッと血の気が上った。何か叫んだようだったが、澄子には聞きとれなかった。

「危いッ、何するのよッ。」

初枝が真赤な顔をして澄子の簡単服の衿元を掴んで引張り、そのまま群衆を分けて兵営の向いの武徳殿の前まで一気に引摺って行った。

「何てことをするの、危いじゃないの、一体どうしたの？」

初枝は人波を外れると、ハアハア肩で息をしながら、汗びっしょりになって、驚きと怒りと恥じらいで、真赤になった顔で叫んだ。

「だって、知っている人がいたんだもの。あの人たち、どこへ行くの？　戦争に行くんでしょ。もう、行ったら帰れないんでしょ。さようなら、いいたかったのよ。頑張ってって、励まして上げたかったのよ。」

澄子の幼い声には、精一杯の真剣さがあって、初枝を粛然とさせた。

「ねえ、お姉さん、なぜ戦争なんかするの？　しかもお隣の国と……。お隣同士は仲良くなさいって、いつもお母さんも受持の兵藤先生もいっていらっしゃるわ。この間、私、お隣の席の勇ちゃんと、授業中に喧嘩して、兵藤先生に叱られたの。だって勇ちゃんが、消ゴムの粉を飛ばしたり、手に唾をつけて、ナイフの背でこすったり、汚いことばかりするんですもの。でも先生は、汚いことをした勇ちゃんも悪いけれど、先に叩いた澄子ちゃんもいけません、喧嘩は両方が悪いから始るんですよ、っておっしゃったわ。戦争って、国と国との喧嘩でしょ。日本も悪いの？」

　初枝は、また困ってしまった。澄子にそういわれて見ると成程と思う。でも、彼女だって、祖国を心から愛していて、日本も悪いのだとは、どうしてもいう気になれなかった。

「お隣同士は仲良くしなければいけないわ。でも、いいお隣ばかりはないの。向うが戦争をしかけたり、悪いことをして来れば、こらしめのために戦わなければならないこともあるのよ。日本はいつも正義の味方なの。今に、じき戦争は終って平和が来て、また仲良くなれるわ。」

「そう、そんならいいけれど。」

　澄子はちょっと安心したようにいった。

「あの将校さんや、兵隊さんたちが、戦地へ着くまでに戦争が終るといいね。そうすれば、死なずにまた帰って来れるもん。」

　初枝は、澄子の手を引いて刑務所の煉瓦塀の下を歩きながら、こわ張った顔で頷いた。なぜ戦争なんかするんだろう？　幼い澄子の疑問はそのまま、初枝の疑問でもあった。彼女は、兄の進や、進の親友で、乙女心に秘かな思いを寄せている井口たちが、大学を卒えるまでには、どうしてもこの戦争は、終ってもらわなくてはと、心の中で思った。

　だが、こうした切なる思いも空しく、戦争は益々拡大して行き、緒戦の戦闘では日本軍の一方的な勝利が続いた。その年の末には、首都南京が皇軍の手に帰し、国中は、勝利の栄光に酔いしれた。澄子たち小学生も、手に手に日の丸の小旗を持って、市中を行進した。夜は街々にあかあかと灯がともり、辻々は提灯行列の人の波に埋った。その夜ばかりは、四月の軍旗祭以外は開かれたことのない兵営が開放され、市民の山車《だし》や提灯行列が、歓声を上げて繰り込んだ。

　澄子も功も母に手を引かれて、この興奮の坩堝の中へ入って行った。大きな屋台に城壁が組まれ、鉄砲を高々と上げた兵隊たちが、勝利のかちどきを上げているもの、敵軍の総師が夫人を抱きかかえて逃げ走る様子を、面白おかしく描いた山車など、長蛇の列が続き、さすがに広い営庭も、歓呼の声と人の波に埋った。

流しの前の小窓から西日が差し込んで、薄暗い台所の広い土間に、そこだけが鈍い放射状の光を放っていて、初枝のほっそりとした顔の右半分を照らしていた。

「遅くなってしまったわ。」

独言をいいながら、彼女はせっせと食器を洗っていた。

流しの左手には、裏庭へ通ずるガラス戸があり、右手には旧式のポンプ、その隣が赤煉瓦で築いた大きな一対のかまど、その奥に六畳敷ぐらいの板の間があり、古い造りつけの戸棚の前に、調理台とガスコンロ、木製のガッチリした氷冷蔵庫が並んでいたが、それらのものがすべて、ほの暗い台所の中で、鈍くすすけて見えた。まだ三時を廻ったばかりだというのに、冬至に近い師走の今、あたりはもう夕暮れの気配で、裏の社の屋根の上で、木枯しがヒューヒュー鳴っていた。

「急がなくっちゃ。」

初枝はまた独言をいって、洗い上げた食器の入った篭を両手で下げて、板の間へ上った。昼前、京都から帰って来た兄と、つい話し込んでしまって、昼食の後片づけがすっかり遅れてしまった。洗濯物も取り入れなければならないし、晩の仕度の買物にも行かねばならない。その間には、兄の友だちも訪ねて来る。彼女はせっせとふきんで食器を拭き上げながら、先刻、兄のいっていた言葉を思い出して、不安そうに眉をひそめた。

兄は、滝川事件のことで、さんざん当局のやり方を非難した後、

「大体、今度の蘆溝橋事件だっておかしなものさ。元は、たった数発の銃声を聞いたというだけじゃないか。局部的に充分解決のつく性質のものを、得たりかしこしと、全面戦争に持って行く、僕には理解出来ないな。一部の好戦的な人間の欲望を充すために、どれだけ多くの人々の血と涙を強いることか、奴らは考えて見ようともしないのか。もともと中国に日本軍が駐屯しているということ自体が変則じゃないか。それを……」

進が義憤にもえた顔つきでいうのも、初枝は、もっともだと思いながらも、急に恐ろしくなって来た。

「そんなこと、大きな声でいっていいの？　お兄さん。もしや、学生運動に……」

青褪めた顔でいう初枝に、進は、今までとは打って変った淋しげな表情を向けて笑った。

「大丈夫、解っているよ。ここだけの話だ。特高は鵜の

目鷹の目で学生を狙っている。僕だって、この一言で、僕ばかりでなく、僕たちの一家の平和が、根元から覆されるくらいのことは知っている。充分自重している積りだよ。僕はもともと、政治や思想にはかかわりのない、経済専攻の学生なんだし……。だが、一人の人間として、正しいと思うことは堂々と喋りたい。それが出来ない世の中になったとは、全くたまらないな。」

　彼はそういいながら立上った。

「まあ、とにかく、親父さんの墓詣りに行って来るよ。あ、そうそう。今日はまた例の連中が集ることになってる。僕の留守に来るかも知れないから、上って待ってて貰ってくれ。すぐ出掛けるから、お茶だけ出してくれればいいよ。」

　例の連中とは進の小、中学校の同級生で、それぞれの大学へ進学した、十人ばかりの学生たちのことだ。その中には勿論、親友の井口も含まれている。初枝の白い頬がぱあっと染まった。進はそんな妹を楽しそうに見ながら、茶の間を出て行った。

　食器が拭き上ると、初枝はまた土間に下りて、冷たい水で手を真赤にしながら、ふきんを洗い始めた。一日に上ったり下りたり、何度この土間と板の間と茶の間を往き来することだろう。初枝はつくづくと長年この家に奉公していた女中のフユの有難味を噛みしめた。だがそのフユも今はいなかった。田舎の兄が出征して、農業の手が足りなくなったのだ。

「戦争さえなかったら、もっともっとお世話になっていたかったのですけれど……。弟はまだ小さいし、中風の父をかかえて、母一人ではとても手が廻らなくて……」

　フユは泣く泣く帰って行った。来た時には真黒い田舎娘だったのに、見違えるほど美しく、行儀のよい娘になって。

（フユさんも、今ごろは、家事や、大勢の弟や妹の世話の他に、野良仕事や家畜の世話まで引受けてさぞ大変だろう。それを思えば、家事だけやっていればいい私はまだ幸せだわ。）

　初枝は、僅かの間に、霜焼けが出来て赤くふくれた自分の手を見ながら淋しく微笑した。

「ごめん下さい。」

　玄関で、若々しいさわやかな声がした。井口である。初枝の頬にさっと血の気が上った。

「ハーイ。」

濡れ手を急いで拭いてつまずくように板の間に駈け上ると、彼女は、茶の間との堺の黒い柱に掛った壁鏡に顔を写し、赤い手で大急ぎで乱れ髪を直して、玄関に出た。そこに外の光を背にして、黒い学生服をきちんと着こなした色白でスマートな青年が、心持、頬を上気させて立っていた。

「いらっしゃいませ。」

三畳ばかりのほの暗い玄関の、虎の絵の衝立の脇に両手を突いて、初枝の声が心持ち慄えていた。

「御無沙汰しました。兄さん、京都から帰りましたか。」

柔らかな、澄んだ声音であった。引締った口元に浮んだ微笑が、まだ少年の純情さを匂わせている。しかし、今日の彼は、何となく思い詰めた表情をしていた。

「ええ、でも今は、お墓詣りに行っていますの。もうそのうち帰ると思いますから、どうぞお上りになって。」

初枝はまだ両手をついたまま、井口の顔を振り仰いでいった。ほんのりと紅色に染った耳たぶが、桜の花びらのように可憐だった。

「じゃあ、待たせて貰うかな。」

井口はちょっと照れながら、初枝の後について、進の部屋に通った。

窓際に座机があり、その上に丸い電気スタンド、そしてその脇の壁側には、父親から譲られた書籍も含めて、洋書、経済書、文庫本などが、天井まで届くほどの大きな書棚に一杯詰っていた。部屋の中には余り飾り気はなかったが、ここにも、芙次子が兄のために心を籠めて作った緋繻子に鶴の模様を刺繍した大きなふかふかの座蒲団が一枚、可憐に主を待っていた。井口はその蒲団をちょっと部屋の中央へ引出してきちんと坐った。

北向きの四畳半は表庭の大銀杏の陰で、夏休みは涼しかったが、冬休みの今は、窓外の枯枝が寒々と慄え、部屋の中は、底冷えがするほど寒かった。初枝は急いで火鉢を運んで来た。

「このお部屋寒いでしょう。今、熱いお茶を持って来ます。御免なさいね、遅くなってしまって。何しろ私一人でてんてこ舞いですの。」

初枝はそういって、霜焼けの出来た赤い手を、恥かしそうに火鉢の陰にかくしてそっとさすりながら、懐かしそうに改めて井口を見上げた。井口は、そうした初枝の

眼差しに、無言で応えながら、

「女中さんは？」

　と、けげんそうな顔をした。

「ええ、あの人、田舎へ帰ってしまいましたの。お兄さんが出征しましたので、お百姓の手が足りなくなったんですって。代りの人も今では仲々ないんです。お陰で私が女中代り。でも、お洗濯やお料理は好きだから、そんなにつらくはありませんのよ。だけど、この手見て下さいな。こんなに霜焼けが出来てしまって。もう、お琴も思うように弾けませんのよ。」

　初枝はそういって思い切ったように両手を前へ差出した。所々赤くふくれていて、井口の目にはかえってそれが可愛らしく写った。

「大変ですね。小さい弟さんもあるし……。僕なんか構わなくてもいいですよ。お茶も結構です。」

　井口は優しく労るようにいった。少しでも愛しい人の負担を軽くしてやりたかったのだ。初枝はびっくりして、ちょっと悲しそうに彼を見上げた。

「あら、そんな意味で申し上げたんじゃありませんのよ。どうぞ、ごゆっくりなさって。私、楽しみにお待ちしていたんですもの。」

　長いまつ毛が濡れているようだった。ほんのりと頬を染めて精一杯にいう初枝の言葉に、井口の胸は躍った。

「本当ですか。」

　喜びを隠し切れず井口の声がはずんだ。初枝は恥かしそうに立上って部屋を出たが、やがて目八分に、湯気の立つ緑茶を捧げて入って来て、淑やかに井口の前に、礼法通りに茶を勧めた。そして沈黙を恐れるように、

「レコードでもかけましょうか。」

　と、そっと立って、部屋の隅に置かれた電蓄の蓋を開け、レコードケースを下して彼の前に置いた。美しい歩き方だった。母の躾がよく身についていた。

「何がよろしい？」

　すがるような、甘えるような初枝の目にうながされて、井口は側に寄って、あれこれと盤を選り始めた。初枝のほっそりとした衿足が、古代紫の矢絣の友禅からくっきりと抜け出て、井口のすぐ目の前にあった。そしてその白い衿足に、井口の熱い吐息が、直かに触れるようであった。

　家の中はしんとして、物音一つ聞えない。昭や芙次子

はまだ学校だし、いつも陽気な澄子も、功を連れて恵子の家へ遊びに行っていた。広い家の中に、井口と二人きりなのだと思うと、初枝の心は、処女《おとめ》らしい恐れと、恥じらいと、その反対に、明かるく楽しい期待に慄えるのだった。彼女はもう、とうに洗濯物のことも、お腹を空かして帰って来る弟や妹たちのことも忘れていた。

「これがいい。」

彼は、ベートーベンの第五交響楽「運命」を選び出した。初枝もこの曲は大好きだった。しかし、かけ始ると、この曲が二人きりで唯でさえ固くなりがちな部屋の空気を一層重苦しくするのに気付いた。

「もっと明かるく楽しい曲がいいわ。」

彼女は、ばら色に上気した頬に可愛い笑くぼを覗かせた。

「この曲、嫌いですか？」

彼はちょっと淋しそうに、貴公子のように澄んだ美しい瞳を上げ、秀でた額にパラリとたれた髪を右手でかき上げた。

「いいえ、本当は大好きなんです。でも、今は、何か、もっと軽やかな、楽しい曲が聞きたいんです。」

せっかく、こうして貴方と二人でいるのに……。初枝は心の中でそういった。井口は黙って頷いて、また、沢山のレコードの中から、ヨハン・シュトラウスの「ウィーンの森の物語」を選び出した。軽やかなワルツが流れ始めると、初枝の心も小鳥のようにはずんで来るのだった。井口と二人で、ずっとこの美しい音楽の夢の世界をさまよいたかった。

初枝は、九谷焼きの山水の火鉢に手をかざしながら、うっとりと名曲に聞き惚れていた。井口は少し離れた窓ぎわの進の机にもたれて、初枝の横顔を眺めていた。白い、すき通るような肌に、ほんのりと薄化粧をして、柔らかい束髪に白い茶の花の簪が差してあった。大きく潤んだ瞳が井口の視線を意識して熱く燃えていた。高からず、低からず、すんなりと通った鼻筋から頬のあたりに、湯上りのような、ほのぼのとした清潔感があった。

先刻まで障子に差していた西日が、いつの間にか陰って、部屋の中はほの暗く、鴨居に掛けられたミレーの晩鐘の絵もくすんでいたが、初枝の坐っているあたりだけが、井口の目には、眩しいほどに光り輝いて見えるのだった。曲が終るとそのまま沈黙が続いた。家の中は相変らずしんとして、寝ぐらへ帰る鳥の声だけが、屋根の上で、遠く、かすかに聞えて来るだけであった。一分、二分、三分。初枝は火鉢にもたれて、ひそやかな期待に胸をときめかせながら井口の言葉を待った。井口の胸もあやしく高鳴った。彼は、純情で、優しい青年であった。そして、心の底から初枝を愛していた。初枝の美しさ、優しさ、淑やかさ、明かるさ、聡明さ、そして、この一家の人々の血の中に流れる、ピンと通った一筋の厳しさをも、魂の底から敬愛していた。

彼と進とは長い間の無二の親友だったし、従って初枝とも兄妹のように親しく、少年のころには、得意の詩を教えたり、進が京都の高等学校へ行ってからも、静岡高等学校に残った彼は、進の代りに、よく初枝や昭の勉強を見てやったりして、こだわりのない兄と妹のような親しさを篭めてつき合っていたのだが、東京へ出てから急に初枝のことを想っただけでも胸が慄え、休暇に帰ると真先にこの家を訪れながら、ろくろく口もきけずに別れてしまう日が多くなった。幼な馴染みの穏やかな親しみが、熱く身を焼く恋と変ったのである。初枝にしても同じであった。兄のように親しく甘えていられた昔のことが懐かしくさえ思われる。恋知りそめた乙女の胸は、よろこびよりも苦しみの方が深かった。それでもまだセーラー服にお下げ髪だった今年の春までは、何となし甘えた気持で、すらすらと彼に言葉をかけることも出来たのだが、こうして、一人前の女性の姿になると、かえってそれが憚られる自分が切なかった。彼女は慎しみ深い娘であった。井口の言葉をいつまでも待って、ほの暗い部屋の中に、うつ向いたまま、時だけが静かに流れた。

重苦しい沈黙が続いて、井口は何かいわなければとだんだん焦って来た。いいたいことは胸一杯に広がって、口元まで溢れて来るようなのに、何にもいえなかった。銀座あたりのカフェーでとぐろを巻いているような不良学生だったら、こんな時、いくらでもすらすらという言葉を心得ているだろうが、彼は謹厳な良家に育ち、勉学一筋に過して来ただけに、こういう時、柔らかく相手の心を包んで行くような言葉を知らなかった。

（初枝さん、僕は貴女が好きです。好きです。好きです。）

彼は心の中で叫んだ。だが、それがどうしても言葉にはならないのだ。それに彼は今しがた幼な友だちの戦死の報を聞いて来たばかりだった。彼がこの家に入って来た時、思い詰めた表情をしていたのは、そのためだった。小学校の六年間机を並べた友が、青春の喜びも悲しみもすべてを投打って、祖国のために戦い、異郷の土を赤い血潮で染めて、冷たい骸と化したというのに、たとえ、どんなに純粋な気持でも、友である自分が、今、平和な内地にぬくぬくと暮して愛や恋を口にする勝手さが憚られた。彼は、唇を噛んで、膝の上の拳を握りしめた。進の温顔が思い出された。彼は、親友と妹の恋をとうに感づいていて、打明けかねている井口に、妹に聞いてやろうかと、それとなくほのめかしたことがある。今年の夏休みの最後の日のことだった。だが、井口は、友の温かい友情を感謝しながらも、それを断った。彼は、男として、このことだけは、自分の一生涯を通じて最も大切な愛の告白だけは、自分の口から直接初枝に伝えたいと思っていたのである。

「機会を作ってやるよ。」

　と進はいって、西と東に別れた。駅頭は、出征兵士を送る人と旗の波でごった返していた。

　今、帰ったばかりに、自分の来るのが解っていながら墓詣りに出掛けた進のことを思うと、これが、彼のいっていた機会であるかも知れないと井口には思えて来た。井口の胸が激しく高鳴った。

「初枝さん、ボ、僕は……」

　井口は、どもりながら、真赤な顔をして口を開いた。長い沈黙を破って、その声が必要以上に大きく響いた。初枝の頬がピクリと動いて、一瞬、脈も息も止ったかと思った。そしてまた、タッタッタッと早鐘のように高鳴り始めた。

「あー。」

　初枝は熱い吐息と共に、黒い瞳を閉じて、井口の次の言葉を待った。とうとうその時がやって来たのだ。私の生涯に最も美しい鐘の鳴り渡る時が……。閉じた瞼に熱い涙が溢れた。それでも初枝は、井口が次の言葉を打明けやすいように、口もとに優しい微笑をたたえるのを忘れなかった。恋する乙女の本能であった。

（私は貴方のどんなお言葉でも喜んで伺いますわ。おっしゃって下さい、何なりと。お言葉通りにいたしますわ。決して貴方に恥をおかかせするようなことはいたしません。）

優しい花びらのような口元がそういっているようだった。井口の胸に新しい勇気が湧いて来た。乾いた唇をしめして、もう一度彼が口を開こうとした時、玄関の格子戸が勢いよくガラリと開いた。途端に部屋の中のピンと張り詰めた空気が一度にパンと風船玉のようにはぜて、その後にポッカリと大穴の開いたような空しさが残った。井口の唇が小刻みに痙攣した。初枝の顔にありありと失望の色が走った。だが彼女は日ごろのたしなみを忘れず、淑やかに一礼して、玄関に立って行った。

「やあ、今日は。進君いますか。」

　進の友だちの佐藤と望月だった。二人は高等学校時代そのままに、色褪せた紺絣の袷に小倉の袴をはいて、一握りもありそうな太い鼻緒の朴歯の下駄を履き、垢と油でテカテカ光った帽子を片手に、屈託なさそうな笑みを浮べて突立っていた。二人の顔を見ると初枝も、緊張してこわばっていた顔を無理にほころばして、

「今ちょっと出てますの。でも、もうすぐ帰ると思いますわ。井口さんもいらしていますから、どうぞお上りになって。」

　と、精一杯に明かるい声でいったが、まだ胸の動悸は納らなかった。それを聞くと二人はちょっと顔を見合せて意味ありげにニヤリとしたが、すぐ真顔になって、

「そうですか。今日は十人ばかり集ることになっているんだが……。初枝さん、兄さんから聞いてませんか？」

　と、野太い声でいった。

「ええ、伺ってますわ、どうぞ……」

　十人も集るのでは兄の部屋では狭すぎる。初枝は客間へ二人を案内した。広い十畳の真中に柴檀のテーブルがどっしりと据えられ、床の間には山水の掛軸と、初枝の手で活けられた黄菊白菊が、部屋一杯に気高い香りを漂わせていた。隣の居間との堺の欄間に、乃木将軍の筆になる「熟慮断行」の額が掲げてある。初枝が去ると、二人は顔を見合せた。

「井口の奴、もう来ているんだってよ。あいつ、休みになると真先にここへとんで来るが、南条か、初枝さんに会いたいんだか解ったもんじゃないぜ。」

　望月がこっそり佐藤にささやいた。

「いいじゃないか、どうせ俺たちには関係ないことだもの。」

　佐藤は笑って相手にしない。

「そうは行かないよ。」

望月は口を尖らせた。

「そういうところを見ると妬いてるんだな。お前も初枝さんが好きなんだろう。」

佐藤は口をへの字に歪めた。

「そ、そういう訳じゃないけどさ。」

望月は図星を指されて慌て出した。バンカラの割に照れやなのである。真赤になって思わず頭をかいた。

「馬鹿野郎、好きなら好きで堂々と挑戦しろよ、陰口きくなんて卑怯だぞ。お前らしくもない……。もっとも、そういう俺も少々気になるがな。」

佐藤はにやりと笑った。

「何だ、同罪じゃないか。」

望月は、照れて損したといわんばかりに、喰ってかかった。

「もっとも、俺たちじゃ駄目さ、初枝さんの方で相手にしてくれないよ。井口のような文才も芸術も持ち合していないバンカラ学生だからな。」

「全くだ。」

二人はまた頭をかいて、豪放にのけぞってカラカラと笑った。ちょうどその時襖が開いて、井口が顔を出した。極度の緊張の後、この他意のない竹馬の友だちによって、好機を逸した彼の顔は、心持ち青褪めてはいたが、それでも、もう落着いた。彼独特の穏やかな表情が蘇っていた。

「何が全くだ？」

「いや、こっちの話。それにしても南条の奴遅いな。どこへ行ったんだ？」

「墓詣りだよ。彼は親孝行なんだ。」

井口は二人の脇へ坐りながらいった。

「そういえばラッキョウ（茂のニックネーム）が亡くなってから、もう二年余りになるな、早いものだ。いい先生だったがなあ。」

この連中は、皆、茂の教え子でもあったのである。

やがて進も帰り、他の学生も続々と集って来た。玄関には磨き上げた黒靴や、泥のついた朴歯の下駄が、所狭しとぬぎ捨てられ、客間は割れ返るような笑い声に包まれ、若者たちの健康な体臭にむれ返った。

「それはそうと、最近の調子はどうだ。南条や井口は心配ないだろうが、俺たちはどうもな……。まごまごすると来年の進級はおぼつかないと、教授に叱言を喰った。」

　東北大の佐藤が顔をしかめた。

「心配するな、落第もまた楽しだ。それだけ徴兵検査が延びるという寸法さ。」

　望月は、初枝の運んで来たお茶をすすりながら、熱い湯気に目を細めて呑気そうにつぶやいた。彼は豪放闊達な性格で、滅多なことではビクともしない図太い神経を持ち合しているのだ。

「しかし、そうのんびりしてもおれんぞ。学生の徴兵猶予は満二十六歳まで、大学七年生、八年生はチョンだ。」

　進は自分の首に手刀を当て、倒れる真似をして見せた。

「残り少なき青春か。」

　佐藤がいうと、皆、一様に顔を見合せた。今度は誰も笑う者はいない。今まで黙って皆の話を聞いていた井口が、突然思い詰めた表情で皆を見廻していった。

「君たち、長谷通りのクリーニング屋の達雄を覚えているだろう。」

　同級生の彼らには皆、覚えがあった。色が真黒くて笑うと歯ばかり白かったから、印度人という渾名がついていた。活発で朗らかな人なつっこい少年だった。進が真先に頷いた。

「おお、覚えているとも。初枝の話じゃ、前はよく御用聞きに来たそうだが、このごろさっぱり姿を見せなくなったそうだが……。彼、どうかしたか？」

　井口は苦渋に充ちた顔を上げた。

「そのはずだ。彼、戦死したんだそうだ。」

「戦死した？」

　皆、中腰になって一斉に叫んだ。ショックだった。戦争が始れば、若者が戦の庭に立てば、戦死は当然のことだった。毎日の新聞に戦死者の顔写真が出ない日はなかったし、街角を歩けば、「殉国戦死の家」の札が、そこここの軒先に下っているこのごろだったが、それは身近に迫って来なければ、やはり他人事であった。だが今、六年間、共に学び、共に遊んだ親しい友の戦死の報を聞けばいかに豪放な学生たちといえども、この戦争を改めて本当に身近に感じ、愛すべき幼な友だちの死に、深い哀惜の念を抱かずにはいられなかったのだ。

「そうだ。僕、今ここへ来る途中であの家の前を通っておふくろさんに会った。何気なく達雄君元気ですかって声をかけたんだよ。そうしたらあのおふくろさん、急に僕をじろりと睨みつけて、達雄は中支で名誉の戦死をしました、っていうのさ。僕はびっくりして、とっさに悔みの言葉も出て来なかった。するとおふくろさん、もう一度僕を睨みつけて、皮肉たっぷりに、貴方方学生さんはいいですね、そうして、やれ夏休みだ、冬休みだと遊び廻れて、っていうのさ。ちょっとむっとしたけれど、考えて見ると、彼のおふくろさんのそういうのも無理ないと思ってね。僕たちと同じ年ごろの者は皆戦場へ行ってしまった、そういう奴の親から見れば、同じ年ごろの学生が呑気そうに街を歩き廻っているのは、やり切れないだろうからな。」

皆一様にしんとしてしまった。かつて彼らと机を並べた者でも、小、中学校だけで社会に出た者は、どんどん現役兵として出征し、ぽつぽつ戦死者も出始めているのだった。単なる運命ということだけで片づけることの出来ない何かがそこにはあった。お菓子を運んで来た初枝は、この話を襖の外で聞いた。井口がなぜ先刻、ベートーベンの「運命」を選んだのか解るような気がした。初枝は、達雄の真黒い、愛想のいい笑顔を思い浮べた。

「チワー。」

と元気よく裏木戸から顔を出して、洗濯物を威勢よく受取って行った彼はもうこの世にいないのだ。

「まあそう気にするなよ。俺たちだって再来年の今ごろにゃあ、もう立派な新兵さんだ。ちょっとばかり遅いか早いか、大した違いはないじゃあないか。」

望月が湿った空気を吹飛ばすように、豪快な声でいった。初枝はドキリとした。そうだ、お兄さんだって井口さんだって、大学を出ればすぐ兵隊に取られる。頑健な兄はまだいい。でも、どことなく線が細くて、ひ弱そうな井口のことを思うと、彼女は、目の前が真暗になる思いだった。

「本当にそんなに長引くのかなあ。」

「なあに、日清だって日露だって正味は一年ちょっとじゃないか、そのうち片づくよ。」

学生たちは、めいめいの意見をのべて、がやがやと騒ぎ出した。

「オイ、今日は残り少なき青春のために乾杯だ。盛大にやろうじゃないか。」

佐藤が一際高く叫ぶと、皆、

「おう。」

と、一斉に答えて立上った。進は台所の梁に掛けてあった大きな鉄鍋を持出して来た。石川五右衛門もゆでられそうな大きな鍋、子供たちが「五右衛門鍋」と称して笑う南条家が十五人の大家族だったころに活躍した大鍋だった。醤油の大瓶、一升徳利、大きな袋に入れた砂糖、それぞれに手に下げたり、担いだりして、十人の学生はぞろぞろと玄関を出た。初枝はそっと井口の後姿を見送っていた。西の空だけが、赤く染まって、太陽はすでに没し、戸外はもう薄暗くなりかけていた。

　進たちは葱や肉や白滝や焼豆腐をしこたま買い込んで、安倍川の川原に向った。望月は大好物の酒を忘れなかった。茜色の空が紫から墨色に変って満天に星が瞬き始めるころ、川原に石で大きなかまどを築いて、五右衛門鍋に一杯肉や野菜を放り込み、車座になって賑やかなすき焼会が始る。川原を渡る冷たい木枯しも何のその、手拍子揃えて出るのは、校歌、寮歌、応援歌、「でかんしょ」から「ちゃっきり節」まで飛び出して、夜の更けるのも知らずに、朗らかに語り、歌い明かすのだ。この時ばかりは彼らの前に、試験も、卒論も、徴兵検査もない。十人の大学生の心は一つになって、青春を謳歌するのである。こんな若者たちを、安倍川の義夫の碑が、静かに見下していた。

四

「昨年から懸案になっていた家のことですがね。」

　外出から帰って少し遅れて食卓に就いた進が、白絣の腕をまくって、ふところに扇風機の風を入れながら、勢い込んでいった。かなり急いで帰って来たらしく、広い血色のいい額から玉の汗がだらだらと頬に流れている。初枝の差出したおしぼりで汗を拭きながら、進は少々人心地がついたように家族の顔を見廻した。食卓の上には、初枝のお得意のカレー料理が並んで、楽しい夕食が始っていたが、家の話と聞いて、しずも弟妹たちも、一斉にスプーンや箸をガチャガチャ置いて、兄の方へ注目した。

「まあ、食べながら聞けよ。」

　進は、自分も初枝のお給仕してくれた料理に箸をつけながら、嬉しそうに母に向って、

「素晴らしい場所に、素晴らしい家が見つかったんです

よ。今、望月の家で聞いて、早速見に行って来たんですがね。一昨年建てたばかりの和洋折衷の文化住宅で、西の凱旋橋から真直ぐ百メートルばかり入ったところの二階家なんです。持主は望月の親父さんの知合いで、その人が急に満州へ永住することになって、早急に手放したいといっているんだそうで、そんな訳で、比較的値段も安いんですよ。土地は、土手通りの秋山さんのだそうですが、あそこはお父さんの古くからの知合いだから、勿論引続き借してくれると思うし……。この家はもう売りに出しても幾らにもならんでしょうが、地所は広いし、大分値上りしているから、かなりの値段になるでしょう。旨く交渉すれば、秋山さんに買って貰えるんじゃないかと思います。そうすれば、こっちは殆んど現金を動かさずに、新しい家が手に入りますよ。僕に任しといて下さい。望月の親父さんも口をきいてくれますから大丈夫、出来たらこの夏休中に引越しましょう。いいでしょう、お母さん。」

　進は澄子に算盤を取って来させて、経済には疎い母に、てきぱきと数字を示して納得させ、早速明日から交渉に入る承認を得た。

「どんなお家なの。」

　澄子は食事もろくに喉を通らないほど、有頂天になって、上ずった声を出した。

「いい家だぞー。小ぢんまりしていて、新しくて。だがまあそう慌てるな。そのうち見せに連れて行ってやるからな。」

　進は、小さい妹の可愛いオカッパを撫でていった。彼女も、二年生になった。成績はいつも最右翼、相変らず活発で、好奇心は人一倍強く、無邪気な少女だった。

　しずはとうに覚悟してはいたものの、いざとなるとこの古い邸に去り難い未練を感じて、荷造りの手も鈍りがちになった。茂と暮した幾春秋の、喜びも悲しみも、すべてがこの古い壁にも、すすけた天井にも、刻み込まれ、しみ込んでいるようであった。長い年月、忙しさに紛れて、手もつけてなかった納戸の隅や、押入の奥からは、思い掛けない若い日の思い出の品々が現れて、益々彼女の感慨をそそった。そんな母の袂にまつわるようにして、幼い功が喜々として、古い珍しい品々に手を触れたがった。しずと功が一番最後まで古い家に残った。古ぼけた荷物を山と積んだ最後のトラックが、功も乗せて新しい家に向って勢いよくスタートした後、がらんどうになった家の真中に一人立った、しずの瞼から噴き出すように涙が溢れて来た。新しい生活に希望を託して喜び勇んでいる子供たちの前では絶対に見せまいと、今までこらえにこらえて来た涙であった。五十路を越えてもふくよかな彼女の頬に、後から後から熱い涙が溢れてはしたたり落ちた。

（さようなら、懐かしい家、さようなら、懐かしい思い出。）

どれだけの間そうしていたであろう。しずはいつの間にか、嫁いだばかりの若い日の自分に返っていた。長身の茂が傍らにいた。だが、ごちゃごちゃと溢れるばかりに廻りを囲んでいるはずの、姑も、小姑たちの姿も見えなかった。しんとした広い邸に、茂と二人だけの幸せな時が流れた。

「私たち、二人だけなんですね。」

しずは、そっと茂に寄りそって呼びかけた。

「そうだよ、二人だけなんだ。」

遠い雲の上からこだまのように尾を引いて響いて来るような声であった。

「二人きりになれましたのね。やっと、やっと……」

また、新しい涙が溢れて来た。しずは、ふわりと茂の逞しい腕に倒れかかった。嫁いでからこの方の、ありとあらゆる重い肩の荷を下して、彼女は今、初めて一人のたおやかな女として、茂の力強い腕に抱かれようとしたのだ。

「お母さん、解りますよ、お母さんの気持。でも、皆が待っています。さ、行きましょう。」

がっしりとした温かい手が、しずの肩を静かにゆすぶった。進であった。彼は、母の到着が余り遅いので、心配して引返して来たのである。開け放しになった玄関から入って、がらんどうの奥座敷に丸い欄間からもれる鈍い夕陽を浴び、涙に濡れて佇む母を見出した時、進の目にも熱いものがこみ上げて来た。この時ほど、母の姿を美しいと思ったことはなかった。この時ほど、母の姿に、女を感じたことはなかった。白地に紺の矢絣の単衣に、まろやかな餅肌を包んで、心持ち上向き加減に空間の一点を見詰める母の背に、夕光が輝いて、後光がさしているようであったが、何かにすがるように広げた柔らかい腕には、母という強い立場を捨てた、一人の優しく可弱い女の姿があった。

　黄昏迫る濠端に、ほんのりと匂い刷毛のように咲くねむの木影を、しずは、息子の逞しい腕に抱きかかえられるようにして、懐かしい家を後にした。


　澄子は、その朝早く、芙次子と一緒に、トラックには載せられない、大きな人形ケースを持って新しい家に来た。

　そこは、駿府城跡と賤機山に挾まれた、徳川時代からの古い邸町で、車や人の往来も少なく、板塀に囲まれた古い武家邸や、近代的な和洋折衷の文化住宅が、緑の植込みの奥に、美しい佇まいを見せていた。濠に沿って西南へ、そして凱旋橋の袂から右手へ曲ると、キリスト新教の英和女学院があり、その先に、新しい二階家が見えて来た。新しい家の前に立った二人は、思わず讃嘆の溜息をついた。進は小ぢんまりした家といったが、それは、ただっ広いばかりの元の家に比ればの話で、なかなかどうして堂々たる建物であった。まず澄子を驚かせたのは、上部にすかしの入った美しい板塀と、門の両脇に立てられた、一かかえもある白い御影石の門柱であった。その門柱の間に、頑丈な木の両開きの扉があり、その脇に、チリチリと可愛い音のする鈴のついた開き戸があった。門をくぐると左手に竹垣をめぐらし、表庭へ通ずる柴折戸が、新しずくめの家に、ものさびた風情をそえていた。玄関へ通ずる三十メートルばかりのコンクリートの叩きの両側には、棕櫚の木や、つつじや、青木の植込みがあり、真赤なカンナの花が、今を盛りと咲き誇っていた。玄関のカットグラスのガラス戸を開けると、一坪半のポーチに、ニス塗りのピカピカ光る式台が続き、二畳間からは、中央左手が奥へ通ずる廊下、右手が階段、東側が応接間のドア、西側が表座敷へと、極めて合理的に設計されていた。澄子は真先に二階へ駈け上った。北側の六畳の窓を開くと、雪の衣を脱いだ夏姿の富士が清々しく澄子の瞳にうつった。

「うわあ、素敵。」

　澄子は思わず歓声を上げた。

「ねえ、お姉さん。このお部屋、私たちのお部屋にしましょうよ。」

　彼女は、階段に向って勢いよく叫んだ。

「でも、ここは日当りが悪くて、今はいいけれど、冬は寒くないかしら。」

　後からゆっくり上って来た芙次子は、部屋の中を見廻してちょっと首をかしげた。

「でも、ここからは富士山が見えるし、ホラ、賤機山も竜爪《りゅうそう》山もあんなに……。」

　と、澄子は窓の外を指した。そこには、緑の賤機山が強烈な日の光を浴びて、活き活きと輝き、正面に竜爪山の濃い紫の山肌が、真白い入道雲に映えて、二人をさし招いているようであった。

「いいわ、ここにしましょう。毎日、窓を開けて、富士山や竜爪山を眺めて勉強出来るなんて、本当に素晴らしいわ。」

　二人は早速畳の上にお人形のケースを置き、部屋部屋を見て廻った。廊下一つ隔てた隣の四畳半は、東と南に窓があり、濠の土手の松や、カトリック修道院の十字架の塔が、ガラス戸越しに眺められた。

（ここが昭兄さんのお部屋だわ。）

　澄子は楽しそうに、隣の六畳を通り抜けて、南側の広い客間に来た。そこは、青畳の甘酢っぱいような匂いが部屋中にたちこめていて、正面の床柱と、両脇の違い棚、書院の欄間にも、見事な彫刻が施してあった。部屋と部屋との境の欄間にも、これまた、趣向をこらしたすかしが入れてあって、どこもかも、結構ずくめであった。二階を見終った二人は、小鳥が舞うように、階段を駈け降りた。

　階下の一間幅の中央廊下の右に、女中部屋であろうか、三畳の薄暗い部屋がある外は、どの部屋も採光がよく行届いて明かるく清潔であった。三畳間の隣の台所は、ピカピカの床にタイル張りの流し、ガス台、調理台などが整然と並んでどこにも無駄がなく、台所の奥にタイルの浴室と、その隣の、廊下の正面に当る所に、脱衣場を兼ねた洗面所があった。廊下の右側は表座敷の八畳に、日当りのよいサンルーム、居間、茶の間と並び、茶の間の外の廻り廊下から裏庭へ下りると、百日草や金魚草が、新しい家主を迎えて咲き揃っていた。庭の右隅に二坪ばかりの物置がり、その前に楠木の大木が、蒼々と天に向って枝を伸ばし、左隣の家に沿った柾の生垣のきわに、彼岸桜が数本植えられてあって、その側に、裏の小路へ通ずる小さな木戸があった。

表庭は青木や紅葉、つつじなどの植込みで、門の脇に大きな李の木が一本、青い葉が、強烈な日光を浴びて、心持ちうなだれていた。

　午前十時、日は高く上り、街々では、官庁も工場も商店も、うだるような暑さの中で、今日一日の活動が開始されている最中というのに、この街は、眠ったようにうっとりと、静まり返っていた。医者や弁護士や、軍人の家ばかりのこのあたりは、ただよう空気までが柔らかく気品に満ちているようで、どこからか美しいピアノの音が、静かに流れて来た。

　一通り家の中を見て廻った二人は、荷物の到着を待つ間、室内の掃除にかかった。窓を開け放つと、表の通りから、涼しい南風がさっと吹き込んで、家中が活き活きと活動し始めた。後から後から荷物が運ばれて来た。進と昭が、ランニングシャツ一枚で日焼けした逞しい肌に、玉の汗を浮べながら、大きな家具を据えつけた。

　初枝は新しい台所を見廻してにっこりした。清潔で働きよさそうだ。もう上ったり下ったりの重労働ともお別れだ。流しの前の小窓を開けると、オゾンを一杯含んだ新鮮な空気が流れ込んで来た。

　しずが新しい家に着いた時には、さすがに長い夏の日もすっかり暮れて、ほの暗い門灯のかげに澄子がポツンと佇んで、母の到着を待ちわびていた。白い御影石の前に立った淡いピンクのワンピース姿が、暗い明りの下にふわりと浮んで、ねむの花のように可憐だった。

「遅かったのね、お母さん。どうしたの？」

　ピンとのりのきいた母の単衣の袂に飛びつくように頬を寄せて、せき込んでいう澄子にしずは、

「ごめんなさい。後片づけしたり、御近所へ御挨拶したりで、つい遅くなってしまったの。どう？　こっちも片づいたかしら。」

　と、つとめて明かるい声で答えながら、暗がりで、泣きはらした顔を悟られないでよかったと思った。家の中へ入ると、彼女は真直ぐ廊下の突当りの洗面所へ行った。

「あ、お母さん、遅かったね、心配してたよ。」

　昭が、流しの隣の小窓近くに棚を吊ろうと、左手で木の板を支え、右手に金槌を持って、上を向いたまま声をかけた。しずは急いで水道の蛇口をひねると、

「後片づけやお掃除で、すっかりすすだらけになってし

まって……」

　といいながら、泣きはらした顔を洗い、タオルで水を拭きながら、明かるい電灯の下で初めて、つやつやした健康な笑顔を子供たちに向け、

「皆、御苦労さん、疲れたでしょう。」

　と、一わたり部屋部屋を見廻って歩いた。家の中はまだ雑然として、三畳やサンルームには荷物がうず高く積み上げられていたが、それでも、茶の間や居間は今夜の生活にさしつかえないように整頓され、居間の隅の母衣蚊帳の中で、功がすやすやと安らかな寝息を立てていた。台所では初枝と芙次子が喜々として立ち働いていた。彼女たちは、母の姿を見るとはずんだ声で、

「お母さん、ここのお台所、とっても働きよいわ。今、御飯が炊けたところなの。ガスで炊いたのは初めてだけど、とても美味しそうよ。お風呂もわいたから、すぐ入れるわ。」

　と、ばら色の頬をほころばせて、忙しそうにお盆にのせた食器を茶の間へ運んで行った。

　茶の間へ行くと、そこにはもう食卓がきちんと整えられてあり、芙次子の作った、青いビーズ刺繍のシェードを掛けた電灯が、涼しい光を投げかけ、ガラス器にすだれを敷いて、鯉のアライや、鮪の刺身が、一日の労働で腹ペコになった皆を待っていた。

「疲れたでしょう、お母さん。でも、まずまずこれで新しい出発が出来ますね。」

　進が、食卓の前にどっかと坐って、煙草に火をつけながらいった。

「ほんとに……」

　頷きながら、しずの目から、また新しい涙が湧き出そうになった。だが今度の涙は追憶の涙ではなかった。これだけの大仕事を、殆んど一切合切、自分たちの手でやり遂げた、子供たちの実力と協力振りに、彼女はただもう、目頭が熱くなるばかりだった。もし私に万が一のことが、あっても、もう、子供たちだけでも立派にやって行けるだろう。そんな思いさえして、しずはうるんだ目で満足そうに進に頷いて見せ、そっと立って、仏壇の前に灯明をともした。赤いろうそくの火がゆらゆらゆれて、その中に茂の温顔が浮んで来るようであった。

（御先祖様、あなた、ここでまた、私たちの新しい生活が始ります。どうぞ、この家で引続き皆が平和に暮して

行けますよう、お守り下さいませ。）

しずは、表座敷の床の間に据えられた、南条家の仏壇にねんごろに祈りを捧げた。

新しい家の新しい茶の間で、初めての遅い夕餉の膳を囲んで、賑やかな晩餐が始った。皆、今朝からの労働で、くたくたに疲れてはいたが、誰もが申し分なくこの家が気に入って、機嫌よく、よく食べ、よく喋り、もりもり空腹を満たして行った。進と昭はランニングシャツ一枚で、逞しい腕をニュッと突出し、お給仕の初枝が食べる暇がないほど、何杯も、矢継早にお代りを出した。初枝も芙次子も、日ごろの少食は嘘のように食がすすんだ。澄子は、熟れたトマトのような真赤なホッペを、明かるい電灯の光でつやつやさせながら、

「このお家、とっても素敵ね。お母さん、お兄さん、有難う。私、これからお庭のお掃除、皆、引受けるわ。」

と張り切っていった。

一家総勢七人が、この新しい屋根の下で、また新しい歴史を作り出して行くのである。しずは、希望に輝く子供たちの顔を一人一人見廻しながら、思い切って移って来て本当によかったとしみじみ思った。

夜も更けて、外は、昼のかんかん照りも嘘のように立秋を過ぎた夏の夜の大気は涼しく、縁近くの草むらで、早くも秋虫が鳴き出していた。空には青い涼やかな星くずが瞬き、新しい銀の甍の下に、七人の家族の安らかな夢が結ばれた。それは、同じ星空の下の中国大陸で、昼夜をわかたぬ激しい戦闘が繰返されているとは想像もつかぬ、平和で満ち足りた夜であった。

五

大学を出て関西の紡績会社に就職した進が徴兵検査のために帰って来た。その晩は、皆で進を囲んで、秋の夜長を賑やかに話がはずんだ。

翌日進は元気よく出掛て行った。検査場は彼の母校、澄子たちの小学校の講堂である。

明治以来、日本男児と生れ来て一度は必ず受けるこの検査。この検査を受けることによって、一人前の成人男子として自他共に認められることとなる。普通は満二十歳、進の場合は学生猶予で大分遅れた。

素裸になって、頭のてっぺんから足の裏まで綿密な検査を受ける。その結果によって、甲種、第一、第二乙、丙と規格を分けられる。甲種合格は現役で直ちに入隊、第一乙以下は必要に応じて召集まで各職場において生活しながら待機ということになる。進は勿論甲種合格だった。

「ヨーシ、いい体しとるぞ。」

軍医殿が大声で、ピシャリと裸の肩を叩いて誉めてくれた。望月も佐藤も甲種だったが、井口だけは乙だった。

家へ帰ると皆が待ち兼ねていた。

「どうだった？」

「甲種合格です。」

「そう、おめでとう。」

「めでたいかどうかは解りませんがね。」

進は苦笑して着替えを始めた。汗ばんだワイシャツを脱ぎ捨てて、父親譲りのセルに手を通すと、樟脳の香りがプンと鼻をついて、何ともいえぬさわやかな気持になったが、もうこの和服も着おさめかと思うと苦い思いが胸をかすめた。初枝が物問いたげにそっと寄り添って着替えを手伝った。

「佐藤も望月も甲種だ。じき入営だ。」

初枝は兄の後に廻って黒縮緬の帯を白い指でギュッと結びながら、深い息をした。

「井口さんは？」

初枝の切ない声を背に聞いて、進は静かにいった。

「第一乙だよ。」

「じゃ……、じゃあ、すぐではないのね。」

「すぐではない。しかし、戦争が長引いて激しくなれば、乙種といえども召集は必至だよ。」

それでも初枝はホーッと安心したような溜息をして、脱ぎ捨てられた洋服の始末にかかった。

「オイオイ、そう安心したような顔をするなよ。お前の兄貴は明日にも鉄砲担いでトテチテタだというのにさ。」

「それは……、それはお兄さんや佐藤さんたちは体も丈夫でしょ。神経も太いでしょ。だから……」

初枝は顔を赤らめ、すっかりどぎまぎして吃った。

「ハッハッハッ、こいつー。」

進はそんな妹が可愛くてたまらなくなった。

「しかし……」

と彼はまた考えていった。

「あいつまた悩むだろうな。僕や佐藤や望月がすぐに軍隊に入るのに、自分だけはシャバに残る、彼にとっては耐えられないだろう。彼は平和を愛している。文学や詩や絵画を愛している。決して戦争に行きたくはないだろう。でも、あいつは心の中で戦争を死ぬほど否定していながら、自分と机を並べて勉強した者が次々に召集され、次々に死んで行くのに、自分だけが平和に暮していることとに耐えられないんだ。戦争と平和と、軍隊と友情のがんじがらめになって苦しむあいつの心は見ていられない。僕にはそれがよく解る。あいつは純粋過ぎるんだ。それがまたあいつのいい所なんだが……。佐藤や望月のように図太く構えることが出来たら、何も悩むことはないんだがな。初枝、お前あいつを励ましてやれ、慰めてやれ、僕が何をいうよりも、その方がずっと効き目がある。あいつはお前が好きなんだ。好きで好きでたまらないのにそれをいい出せないのは、決して臆病や卑怯のためじゃない。いつ来るか解らない赤紙一枚のためなのだ。お前を苦しめたくない優しい思いやりのためだと思うよ。お前の方からぶつかって行け。僕はお前たちを心から祝福するよ。」

「そんなことといったってお兄さん、私、どうしていいか解らないわ。」

初枝は涙ぐんで兄を見上げた。

「今日は引張って来ようと思ったが、すぐ日立へ帰らなければならないそうだ。軍需生産ですごく忙しいらしい。また、当分来られないだろう。今度来る時は応召だ。お前、手紙を書いてやれ、どんなことでもいい、お前に便りを貰ったということだけで、彼は充分力づけられるだろうから。」

「そうするわ、きっと……」

初枝はじっと、窓の外の東の空を見詰めた。そこに、日立に向って、井口は汽車の旅を急いでいることだろう。愛する人を想って、初枝の姿には十倍も美しい女が匂っていた。そんな妹を進は心から祝福してやりたいと思った。ピンクの濃淡の縦縞のお召から、白い柔らかい衿足が抜け出て、アップした黒髪に、ぽってりと、桜んぼのように赤く染まった耳たぶが愛らしかった。しかし、ほっそりとした白い横顔には、なぜか「美人薄命」という言葉がぴったりするようなはかなさが漂っていて、進の胸をしゅんと締めっけた。初枝と井口、幸せの絶頂にあるべきこの二人の行く手を阻むものは何か。進は窓外の抜けるような青空に目をやりながら、眦《まなじり》を決して拳を固めた。この愛する妹と、愛する友の幸せのためになら、自分はすべてを捨てて二人を守るために外敵の前に立ちはだかることも、少しも惜しくはないと思った。

進の出征の日の朝が来た。

大門が一杯に開かれ、その上に交差させた日章旗と旭日旗が秋風にはたはたとはためいていた。門の前には町内会や警防団の顔役、隣組の人たち、国防、愛国婦人会、男女青年団の代表などが、進の出発を今や遅しと、手に手に日の丸の小旗を持って待ち構えていた。進の友人たちの姿のないのは淋しかったが、彼らはすでにこうして送り出されたか、今、同じ時に、それぞれの家の門前で忠と孝とを誓って、再び帰らぬ門出の途上にあったのである。こういう情景が全国津々浦々に、何万回となく繰返されつつあった。

家の中ではささやかな門出の盃が肉親の間で交され、進は今静かに先祖の位牌の前に合掌していた。明治以来、南条家で征途に就くのはこの進が初めてであった。しずは、今、大君に召されて晴れの門出をするわが子の姿を、喰い入るように見詰めていた。二日一晩の難産の末にやっと生み落した初のわが子、それから二十年余り、手塩にかけて育てた甲斐があって、何者にも勝れて立派に成人したわが子を誇らしくも思い、また耐え難くいとおしくも思った。今、日章旗と旭日旗のはためくわが家の門を出て、再びわが手に帰ることの期し難い戦場に向う。やりたくない、やりたくないという切実な叫びを、しずは歯をくいしばって懸命にこらえた。涙は見せまい。悲しんでいることをこの子に知らせてはならない。この子は母を哀れむだろう。頼もしく優しい母想いの子であった。笑って門出を祝ってやらなければならない。家のことは何にも心配しなくていいよ。私のことも弟妹たちのことも。皆、それぞれに力の限り生きて行く。お前を見習って……。お前は弟妹たちの本当に良いお手本だった。有難うよ進。どうか丈夫で無事に大任を果して帰って来ておくれ。今はもう、無事に帰って来てくれることだけが、お母さんの唯一つの願いなのだよ。しずはわが子の広く逞しい肩幅に目をやって、思わず溢れそうになる涙をじっとこらえた。

進は静かに目を閉じていた。ここ数カ月は特に複雑な思いが頭の中一杯に渦巻いて、割れ返るようであった。

何のための戦争か、何のための出征か……。千年余りの歴史の中で、常に日本の文化の発展に貢献して来てくれた中国との戦はどうしても納得出来ないものがあった。だから、現役入営と決り、皆から口々に「おめでとう、おめでとう」といわれても、

「有難う、しっかりやって来ます。」

と、口ではいいながらも、少しも素直な気持にはなれなかった。長い間修めた学問も、せっかく得た立派な職場も、青春の果てしない夢も、すべてを投打って死と対決しなければならない。

「何がめでたいものか。」

と叫び出したくなる。めでたいといえば、自分が少しもその必要も意義も認めることの出来ない、むしろ不当だとさえ思える戦争に、黙って弾よけに駆り出されていく自分こそ、おめでたいのではなかろうかと、自分自身にさえ腹が立ったこともあった。

しかし、今はそうした思いも消えて、ただ、家族いとしさの余りに、彼は複雑な自分の心境を押隠して、真面目に征途につく心構えを新たにしていた。

（戦争はもう始っているんじゃないか。食うか食われるかの苛烈な戦から、祖国を、同胞を守らなければならないとしたら、優しい母や、可愛い弟妹たちを、戦いの魔の手から守ってやらなければならないとしたら、僕が行くのは当り前じゃないか。）

進は灯明のゆらめきの中に、父の顔を思い浮べた。

（お父さん、御先祖の皆さん、征って参ります。僕なき後のお母さんや、弟や妹たちをお守り下さい。どんな激しい戦になろうとも、この愛する母や弟妹たちを戦禍の爪から守るためにそのためにこそ僕は征くのです。お母さん、弟、妹、どうか幸せに、僕のことは心配しないで、平和で楽しい毎日を送って下さい。）

「時間ですよ。」

叔父が声を掛けた。

「では皆さん、征って参ります。」

進は畳に両手をついて深く頭を下げた。奉公袋を片手に玄関を出る進の顔には、晴れやかな微笑さえあった。日章旗の下に立つと、待ち構えていた町内会長が音頭をとって、

「南条進君、バンザーイ。」

と、真赤な顔で叫んだ。バンザイ、バンザイの嵐が起った。

「おめでとう、御入営おめでとう。」

「元気でな。しっかり頼むぞ。」

青年団の群れから歌声が湧き起った。

勝って来るぞと勇ましく
誓って国を出たからは
手柄立てずに死なれょうか
進軍ラッパ聞く度に
瞼に浮ぶ旗の波

バンザイ、バンザイの歓呼と拍手の中を、進は大勢の人々に見送られて、懐かしいわが家を後にした。

進が入隊したのは名古屋の砲兵連隊であった。家族も本人も、静岡の歩兵第三十四連隊に入営出来ることを、秘かに、しかし、熱狂的に切望していたのだが、その願いは見事に裏切られた。茂の長身と、しずの肉着きとが、この長男で一つになって、進は実に堂々たる体格であった。百七十五センチ、七十五キロの体軀は、巨大な砲を操る砲兵にこそ最適だったのである。

入隊してすぐに戦場へ連れて行かれて、現地で教育を受けながら戦う場合もあったが、進は名古屋で初年兵の教育を受け、すぐ乙種幹部候補生試験に合格して、三島の連隊に移り、座金をつけて帰省して来た。一泊二日の外泊許可である。南条家は久し振りに長男を迎えて、喜びに湧き立った。

晩秋の昼下り、庭の大楠木のてっぺんで、百舌鳥《もず》がキイキイキイとけたたましく鳴いていた。縁先に、こぼれるように咲き乱れている小菊の花の香りが、小春日和のすっきりした秋風にのって、茶の間の中まで漂って来た。進は汗臭い軍服を脱いで久し振りに大島の袷に手を通し、食卓の前に大あぐらをかいて、母の立ててくれた一服の茶に、しみじみと故郷の香りを味わっていた。茶の間には家族全員が元気な顔を揃えていた。

母は静かに、しかし、息子の一挙手一投足を、一つも見逃すまいと必死の面持ちで眺め廻した。激しい訓練で体をこわしはしないだろうか。軍隊ではなまじ学問のある者ほど目の仇にされるという。古兵たちとはうまく行っているだろうか。祖先から受け継いだ、曲ったことは絶対に見逃すことの出来ない直情な性格、千万人といえども我行かんの強い精神力が、かえって仇になりはしないだろうか。しずは少しやつれた息子の横顔に、胸のつまる思いであった。しかし、当の進は現在自分の置かれた環境に観念して、案外割切っていた。俎板に載せられた鯉のような心境であった。じたばたしたって始らない。彼はクソ度胸を定めていた。

六

肩を並べて姉さんと
今日も学校へ行けるのは
兵隊さんのお陰です
お国の為に、お国の為に戦った
兵隊さんのお陰です

可愛い功の声が裏庭から聞えて来る。末っ子の功もようやく一年生になった。父の顔も殆んど知らないこの子も、母や、兄や姉たちの深い愛情のもとですくすくと育って、二人の兄たちに劣らぬ素直で強い気性を持つ男の子に成長しつつあった。毎朝、黒のランドセル、黒の運動靴、兄のお古の黒の小倉の学童服を着て、澄子と仲良く登校した。「肩を並べて兄さんと」というところを、「姉さん」と変えて歌っているのも功らしく可愛い。

入学式の日、校長先生は、忠と孝の大額を背に、一段と声を張り上げて、

「皇紀二千六百年のこの佳き年に入学された皆さんは本当に幸せです。しっかり勉強して立派な小国民になって下さい。」

と力強くいわれた。

「僕はうんと勉強し、体を鍛えて、幼年学校から士官学校へ行って立派な軍人さんになるんだ。頑張ろう。」

顔型も丸い目もキューピーそっくりの坊やは、自分の心にこの誓いを深く刻みつけた。

澄子も四年生になった。級の編成替えが行われ、男女別々の組になった。校内活動と共に、校外活動にも活発に参加した。

町内の隣組にならって、町会ごとに子供隣組も編成され、毎月一日の興亜奉公日には常会が開かれ、日曜の朝には、町内の氏神様と浅間神社、区域内の道路の清掃、出征軍人や戦死者の遺家族の慰問などを行った。

常会は上級生から順次、各戸持ち廻りと定り、最初は組長の大谷雅彦の家で開かれることになった。澄子の家からほんの百メートルと離れていない角を曲った所に彼の家がある。軍人のお父さんは出征中、母と姉と弟の四人暮しの彼の家は、どっしりと落ちついた構えで、何か侵し難い威厳に溢れていた。雅彦の弟の直明と功は同級生だったから、二人はいつも往き来していたが、澄子はこの武家邸風の大きな厳めしい門をくぐるのは初めてであった。勝手知った功が澄子の手を引張って座敷へ案内した。応接間の前を通った時、大きなグランドピアノの前に姉のあけみが腰掛けていて、明け放たれたドアの間からこっちを見てにっこり笑った。優しい微笑であった。座敷に入るころ「乙女の祈り」の静かな調べが流れて来たが、一歩部屋へ入ると一年生から六年生まで二十人余りの子供たちが座敷一杯に集って、雀のお宿のように賑やかさだった。雅彦は床柱にゆったりともたれて同級の六年生たちと雑談し、愉快そうに笑っていた。澄子が入って行くと彼はにっこりして、自分の前の空いている席へ坐るようにと目で合図した。澄子は大きなテーブルの前にチョコンと行儀よく坐って、真向いにいる雅彦の顔を見るともなしに眺めていた。お雛さまの雄雛を思わせるような気品高い整った顔立ちだったが、白皙の広い額にグッと引かれた太い眉や、切れ長の黒く輝く彫りの深い瞳は、この少年の並々ならぬ英知を示し、通った鼻筋や引締った口元には男の子らしい強さが現れていた。しかしその口元がほころびると、まだ幼児のようなあどけなさがこぼれ、明かるい清潔感が顔一杯に広がった。

お母さんが、キャラメルだのお煎餅だの、もうそろそろ手に入りにくくなったお菓子をお盆一杯出して下さった。子供たちの手は歓声をあげてお盆に殺倒した。澄子は日ごろ母に躾られている通り、お行儀よくすましていたから何にも渡らなかった。向いにいた雅彦が気付いて自分の分を半分分けてくれた。キャラメルが五つ、葵の葉の模様のついた大きな小麦煎餅が二枚、それで桜色の小さな手が一杯になった。

「アリガトウ。」

澄子はにっこりと小首を傾げてお礼をいった。淡い水色のスカートにクリーム色のセーターを着て、頬をほんのり上気させた少女を、雅彦は何て可愛らしい子だろうと思った。

一通り自己紹介もすみ、打合せを終り、一人ずつ何か隠し芸を披露することになった。

「功ちゃんのお姉さん、凄く歌が旨いんだぜ。いつも僕が遊びに行くと大きな声で歌ってる。」

直明が皆に大声で披露した。澄子はメッと彼を睨んだ。

（余りお喋りすると承知しないわ。）

「そうだ、いつか放送したっけね。」

澄子の同級生がいった。

「じゃ、澄子さん歌って下さい。」

司会の雅彦に指名されて澄子はパッと頬を赤らめた。

「やれよ、やれよ。」

男の子たちが口々に囃して拍手する。澄子は益々上ってしまった。学芸会の舞台の上ならかえって度胸がすわるのだが、こんな場所では勝手が違った。何を歌おうかな？　澄子の頭の中に昨日習ったばかりの軍神橘中佐の歌が浮んだ。思い切って立上った。

一、屍は積りて山を築《つ》き
　血潮は流れて川をなす
　修羅の巷か向陽寺《しやおんずい》
　雲間をもるる、月青し

二、味方は大方うたれたり
　暫く此処をと諫むれど
　恥を思えやつわものよ
　死すべき時は今なるぞ

三、御国の為なり陸軍の
　名誉の為ぞと諭したる
　言葉なかばに散り果てし
　花橘ぞかぐわしき

雅彦の母の朝子は澄子の可愛い歌声を隣の部屋で聞いていた。高い美しい声であった。そして一語一語に切々たる哀調が篭められていた。日露戦争の軍神として海軍の広瀬中佐と共に並び称せられ、軍人としてこの上ない栄誉を与えられ、後世まで華々しい賞讃の的となったこの人の、どこにも悲しい陰は見当らないのに、なぜこんなにこの子の歌は私の胸を切なく突くのであろう。彼女はいつの間にかこの歌声の中に、出征中の夫の面影をしのんでいた。大陸の事変発生と同時に、名にしおう静岡連隊の精鋭を引き連れて、勇躍征途についた夫の、若々しく逞しい姿が目の前に浮んで来た。大谷義春大佐は知勇共に勝れた立派な軍人であった。しかし家庭にある時

の彼は、常に優しく頼もしい夫であり、よき父親であった。門出の朝も子供たち一人一人の頭を撫で、愛馬の手綱をとって、

「後を頼んだぞ。」

と、ただ一言、その一言に万感の思いを篭めて妻を顧みた。その瞳の色を彼女は決して決して忘れることが出来なかった。

（帰って来るぞ、きっとな。）

その瞳はそういっていた。軍人として、しかも一軍の連隊長として出征する身に、生還の言葉は禁句であった。しかし彼女には夫の温かい心が全身で感じとれた。

（お待ちしています。貴方、きっときっと。）

あれからもう三年になる。長い長い歳月であった。大陸に転戦する夫の部隊の消息を聞くたびに、彼女は門出の朝の夫の瞳を瞼に描いて、一日も早く終戦をと祈らずにはいられなかった。しかし軍人の妻の彼女にとって、やはり夫の戦死は覚悟していなければならないことであった。今さら何を……、と唇を噛みしめて見たものの、澄子の歌声は魂を抉られるように彼女の胸にしみ通った。彼女は今改めて、華々しく勇ましい軍人《いくさびと》の内側にうずく狂おしいほどの、人間としての切なさを、しみじみと味わったのであった。

五月の太陽がさんさんと木々の緑に照り映える午後、澄子は先生の用事をいいつかって少し遅くまで残り、珍しく一人で濠端の道をランドセルを背負って帰って来た。濠の土手に差出た杉木立の所まで来ると、一人の画家がキャンバスを立てて内濠の風景を一心に写生しているのに出会った。五、六人の大人や子供が後でそれを眺めていた。澄子は余り絵心はなかったが、この時は妙にその画家に引きつけられた。

しばらく画面に見入っていた。太陽が強く画面を照らしていた。白い余白が目にしみて痛いようであった。澄子は柔らかい手の甲で、チカチカする目をこすった。鼻がもぞもぞしてクシャンと可愛いクシャミが出た。画家が振り向いて澄子を見てにっこりした。優しい笑顔であった。

（もう帰ろう。いつまで見ていても仕方がない。）

澄子は二、三歩後へ下った。すぐ後に自転車が置いてあるとは少しも気付かなかった。澄子が後へ下った拍子

にスタンドが外れて、自転車はアッという間に土手の傾斜を真っしぐらに駈け下りて、車体の半分を濠の水に沈めて止った。澄子は真青になった。

「ヤイッ、誰だっ、俺の自転車を落っことしやがった奴は。」

前の方にいた工員風の男が顔を真赤にして怒鳴り出した。澄子は恐ろしさにガタガタ震えた。このまま一目散に逃げ出したいと思ったが、足が震えて動かなかった。それに、母からいつも、悪いことをした時には素直に謝りなさい、逃げたり嘘をいったりして罰を逃れようとするのは、最初の罪よりもっと深い罪ですよ、と諭されていた。澄子は足を踏ん張り拳を握りしめて、何とかして震えを止めよう、勇気を持とうと懸命になった。男はそこに居合せた者を凄い目で睨み廻した。大分酒に酔っているらしい。

「ヤイッ、いわねえと、どいつもこいつも、張り倒すぞッ。」

澄子は怯えて竦む足を踏みしめて一歩前へ進み出た。

あたしです、いおうとして口を開きかけた時、

「僕です、僕がやりました。すみません。」

澄子の後にいた男の子が、つと男の前に立った。

「この野郎。」

男の手が鮮かにその子の頬に鳴った。彼はちょっとよろけたが、がっちりと足を踏ん張って見事にその激しいビンタに耐えた。雅彦だった。

「どうしてくれるんだよう。やい、てめえ一人で引上げて来やあがれ。」

男はもう一度彼に近寄って、毛むくじゃらの腕で顎をグイと引き上げた。酒臭い息が隣に立った澄子のところまで臭って来た。

「まあまあ、子供に余り手荒なことをするもんじゃない。わざとやった訳じゃなかろう。もののはずみだ、私たちも手伝って上げてやるから勘弁してやって下さい。」

あっけにとられていた画家も側にいた大人たちもやっと止めにかかった。男はブツブツいいながら坂を下りて行った。

「君たちはもういい、帰りなさい。道草してはいけないよ。」

画家は下りがけに優しくいった。

澄子の目に真珠のような涙が一杯溢れて来た。

「ごめんなさいね。痛かったでしょう。私悪かったわ。」

澄子は精一杯の感謝を篭めて雅彦を見上げた。大きな瞳に涙が溢れてキラキラ光り、赤い口元がへの字に歪んでいた。ばら色の頬に愛らしい笑くぼが浮んでいた。嬉しくて、済まなくて、泣き笑いの表情がたまらなくあどけなかった。

「いいんだよ。何でもないよ。」

雅彦は、赤い手のあとの残る歪んだ顔に明かるい笑顔をたたえて並んで歩き出した。

「雅彦さんて強いのね。」

澄子は甘えたように小首を傾げて彼を見上げた。澄子に率直に誉められて雅彦は急に英雄になったような誇らしい気持になった。白馬に跨った円卓の騎士ランスロッドの姿を想像して頬を紅潮させた。白い橋を渡って、英和女学院の前を通って、彼は毎日こんなふうに澄子を連れて歩いて守ってやりたいなと思った。一日に何度となく澄子の家に出たり入ったりしている弟が羨ましかった。

「失敬。」

御影石の門柱の前まで来ると彼は朗らかに手を上げた。

「さようなら、本当にありがとう。」

黒いオカッパをぴょっこり下げて、澄子は御影石のかげで彼を見送った。走って行く彼の帽子に通した白線が、明るい初夏の日差しにくっきりと映えて目にしみた。

澄子はそれ以来、いつも雅彦の姿を目で追うようになった。朝礼の時、彼はいつもポールに高々と国旗を掲げる。全校生徒の中で一番名誉ある役であった。澄子は朝日に輝いてへんぽんとひるがえる日の丸と、彼の秀でた横顔を誇らかに眺めた。

燕が軒先をかすめて飛び交うさわやかな初夏の昼下り、初枝は庭の井戸端にしゃがんで洗濯に余念がなかった。梅雨の前に冬物の洗い張りも済ませておかなければならない。冬中お世話になった厚い掛蒲団の皮も外して、打返しを頼まなければ……。でも彼女ももう家事にはベテランになった。次から次へと手順よく仕事を片づけて行く。その間には、隣組の用事から、茶の湯や生花まで、毎日毎日が充実した生活であった。井口との文通は相変らず続いていた。彼女は立ち上って、銘仙の夜具地を軽く絞りながら、日立の彼を思って青い大空を眺めやった。楠木の梢で名も知らぬ二羽の小鳥がチチ、チチと戯れていた。白い雲が南西から北東へ、薫風にのって流れていた。

青い空の白羊
風がないと立ち止り
風が吹くと歩くのね
ひつじひつじ何処へ行くの

いつかずっとずっと昔、まだ彼女が小学生のころ、彼が教えてくれたクリスチャン・ロゼッティの詩が蘇って来た。今、彼女は東に向って流れる白羊に自分の切ない思いを託したかった。

大門脇のくぐり戸の鈴がチリチリと微かに鳴った。続いて玄関のガラス戸が開く音がして、

「ごめん下さい。」

という夢にも忘れたことのない懐かしい声がした。

（まさか。聞き違いだわ。）

初枝は首を振った。彼のことを思っていると、他人の声までその人のものに聞えてくる。彼女は一人で顔を赤らめて苦笑した。しかし、もう一度、

「ごめん下さい。」

というさわやかな声が響くと、彼女は我を忘れて玄関に走り出た。そこに、国民服を着て戦闘帽をかぶった懐かしい人が立っていた。初枝を見るとその人は、右手で静かに帽子を取って頭を下げた。初枝は一瞬さっと全身から血の気が引いて行くのが自分にも解った。

「御無沙汰しました、お元気ですか。」

彼の声はいつもと少しも変らぬ静けさであった。しかし初枝にはその声も耳に入らなかった。彼の艶やかな黒い髪は、青々と刈り取られていた。それが何を意味するものか、初枝は余りにも知り過ぎていた。

「井口さん、貴方は……」

後は声もなく井口の顔を喰い入るように見詰めた。

「赤紙を頂きました。明日名古屋へ入隊します。お別れに来ました。」

彼の顔は以外に静かであった。初枝は唇を噛んだ。目裏に溢れて来る涙を必死にこらえて、こういう時いわなければならぬ言葉を探したが、どうしても口から出ては来なかった。

「お上り下さいませ、せめて最後の一日を……」

心ゆくまで名残を惜しみたい……。初枝は濡れた手で応接間のドアを開いた。しかし井口は悲しそうに、済ま

なそうに首を振った。

「そうはしていられないのです。僕は今、先刻、日立から着いたばかりですが、もう親戚や近所の人たちが集って、僕のための壮行会をしてくれようと仕度して待ち構えているのです。僕はちょっと顔を出して、すぐ墓詣りに行くといって抜けて来たのですが……」

初枝の顔に名状し難い苦痛の表情が現れた。式台の際にくず折れるように再び坐ると、

「お目出とうと申し上げなければならないのでしょうか。私は悲しい。貴方は平和に生きる方です。私は貴方を砲火の中へやりたくない。」

と、声を殺して泣きむせんだ。泣くまいとしても涙がとめどなく溢れて来て、彼女はエプロンのフリルで顔を覆った。しかし彼は静かに微笑して諭すようにいった。

「初枝さん、僕も日本男児です。どうか僕の門出を祝って下さい。僕はもう今日から戦争と友情の板挟みになって苦しむことはなくなりました。立派に戦います。誰にも劣らず……」

初枝は涙に曇る目を上げて深く頷いた。彼の静かな瞳に火が燃えた。

「初枝さん、僕はもはや友情に苦しむことはない。彼らと一緒に戦うことが出来る。しかし僕はもっと苦しまなければならないだろう。貴女への愛ゆえに……。貴女のことは両親に話しました。しかし、今さら何の約束が出来ましょう。生還は期し難い。どうぞ貴女にはあらゆる大きな未来の可能性が残されていることを考えて下さい。僕に構わず新しい幸せを掴んで下さることを希みます。」

そういう井口の頬は引きつって、耐え難い苦悩のために唇は醜く歪んでいた。握りしめた拳がぶるぶる震えていた。初枝は式台の前に立った彼に、死物狂いでしがみついた。やり場のない怒りと悲しみのために我れを忘れ、

「厭です。そんなこと絶対に厭です。なぜ待っていてくれといって下さらないのです。私、待ちます。どんなことがあっても貴方のお帰りになる日まで……。どうか一言おっしゃって下さい。必ず帰って来るから待っていてくれと。私、そのお言葉だけを支えに生きて行きます。」

彼女は式台に膝をついたまま、優しく温かな腕にすがって涙をポロポロこぼしながら、必死に彼をゆすぶった。豊かな黒髪が乱れて、式台の上に鼈甲のかんざしがポロリと落ちた。井口はポーチに立ったまま、ひしと初枝を

抱きしめた。彼の頬にも大粒の涙が溢れ落ちた。

「有難う、初枝さん。貴女のその言葉だけで、僕はどんな苦しみにも耐え抜いて行ける。軍隊のあらゆる理不尽さにも、戦場の困苦欠乏にも……。待っていて下さい。いつの日にか平和が訪れる日まで。僕がもう一度貴女の前に戻れる日まで。」

　初枝は彼の胸に顔を埋めて、ううう、と激しくむせび泣いた。絶対に放すまいとするように、その体に必死にしがみついた。

「初枝さん。」

　彼が耳元で火を吐くようにささやいた。熱い息が初枝のほっそりとした衿元にふりかかった。彼女は涙に濡れた瞳を大きくみひらいて、彼の顔を振り仰いだ。柔らかいばらの蕾のような唇がわななないていた。その上に彼の炎のように熱い唇が重ねられた。最初の口づけ、そしてこれが最後の口づけであるかも知れなかった。始めは慎しみ深くぎごちなく、そして次第に大胆に、さらに最後は狂おしいほどに……。初枝の閉じられた黒いまつ毛の間から、銀線のように熱い涙が流れ落ちた。井口の青褪めた彫の深い頬にもキラキラと露の玉が光った。口づけは魂と魂のとけ合うしるしであり、愛し合う若者たちの輝かしい未来への、よろこびに震える門出のしるしであるにもかかわらず、この二人に明日はなかった。

「さようなら。」

「ごきげんよう……」

　彼の低い足音が遠ざかって行った。それは初枝がどんなに手を差しのべても届かぬ、追うことを許されぬ厳しい戦場へつながる一筋道へ消えて行く悲しい靴音であった。初枝は根本から無惨に切り裂かれた野ばらの花がくずおれるように、玄関の式台に突伏して、いつまでもいつまでも泣きむせんでいた。

七

　茶の間の柱時計がボーンと鈍い音を立てて一時を告げた。しずはサンルームの籐椅子にもたれて洗い髪を梳きながら、麗らかな春の日差しを一杯に浴びて咲き揃った庭の花壇を眺めていた。チューリップ、クロッカス、ヒヤシンス、植込みのつつじも満開で、紋白蝶が花から花へひらひらと飛び廻って、甘い花粉を撒き散らしていた。大門わきの李の木は若い青葉をきらめかせ、その枝に戯れるようにして、日章旗が春風にはためいていた。家の中はしんとして、コトリともしない。子供たちは皆それぞれ出払っていた。

「ごめん下さい。」

という優しい女の声がした。髪をまとめ終ったしずは、淑やかに立って玄関へ出て行った。

「まあ、織枝さんと米子さん、ようこそ……」

しずのまろやかな声が響いた。織枝は松坂元治の妻、米子は一人娘である。元治はずっと文部省に勤めていたが、このほど南京の新政府の教育顧問として招かれたので、妻と娘は東京を引揚げて上石町《かみごくちょう》の実家に帰り、米子はこの四月から澄子の学校へ勤めるようになったのだった。

しずはお茶を入れながら、美しく成人した米子を目を細めて見守った。

「三月に伺いましたきり、すっかり御無沙汰してしまいまして……。ようやくどうやら落ちつきましたので、改めて……」

その時、また玄関のガラス戸が勢いよく開いた。

「まあ、進、よく……」

急いで出て行ったしずの弾んだ声が聞えて来た。

「今日は天長節で、二十四時間一泊の外泊です。皆、いますか？」

進の若々しい声が手にとるように聞えて来る。

「生憎く子供たちは皆留守なの。でも珍しいお客様が見えていますよ。松坂のおばさんと米子さん。まあ、とにかくそんな所に突立っていないでお上りなさい。」

進が部屋へ入って来ると、いかにも逞しい若者の体臭がたちまち部屋一杯に漂った。米子と進は又従兄弟《またいとこ》であるが、初対面であった。母たちは昔の思い出話に花を咲かせ始めたので、自然若い二人は手持無沙汰になり、自分たちの知らない昔話に耳を傾けては、顔を見合せて微笑し合った。米子は春らしい空色の袂を短く切った訪問着を着て、金糸で鼓を縫いとった白地の帯を胸高に締め、つつましやかに白いハンカチを口元に当てて、微笑んでいた。瓜実顔の柔和な顔立ちだったが、黒い瞳が理知的に輝いて、顔全体をぐっと引締めていた。話の半ばに澄子が飛び込んで来た。挨拶もそこそこに、

「お姉さんたちは？」

と、キョロキョロする。

「今日はお茶会があって出掛けたのよ。夕方にならないと帰らないわ。」

「アーラ、つまんない。」

澄子はたちまちフクレっ面をした。

「お姉さんたちに何の用事なの？」

澄子は訴えるように母の膝を叩いて、

「この間映画へいくってお約束したの。母子草っていうのよ。とってもいいんですって。ねえ先生。」

澄子は甘えた声で米子先生を見て、今日は凄く綺麗だなあと思った。いつも黒か紺のスーツに白のブラウス姿ばかり見馴れた目に、余りにも晴れやかな米子先生の姿であった。澄子は眩しそうに目を細めて、

「先生、とっても綺麗。」

と感嘆の声を上げた。米子は皆の視線を浴びて、頬を染めてうつ向いた。進の瞳がチカリと光った。

「今日は黙目よ、また、この次ね。」

しずは笑いながらたしなめた。澄子はすねて口を尖らせ、

「この次じゃあ駄目なのよ。もう今日であの映画おしまいなの。ああ、誰か連れてってくれないかなあ。」

と、そこにいる皆を見廻して、半べそになった。愛らしい口元がへの字に歪んで、今にも大粒の涙が溢れそうだった。でも一度母から駄目といわれたことは、絶対に駄目であることを彼女は知っていた。澄子はしょんぼり立上って部屋を出かけた。進はそんな澄子を黙って見ていたが、急に、

「澄子、待て。」

と呼び止めた。

「そんなに映画に行きたいか？」

「ええ。」

澄子は敷居ぎわに立って、黒いオカッパ頭で大きくこっくりした。背丈は大分高くなっていたが、こんな仕草は、幼児のように無邪気であった。

「それほど行きたければ、兄さんが連れて行ってやろうか。」

進の声に、澄子はわっとばかりに兄の膝へ飛びついた。

「ホント？　わあッ、素敵ッ。」

「いいの？　疲れているでしょうのに……」

しずは案じ顔であった。せっかくの貴重な外泊を、妹のお守りに費やさしては気の毒だと思ったし、それだけ息子と一緒に過す時間が少なくなることも淋しかった。

しかし進は、

「なあに、たまには僕も映画をゆっくり見たいと思い出したんですよ。考えてみればもう二年くらい映画館のドアをくぐりませんからね。米子さん、いかがです？ よろしかったら御一緒に……」

米子は嬉しそうに進を見上げて頬を赤らめた。そして、そっと伺いを立てるように母を見た。

「まあ、それは結構。この子もこの間から見たい見たいといいながら、つい忙しくてまだあれは見てございませんでしたのよ。どうぞ、よろしかったらお供させてやって下さいませな。」

しずは慈愛深い目で若い二人を見守っていた。

「行きましょうよ先生、ねえ、ねえ。」

澄子が米子先生の白い手を両手でとって引張った。

「それでは御迷惑でなかったら……」

米子は澄子に引張り上げられるようにして恥かしそうに立上った。三人は母親たちに見送られて、天長節の日章旗がはためく門口へ、いそいそと出て行った。

後を見送った二人は座敷へ戻ると、しずは深い瞳に、歓びと憂いの複雑な表情を浮べてまともに織枝を見詰め、低い落ちついた声で静かにいった。

「私は先日米子さんにお会いした時から、もし出来たら米子さんを進の嫁に……と思っておりましたのよ。でも、進がいつ戦場へ向う身か解らないと思いますと、とてもいい出せなくて……。しかし、明日をも知れない命だからといっても、人を愛する権利はあるはずです。もしあの子たちがその気になったら、織枝さん、進に米子さんを下さいますか。」

織枝は深く頷いた。

「もし、あの子がその気になりましたら、勿論私に異議はありませんわ。」

二人の母親は、しんみりと頷き合った。

進たちは澄子を中にして、内濠の端を軽ろやかに歩いていた。初夏を思わせる麗らかな春の日差しに木々の緑を写して青くよどんだ水面に釣糸をたれて、大人や子供の太公望たちがのどかに釣を楽しんでいた。

「どうです、静岡の印象は？」

進は、和服でつつましやかに歩を運ぶ米子にゆっくりと歩調を合せながら、明かるく問いかけた。もう、ずっと以前から親しい知合いだったようなくったくのない調子であった。又従兄弟という血縁がそうさせるのかも知れない。そんな進の態度につられて、米子もいつの間にか初対面の若い男性に対して感じる処女《おとめ》らしい緊張をといて行った。

「両親から聞いてはおりましたけれど……。本当にいい所だと思います。静かで暖かくて人情が深くて、子供たちもとても朗らかで素直ですわ。」

米子の声も温かく、情感が篭っていた。

「澄子は米子さんに受持たれたのか？」

進は、二人の後になり先になり、小兎のようにピョンピョン飛び跳ねて歩いている妹に、おとなしく一緒に歩けと目顔でたしなめながら聞いた。

「ううん、違うの。私は大木先生って男の先生の組、米子先生は二年生の受持なの。でも私は先生の組へお掃除当番に行くでしょ。だからもうすっかり先生と仲良しになってしまったの。ねえ先生。」

澄子は二人の間に挟まって手と手を繋ぎ、それを自分の体の前で勢いよく交差させた。進の大きな手と、米子の白い柔らかな手が、澄子の体の前で触れたり離れたりした。進の胸はときめき、米子は恥じらいに頰を赤らめたが、二人共、澄子に止めよとはいわなかった。

「国民学校になって、半分ぐらい先生方がお変りになったのよ。兵藤先生もお辞めになったの、つまんない。でも、大木先生もいい先生だし、米子先生も来て下さったから嬉しいわ。」

そういってから澄子はまた、二人の手を振りほどいて、スキップしながらどんどん二人を引離して先の方へ行ってしまった。

「国民学校か……」

進は真直ぐ前の方を向いてゆっくり歩を運びながら、眉をひそめ、慨歎するようにつぶやいた。

「なぜ、小学校じゃあいけないのかな。米子さんどうです？　国民学校になってから、大分、教育内容が変りましたか？」

米子の顔が急に引締った。終始たたえていた柔らかい微笑が消えて厳しい表情になった。

「ええ、それはもう……。教科書も全面的に改正されましたし、戦時色がとても濃くなって……。でも私はこんなことは余り賛成出来ませんの。義務教育だけは余り時代の波に左右されてはいけないと思います。基礎的な、人間としてこれだけはぜひとも知っておかねばならない、身につけておかなければならないという大切なものをしっかり子供たちの心に植えつけてやりたいと思うのですけれど……」

　そういってから彼女は急に自分がいつの間にか演説口調になっているのに気がついて、恥かしそうに、

「私……、つい仕事のこととなると夢中になってしまって……。帝大出の貴方に生意気なことを申し上げて……。しかも立派な軍人さんの貴方に戦時色などと……」

　と消え入りたげにうつ向いた。恥じらいのために白いうなじまで紅がさし、ほとんど立ち止りそうにして、レースのショールで顔を半分覆いながら、

「私、こんなことといって非国民ですわね。貴方のような立派な方まで、そうしてお国のためにすべてを投打って軍隊にお入りになっていらっしゃるのに……。お許し下さいませ。」

　と、涙ぐんで頭を下げた。進はじっと米子の言葉に耳を傾けていたが、彼女が目をしばたたいてうつ向くのを見ると、

「とんでもない。」

　と静かにいった。

「僕に謝られる必要はありません。貴女のお考えには僕も大いに賛成です。めまぐるしく移り変る世相に、義務教育が一々照準を合せて、ふらふらし、人間として学ぶべき大綱を忘れていたら大変なことになる。それも太平無事な時代ならまだしも、今の世は正常な世の中ではない。戦時下という絶対的に変則な時代に、焦点を合せるなんて、とんでもないことです。それから、僕が立派な軍人であるということですが、それは少々訂正させて頂きたい。僕はいわゆる立派な軍人ではない。国民の義務として軍服を着てはいますが、僕は厳しい戦陣訓よりも、子供たちの愛らしい童謡の声の中にこそ、祖国を守るべき価値を見出すような男です。」

　米子は感謝と尊敬の目で進を振り仰いだ。男らしい彫りの深い顔立ちの中に、優しい豊かな人間味が溢れていた。米子の胸に深いよろこびが湧いて来た。自分があやふやながらも感じて来たことをこの人ははっきりと価値

づけ、迷わず進めと力づけてくれたのだ。それでいて少しも気負った所もなく、淡々として気取らず、自分の心境を率直に打明けてくれる……。進の逞しい体の中に潜む温かい人柄が、ほのぼのと米子の全身を包んで行った。

　街に出ると、祝日のせいか兵隊たちの姿が目立った。昨年一月十五日、市の繁華街を総なめにした大火から一年余り、街の通りにはぎっしりとバラック建の店が並んで、所々、本建築の槌音が逞しく響いていた。焼けただれてでこぼこになったアスファルトもすっかり舗装されて、周りのバラックとは不釣合なほど立派な映画館が二つ軒を並べていた。

　映画を見て、レストランで食事をして、上石町の松坂家まで米子を送り、価千金の春の宵の濠端を歩く進の部厚い胸は、歓喜にはち切れそうであった。米子の美しさ、気高さ、そして体中に漲ぎる知性を進ははっきりと感じとっていた。

（今日が僕の一生にとって最も記念すべき日となるかも知れない。）

　彼は楽しそうに「荒城の月」をハミングしながら、並んで歩いている澄子の無邪気な横顔を眺め、この可愛らしいキューピットに、何とか感謝の気持を伝えたいと思いながら、適当な言葉がみつからなくて、

「どうだ、今日は楽しかったか。」

　と弾んだ声で聞いた。

「ええ、とっても……。有難う、お兄さん……」

　澄子は暗がりの中でぴょっこりと頭を下げた。

「そうか……。兄さんもだ。」

　進は、そういいながら、お礼をいわなければならないのはこっちの方だと思った。

（しかし……）

　彼は暗闇の中で深い溜息をついた。

（戦争なんだ。明日の命も解らぬ兵役にある身で、どうしてあの人を幸福にしてやることが出来ようか……）

　米子が帰宅すると、織枝はすでに帰っていて、待ち兼ねたようにいろいろと今日の感想を尋ねた。しかし米子は余り多くを語らなくて、織枝をちょっと失望させた。だが、米子の胸には深い深い喜びが一杯に満ちていた。乙女らしい恥じらいが彼女を無口にさせた。母にも語ることの出来ない大切な感情、米子はすでに、一生を捧げても悔いないほどに進を愛して始めていたのであった。

愛と死の谷——昭和十六年

八

晩秋の黄色味をおびた柔らかい日差しが、臨済寺の山門の石段を上るしずと澄子と功の背に暖かくふりそそいでいた。庭前の池には落葉がゆらゆら浮んでいたが、石段は綺麗に掃き清められて、塵一つ見当らない。蜜柑山を背に静まり返ったこの寺は、一幅の名画のように美しく、一歩山門をくぐれば、境内には魂の底まで洗い清められるような、清々しい静寂な雰囲気が漂っていた。本堂へ上る高い石段の手前左手の脇門をくぐると、そこに今川義元の廟があり、さらに進むと広い墓地が開ける。墓地の西の隅にトタン葺きの小屋があり、棚にぎっしりバケツと柄杓が並んでいた。しずがその中から南条と標した新しいバケツを下すと、功が小屋の前の井戸のポンプを勢いよく押し始めた。澄子は庭の花壇から切って来た皆で丹精篭めた大輪の菊を両手にかかえて、山の緑と紅葉を眩しそうに見上げた。蜜柑が黄金色に輝いていた。本堂の高い甍の向うにさらに高い廻廊が山の傾斜にそって頂き近くまでのび、その先に小さな庵の屋根が見えた。

（あそこが、徳川家康が竹千代といったころ、今川の人質の身で、雪斎和尚の教えを受けたところだわ。）

澄子は歴史の時間に習ったばかりの事柄を思い出し、自分の立っているこのあたりの土も、その昔、家康やその附人たちが踏みしめたあとかも知れない、もしかしたら野上の御先祖の足跡だって……、と思うと、歴史と自分とのつながりを本当に身近に感じ、足元に転がっている無数の石ころにさえ懐かしさを感じた。

茂の墓は、だらだら坂を上った蜜柑畑の下に、静かに故郷の街を見下して立っていた。平たく黒い墓石に、「還来集此処《かえりきたってここにあつまる》」と刻まれた文字は、何々家累代の墓と書かれた周りの墓石の中で異彩を放っていた。

「お母さん、家のお墓はどうして南条家の墓としてないの？　これどういう意味？」

　澄子は背のびして、小さな柄杓で墓石の頭からさらさらと清水をかけながら、しゃがんで周りの落葉をかき集めている母に聞いた。しずは嬉しそうに澄子を見上げて、このごろ急に背丈も伸びて、無邪気さは昔のままながら、時々びっくりするほどおませな口をきき、考え深くなった彼女に、幼女から乙女への微妙な移り変りのきざしを感じて、健やかに美しい花を咲かせてやりたいものだとしみじみ思った。末から二番目、父を亡くした時にはまだ五つだったこの子も、いつの間にかこの墓碑銘に疑問をもって質問出来るだけに成長して来たのであった。しずは子供たちをうながしてお詣りをすませると、墓石の前の御影石の柵に腰を下して、暖かい日差しを浴びながら静かに語り出した。

「これはね、お父様の御遺志を表したものですよ。お父様は岐阜のお生れだけれど、この静岡を故郷の岐阜と同じように愛されて、その半生をこの街の教育と文化の発展に尽して来られたの。お亡くなりになる前にお父様は、私はこの静岡に生涯を捧げて、この街の恵みを受け、この街と共に生きて来た、私の骨は二つに分けて、一つを故郷の岐阜に、一つをこの街のこのお寺の丘の上に埋めてくれ、私にとって第二の故郷のこの静岡は、子供たちにとっては産土《うぶすな》だ、子供たちにも私の志をよく伝えてほしい、若いうちはどこまでも雄飛して、家族と、郷土と社会のために働き、その仕事を成し遂げて年老いた後には、再び故郷の土に帰り、親子兄弟仲睦じく、この丘の上から故郷の街の繁栄を見守ろうではないか、とおっしゃってお亡くなりになったの。解るでしょう、お父様のお心が。」

　澄子は感動に輝く瞳を上げて深く頷いた。郷土に対する愛着が小さな胸に沸々とたぎり立って来て頬を紅潮させた。

「進兄さんも昭兄さんも功も、お父様のお志を継いで一生懸命勉強し、お国のために、社会のために、力一杯働くでしょう。でもいつかは皆ここに還って、母なる故郷の土に眠るのです。」

「そして、お母さんやお姉さんや私もね。」

澄子は熱心に身を乗り出した。しかし、しずは意外にも静かに首を横に振った。

「アラ。」

澄子はプッとふくれて、怨めしそうに母を睨んだ。

「どうして私たちは入れてくれないの？　お母さんはいつも兄弟姉妹は何事も平等にっていっていらっしゃるのに、女の子ばかりのけ者扱いなんてひどいわ。」

しずは優しく笑って、

「別にのけ者にする訳ではありませんよ。でも女の子はいつかはどこかへお嫁に行って、お嫁入先の人になるんでしょう。私が野上の娘でも南条の人になったようにね。澄子だって一生南条澄子で、オールドミスでいたくはないでしょう。」

「ふーん、……」

澄子は、腰掛けた膝にひじをついて、考え込んでしまった。オールドミスは困るけれど、やはり自分はこのお寺で眠りたいと思った。

「女って損ね。」

澄子は不平がましく赤い唇を突出してふくれっ面をして見せた。こんなしぐさはまだあどけない幼女であった。

「決して損なことはありませんよ。この人と思う男の人と一緒に、新しいいい家庭を築くことは女の幸せです。」

と、しずは自分の昔を顧みるように目の前の夫の墓をじっと見上げた。

「でも私はここが好きなの。年をとったらやはりこの中へ入って皆と一緒に眠りたいわ。」

しずはショールを口に当てて、ホホホホと楽しそうに笑った。

「それじゃあ、澄子はここの檀家の中からお嫁入り先を選ぶのね。そうしたら厭でもこの墓地のどこかに入れて貰えますよ。でも大変なことになったわね。貴女のお婿さん探しはさぞ骨が折れるでしょうよ。」

「いいわ、私、自分で探すもん。」

澄子はピョンと立ち上って、さわさわと葉づれの音のする蜜柑の木を見上げた。オレンジ色につやつや光る大粒の蜜柑が、緑の葉波の中に金盞花が咲いたようであった。寺院は深閑として人影もなく、時おり山のてっぺんで鳴く百舌鳥の雄叫びが、あたりの静寂を破ってけたたましく響いた。木の間から仰ぐ空は抜けるように青かった。白い真綿をはいたような雲が、ゆっくりと西の空へ移動していた。この美しい空の彼方で今日も戦が行われているのであろうか。しずは、自分と墓石の間にすっくと立って、大空を見上げている娘の姿に深い感動を覚えて目頭が熱くなった。この子の夫となる若者は誰であろうか。平和な時代でも生きることはむずかしいのに、ましてこんな戦の最中に、青春の花を咲かせなければならないこの子たちの前途を思うと、母として益々強く生きなければならないと心を引締めた。どんな厳しい時代が来ても、心身共に美しく健やかに育てて、無事に青春へ送り込んでやること、それが親として最大の使命のように思われた。

墓参を終って帰る途中、山門の前でぱったり恵子とその両親に出会った。今から知人の家の裏山へ蜜柑狩りに行くところだという。

「澄ちゃんもいらっしゃいよ。私一人じゃあつまらないと思っていたところなの、ね、いいでしょうお母さん。」

恵子の母も勿論異議はなかった。

「先生いかがですか、仲々面白いですよ。空気はいいし、見晴らしはいいし、お子様たちもお喜びになりますでしょう。」

澄子も功も、そうしましょう、そうしましょうと両側から母の袂を引張ってせがんだ。勤めを持つ主婦のしずにとって、日曜日は家事のかき入れ時であった。午後に予定している用事もあったが、子供たちにせがまれて見ると、ついその気になった。考えて見れば、私はいつもいつも忙しくて子供と一緒に遊んでやることなど滅多になかった。今日は一日勤めに出た積りで、子供たちとつき合ってやりましょう。しずはよしよしというように大きく頷いて見せた。

「うわー、万歳。」

子供たちは先に立って駈け出した。

農家で目篭と鋏を借りて喜び勇んで山道を登った。日当りのよい足場の確かな所でパチンと鋏を入れ、まず皮をむいて一口頬張ると、甘酢っぱい汁が口の中一杯に広がる。何と新鮮な郷土の味覚であろう。

小春日和のだんだん畑に
冴えた鋏の音のよさ
チョッキンチョッキン蜜柑とり
山は豊年黄金《こがね》色

澄子と恵子の歌声が、晩秋の風に乗って四方にこだました。お昼も忘れて、一日中、蜜柑とりに夢中になった。夕暮れの陽が金色に山肌を染めるころ、さすがに疲れた一行は、目篭一杯の蜜柑を背負って、足取りも軽く山道を下って行った。寺の鐘楼から響く入相いの鐘の音に送られて、三人は黄昏の門前町を、楽しくわが家へ急いだ。

「お姉さんたち、びっくりするでしょうね。」

「きっと喜ぶよ、こんなに沢山の蜜柑をお土産に持って帰ったら……」

　澄子と功は喜々として先に立って歩いた。しずは二人の喜ぶ姿を見ながら、今日一日、子供たちとつき合ってやって、本当によかったと思った。

　ところが家の前まで来ると、血走った目で駆け出して来た芙次子に激しい勢いで叱られた。

「お母さんたち一体今までどこへ行っていたの、もう探して探して。」

　芙次子は涙ぐんで責め立てるのである。いつもおとなしい彼女のこの様子に、しずは唯ならぬ予感を感じて身が竦んだ。

「一体どうしたの？」

「どうしたもこうしたもないわ。一時ごろ進兄さんが来てどうしてもお母さんに会いたいって。臨済寺へも行ったのよ。でも、いないでしょ。探しようがなくてそのうちには帰って来るでしょうって、ずっと待っていたのよ。でも、もう時間がないから残念だけどって、三十分ばかり前に帰ったの。」

　しずの顔は見る見るうちに曇った。唇が青褪めた。

「あの子、もしや戦地へ行くのでは。何かそんなことといっていなかった？　いつもと変った様子はなかった？」

　芙次子は夕闇の中で首を傾げて、

「さあ？　何にもいわなかったわ。でも何となく様子が違ってたみたい。とうとう会えないって解ったら、ひどくがっかりして、お兄さんみたいじゃなくしょんぼりして帰って行ったわ。」

　しずは目頭が熱くなった。

（もしや、それとなく別れに来たんじゃないかしら。私としたことが、百ぺんに一ぺんも無断で家を空けたことなんかなかったのに……。今日に限って……）

　しずは門前のコンクリートの叩きに蜜柑の包をどさりと放り出すと、

「私、駅へ行って来ますからね。」

と、駈け出しそうになった。

「駄目よお母さん、汽車はもう出てしまったわ。」

芙次子は気の毒そうに母の肩に手をかけて、

「お家へ入りましょうお母さん、もう仕方がないわ。大丈夫、また、きっとお兄さん来てくれるわよ。」

と、母の背を撫でた。それでもしずは汽車に乗って息子の後を追いたくなった。しかし、そうしたところで会わして貰えるものではなかった。軍隊の垣は厳しい。これが最後かも知れないというのに……。彼女は悄然と門をくぐった。

翌朝、澄子はいつもより早く起きた。昨日来たという進のことが気になってよく眠れないせいもあった。私たちがお母さんに甘えたために、大切なお母さんとの別れも出来ずに、お兄さんは今戦地へ向う汽車か船の中ではないだろうか。澄子は庭掃除をする間中も、家へ上ってお膳に食器を並べながらも、兄のことばかり考えていた。

その時、ラジオから、

「ドドドドド、ドドドドド。」

と、今まで一度も聞いたことのない異様な音が響いて、アナウンサーが緊張し切った声で、

「臨時ニュースを申上げます。臨時ニュースを申上げます。」

と叫び出した。

「大本営陸海軍部十二月八日午前六時発表、帝国陸海軍は本八日未明、西太平洋において、アメリカ、イギリス軍と戦闘状態に入れり。」

キーンと澄子の心に高い金属音が鳴り響いた。全身が痺れるような激しい感覚に、危うく手に持っていた茶碗を落しそうになった。

アメリカやイギリスとの間の外交上の不穏な情勢は澄子も知っていた。

(何か起る、きっと……)

幼いながらも絶えず彼女はそう思っていた。だから、来るべきものが来たという感じもした。だが、いざこうなってみると、恐ろしさが先に立った。どちらか一国とでも大変なことであった。それが両方一ぺんにである。それに中国ともう四年以上も戦い続けて来ている。一瞬の緊張は、たちまち身内の震える不安に変った。大丈夫だろうか、お国はどうなるのだろう。私たちは……。

茶碗が手の中でガチガチと鳴った。全身がガタガタ震えていた。武者振いとはいい難かった。目の前に突然大きな雲が被さって、何にも見えなくなったように、ただ恐ろしく不安であった。見廻すといつの間にか家中の者がラジオの前に集っていた。皆無言で、深い崖のふちに立たされたような、絶体絶命の暗い異様な表情をしていた。功が寝巻のまま、ぶるぶる震えていた。拳を固く握りしめて、ぎゅっと血が出るほどに唇をかんだ幼い姿が悲壮であった。しかし、彼のは武者振いであった。

「やったなッ。」

功がはじけるように叫んだので、皆、飛び上った。

「負けるもんか、アメリカだって、イギリスだって……。大和魂に敵はないんだッ。」

大人たちは互に顔を見合せた。その表情には功のように単純には力めない大きな不安が、わだかまっていた。

その日の朝礼は皆緊張し切っていた。朝礼がすむと講堂に入り、宣戦の詔勅を奉戴した。

「天祐ヲ保有シ万世一系ノ皇祖ヲフメル大日本帝国天皇ハ、昭ラカニ忠誠勇武ナル汝……」

澄子は詔勅を聞きながらもしきりに胸騒ぎがした。大丈夫だろうか、大丈夫だろうか。唇をかみ、拳を握りしめても、震えは止らなかった。しかしその心配は瞬く間に吹っ飛んでしまった。「軍艦行進曲」と「敵は幾万」が連日連夜奏でられ、華々しい大戦果が後から後から電波に乗せられてやって来た。真珠湾攻撃、マレー沖海戦、香港攻略、緒戦の大戦果に、国民は、勝利の栄光に酔った。全く皇軍の向うところ敵はなく、南方の諸地域には、次々に日章旗が掲げられて行った。

年末近くに進から一通の軍事郵便が届いた。

「本日夜半を期して某方面に出動します。しばらく御便りも出来ないでしょう。公報が入らぬ以上、進は元気で御奉公していると安堵していて下さい。

生還は期し難いので、米子さんとの話は白紙に戻して貰うよう、お母さんから取敢えず松坂家に御連絡下さい。もし僕が任地へ無事に到着し、落着くことが出来るようでしたら僕からも手紙を出します。

母上はじめ弟、妹、どのような時代が来ようとも、健康で仲睦じく暮されますよう念じております。」

走り書きのこの便りが家に届いた時、進はすでに輸送船に乗り込んでいた。しずも澄子も、この便りを見て涙ぐんだ。開戦前日のあの楽しかった蜜柑狩りも、今は苦しい思い出になった。家中の者が進の陰膳の前に集って彼の写真に見入った。上品な縦縞の背広に逞しい身を包んだ進が、家族一同に何か語りかけたそうに微笑していた。豊かな長髪、広い額、濃い眉の下からのぞく英知を秘めた優しい瞳、進が入社記念に大阪で撮った平服の写真であった。普通どこの家でも陰膳には、軍服姿の写真を掲げるのだが、進はそれを嫌った。

「僕は地方人だよ。」

　と彼は笑った。

「およそ兵隊くさくない兵隊さ。」

　でも、彼も今は帝国軍人の一人として、完全軍装に身を引締めて敵地に向いつつある。行く先は中国か……南方か……。皆、声もなく顔を見合せた。戦争が、本当にこの一家の中に切り込んで来た感じであった。

　年が明けるとすぐマニラが陥ち、紀元節にはシンガポールが陥落した。学校の大玄関に張り出された世界地図には、南方の島々に次々に日章旗が描き加えられ、子供たちも大勝利に気をよくして、益々勉強に励んだ。先生方は、東亜の盟主日本の明日の担い手である小国民をいかにして鍛え上げようかとそればかりに心を砕いた。

　しかし、そういう雰囲気の中にあって、松坂米子先生だけは勝利をよそに意気銷沈していた。その訳を知っているのは学校中で澄子一人であろう。今日も職員会議だというのに米子先生は定刻を過ぎても姿を見せない。山下校長先生は眉をひそめていらいらしながら隣の大木先生に、

「松坂先生は最近様子がおかしいですねえ。真面目で仕事熱心だったあの人が……。この非常時に教師があんなことでは困る。」

　と、愚痴とも非難ともとれる口調で煙草をやけにポンポンたたきながらいった。

「松坂先生は、最近、体の具合でも悪いんじゃないですか？　それでなければ、あんなになる人じゃないでしょうから。」

　大木先生はいつも穏やかであった。ちょうどそこへ澄子が掃除終了の報告に来た。

「ああ、南条さん。二年の松坂先生の教室へ行って先生を呼んで来てくれないか。職員会議が始まりますから至急おいで下さいってな。」

澄子は廊下を小走りに二年の教室へ急いだ。陽は西に傾いて薄暗くなりかけた教室に、米子先生は一人ポツンと腰を下していた。澄子の入って来たのも気づかないで、じいっと窓の外を見詰めている先生の手に、一通の軍事郵便が握られていた。そっと覗くと、それは確かに兄の筆跡であった。

「先生。」

澄子は寄りそうようにして、そっと声をかけた。先生は、はっと我に返ったふうに振り向いて、見る見る涙ぐんだ。

「澄子さん。先生、貴女のおねえさんになれると思って本当に嬉しかったのよ。でももう黙目だわ。何も彼も戦争で滅茶滅茶ね。」

先生の目から大粒の涙が溢れ落ちた。澄子もいつの間にか目に涙をためて、先生の白い手を握りしめていた。兄の手紙に何が書かれてあったかは知る由もない。でも、兄と先生との関係が、そしてこの優しい先生をおねえさんと呼べる日が来なくなったことだけは、澄子にもよく解った。廊下に静かな足音がして大木先生が入って来た。

「松坂先生、職員会議ですよ。」

何気なく声をかけてから大木先生はその場の空気にちょっとぎくりとして、

「どうなさったんです？」

と澄子の肩に手をかけながら、労るように米子先生を見下した。

「いいえ何でもないんです。御心配かけてすみません。」

米子先生は澄子の手をそっとほどき、目をつぶって二、三回首を振り、涙を拭ってすべてを振り払うようにシャンと頭を上げて大木先生の後に従った。

（私ばかりじゃあない。日本国中の女が、皆この切なさ、つらさを耐えしのんで、愛する人の帰る日を一日千秋の思いで待っているのだわ。）

米子先生は、苦しみを振り切るように廊下をタッタッと歩きながら歯をくいしばった。

九

芙次子は三谷校長先生の話を瞬きもせずに聞き入っていた。

「戦局は多難となり、職場からも大勢の若い男子が応召して行きました。軍需工場も官庁も深刻な人手不足に悩んでいます。そこで、お国では今春卒業する学徒の有志を、卒業を待たずして三学期から職場に送ることになりました。もちろん、強制ではありません。しかし、皆さんのお父さん、お兄さんは、お国に尊い命を捧げて戦っておられます。たとえ、可弱い女性の身とはいえ、皆さんも、少しでもお国のお役に立つように、進んで挺身隊に参加されることを希望します。ただ今のところ、官庁関係が十名、軍需工場関係五十名が本校の割当になっております。父兄の方ともよく御相談の上、希望者は受持へ申し出て下さい。」

広い校庭に冷たい北風が吹きまくっていた。ヒューヒューと鳴る風の中で、校長先生の声が悲壮に震えていた。校庭一杯に、直立不動の姿勢で居並んだ女生徒たちの間を横殴りの風が厳しく吹き過ぎて行った。芙次子は、最右翼の最上級生の列の中ほどにあって、身を堅くして柔らかい掌に爪が食い込むほどぎゅっと握りしめ、冷たい風の中にブルンと身を震わせた。帰り途、赤皮の鞄を下げ、友だちと並んで田圃道を歩きながらも、芙次子は無言であった。市の北東部の郊外に広大な敷地をとって、木造二階建三棟、それに白亜の講堂と体育館を配した学校が次第に遠ざかり、静かな郊外の住宅地を通り抜け、街の通りに出てからも、彼女は周りの友だちのお喋りにも加わらず、表情を堅くしていた。

夕食の後、一しきり雑談がはずみ、七時過になって、初枝は台所に、子供たちはそれぞれ部屋に引揚げた後、芙次子だけが茶の間に残った。何か物言いたげである。しずは食卓の上に残った醤油差しや小皿の片づけをしながら、注意を娘の方に集中していた。なぜかいつもの芙次子とは違った雰囲気が感じられた。普段はふわりと淡い薄絹を被せたように物柔らかな娘の顔が、今日ばかりはピンと張り詰めていた。

「お茶でも入れようか。」

しずは娘の気持を柔らげるように優しくいうと、かたわらの火鉢の上からシュンシュン湯気の立つ湯沸しをとると、物馴れた手つきで土瓶に湯を注ぎ入れた。

「お茶はいいの。それよりお母さんにお話があるの。」

しずは美しい手つきでお茶を入れながら、優しく頷いて見せた。

「解っていますよ。どんなこと？　いってごらんなさい。」

芙次子の丸い頬が引締った。

「お母さん、私、挺身隊に行きますわ。」

しずはハッとして傾けた土瓶を手にしたまま娘を見直した。いつもの芙次子に似合ぬ余りにもきっぱりした言葉にしずは狼狽した。土瓶の口がそれて食卓の上に湯がこぼれた。

しずの学校へもこの通達は来ていた。しずもこの話を担任の生徒にして、出来るだけ協力するようにと言って来たばかりであった。しかし、わが子の場合となると、やはり考えざるを得なかった。これが澄子の方だったら案外すぐ承知出来たかも知れない。澄子は積極的な子だったが、芙次子は兄弟姉妹の中でも一番おとなしい目立たない存在だった。家中の者が丸い大きな眼をもっているのに、この子だけは象のように小さい柔和な目をしていた。性格も消極的でおとなしく素直だった。学校でも同じだった。手先は器用で、お裁縫や手芸、家事等はよい成績だったが、学科の方は中位だった。

この子は普通に女学校を卒業させて、近々、初枝を嫁がせるとしたら、家事を担当させながら、お稽古事でも習わせて、性格に合った暮し方をさせた方がよくはないだろうか。しずは食卓を隔てて坐った芙次子のいかにも素直な性格の現れたふっくらとした横顔を見て、これだけはどうしても止めなければと思った。お茶のこぼれた食卓を拭きながら彼女は静かに、さとすように娘にいった。

「お国のために少しでもお役に立ちたいと願う貴女の心はお母さんにもよーく解るわ。でもねえ、貴女は優しいおとなしい子だし、体もそれほど丈夫ではないから……。お勤めには向いていないんじゃないかしら。何も外に出て働かなくても結構お役に立つことは出来ますよ、隣組の御用でも、慰問袋でも……」

しかし、芙次子は意外に強い決意を見せて、

「私、挺身隊に行きます。」

と、またはっきりいった。声音は静かだったけれど、その態度には、かつての彼女には見られなかった強さがあった。しずは眉をひそめてじっと娘を見詰めた。

「でもねえ、お母さんは、貴女は家庭に入った方がいいと思うけれど……」

しかし、芙次子は強く首を振った。長いお下げがセーラー服の白線の上でゆらゆら揺れて、電灯の光に照らされて黒々と輝いた。

「でも、先生がそうおっしゃったんですもの。出来るだけ協力しなさいって……。それに、お母さんも、人間と生れて来た以上、一生のうちに何か一つは社会のためになることをしなさいっていつもいっていらっしゃるでしょう。私にだって出来るわ。進兄さんも戦地に行っている。私だって、お国のために本当のお手伝いがしたいのよ。」

しずはもう一度改めて柔らかな芙次子の頬や口元を見直して、そこに漲る娘の決意の堅さに打たれ粛然とした。

そうだった。この子はこういう子だった。小さい時から何でも真面目に先生や母の言うことをよく聞いて、地味ではあるが着実に実行して来た。学校の規則に反いたことなど一度もなかった。先生や母が、こうしなさいといえば、どんなことでも気真面目に頑張ってやる子だった。

「そう。それではやってごらんなさいな。でも貴女には軍需工場は向かないわね。お役所にして貰いなさいね。」

芙次子の顔がパッと明かるくなった。彼女は卓子にのし掛るように身を乗り出して胸を張り、息をはずませていった。

「私、頑張るわ。お母さん、見ていてね。一生懸命働いて、戦地に行っている人たちを少しでも安心させて上げたいの。」

こうして芙次子は県庁にセーラー服のまま勤めることになった。しかし、最初のうちは喜び勇んで出掛けた彼女が、だんだん元気がなくなって来るのを見て、しずは、馴れない仕事に就かせたのはやはり誤りだったかも知れないと後悔した。

春が来た。遠い南の島々では決戦死闘が繰返されているというのに、自然界の営みは人間同士の醜い争いとは何のかかわりもなく豊かに繰返された。庭先の李も桜も満開で、暖かい春風に吹かれて、白い花びらが細雪のように地上にこぼれた。

芙次子はこの三月めでたく女学校を卒業したのだが、卒業式一日学校へ戻っただけで、その後も引続いて県庁へ通っていた。しかし、一日の勤めを終えて帰って来ると、すっかり疲れ切って口をきく気にもなれないほどになった。体も見違えるほど痩せて来た。中背でポッテリと太って、ちょっとうつ向いたり笑ったりすると、福々しい二重顎になって、それが何ともいえぬ愛らしい魅力だったのに、いつの間にか鼻も顎も尖ってしまった。一日中ビルの中で日に当らなくなったせいか、それにしても顔色は青いというより土色に近くなり、風邪をひいたのでもないのに絶えず軽い咳込みが来た。

「お医者へ行かなければいけないわ。」

しずは青白く痩せて食慾のない娘に毎日のように勧めるのだが、そのたびに彼女は、

「大丈夫よ。」

と、口先だけは明かるく元気に振舞って見せ、決して勤めを休もうとはしなかった。

残業の多い日が続き、今日も暗くなってから帰って一人遅い食卓に就いた彼女は、余り食慾もなく、じきに食べ残した御飯や副食の入った食器を両手に持って、台所に立って行った。台所では初枝が皆の食器を洗い上げている最中だったが、芙次子の皿の食べ残しを見ると思わず顔を曇らせた。

「芙次ちゃん、食べられないの？　もうずいぶん時間が過ぎてお腹も空いているでしょうのに……。ここはいいのよ、私がするから。貴女、それよりお休みなさいよ。」

それでも芙次子は食べ残しをコーナーにあけると、初枝と並んで自分の食器を洗い始めた。

「いいのよ、芙次ちゃん。貴女ずいぶん疲れているようよ。それにそんなに瘠せてしまって……。ホラ、以前は貴女の方がずっと肉づきがよかったのに、今ではどう？こんなに私の方が太っているわ。」

初枝は流しに並んでお皿を洗いながら、妹の青白い細い腕と、血色のいい自分の腕と比べて、今さらのようにぞっとした。

（この子、どこかきっと悪いんだわ。もしや、結核にでも……）

彼女は明かるい電灯の下で青白く尖った妹の横顔を、深刻な目でじいと見詰めた。

「大丈夫、私の瘠せたのは急に生活環境の変ったせいよ。病気なんかじゃありゃしません。」

芙次子は洗い上げた食器の入った篭を持って調理台に載せようとして急に激しく咳込んだ。ぜえぜえと身をもんで、思わず手にしたふきんで口元を押えた時、鮮血が

ふきんの白と藍をパッと染めた。

「お母さん、澄ちゃん、大変よ。芙次ちゃんが……」

けたたましい初枝の叫び声に、澄子が慌ててまろぶように二階から駈け降りて来た時、芙次子は台所の板の間にくず折れて、セーラー服の白線に鮮血がにじんでいた。

翌朝、李の花のはらはらとこぼれる門口をくぐって、芙次子を乗せた車は入院のため市立病院へと急いだ。春から初夏へ、季節の移り変りは、彼女の枕元に飾る花を、チューリップから矢車草、そして大輪のばらにと変えて行ったが、彼女の頬に再びばら色の輝きは戻って来なかった。

その夏は、何十年振りという猛暑であった。病室の窓もドアも開け放すと南から物凄い熱風が容赦なく病人のベッドに吹きつけて来た。南の島の戦禍の炎が、太平洋を乗り越えて、本土にあらゆる苦悩を叩きつけているのかも知れなかった。いっそ締めてしまえばまた、耐え難いほどの蒸し暑さであった。この病気に栄養物は何よりの薬だが、初枝が一日中駈けずり廻っても、バター一かけ、肉一切れも手に入らなかった。病人は日増しに瘠せて、とうとう脇に体温計を挾んでも、それを温める肉づきがなくなって役に立たなくなってしまった。

秋も深まるころ、芙次子の病気はひどく悪化して来た。心臓も弱まって来た。体中のあらゆる機能が結核菌という目に見えない敵によって蝕まれつつあった。

晩秋の或る日。

一時間目の授業は歴史であった。

「豊葦原《とよあしはら》の千穂《ちいほ》秋《あき》の瑞穂《みずほ》の国は、これ我が皇孫《すめみま》の君たるべき国なり。よろしく汝皇孫《いましすめみま》、行きて治《しら》せ。幸《さき》くませ。天津《あまつ》日《ひ》嗣《つぎ》の栄えまさんこと、正《まさ》に天地《あめつち》と共に極りなかるべし。」

天孫降臨の詔勅である。澄子の冴えた声が美しく響いていた。澄子は、立って朗読しながら、神話か？　それとも史実か？　本当に天照大神っていたのかしら……、高天原《たかまがはら》って本当にあったのかしら……、等と思いめぐらしていた。

突然バタバタと廊下を走る足音がして、ノックもせずに教室のガラス戸が乱暴に開け放され、小使いのおじさんが、胡麻塩頭を振り立てて、いきなり飛込んで来た。室内が騒めいた。澄子は突立ったまま朗読を止めてあっ

けにとられていた。大木先生が眼鏡を光らせて、この突然の侵入者に強い非難の目を向けた。小使さんはピョコンと頭を下げて、

「御授業中すいません。余り慌てたもんで。南条澄子さんていますね。今お宅からお電話で、お姉さんが急になくなられたので。弟さんを連れて、すぐ病院へ来るように。」

　澄子の全身からサーッと血の気が引いて行った。足ががくがく震えた。

（お姉さんが死んだ。そんな馬鹿なことが……）

　どうしてランドセルに荷物を詰め込んだのか、とにかく教室を出て長い廊下を功の教室に向って歩き始めたが、途中まで来ると、こらえにこらえて来た涙がどっと溢れて来て、とてもとてもこの悲しい知らせを自分の口から小さい弟に話せそうになかった。

　功は何事かさっぱり解らなかった。澄子に聞うとしても、泣きじゃくっているばかりで、何で早退するのか説明してくれようともしない。泣いている姉を見ているうちに、自分も何となく悲しくなって、大きな目をしょぼしょぼさせながら、とぼとぼと姉の後について行った。

橋の上まで来ると、向うから目を真赤に泣きはらした初枝が、二人を迎えに来た。

「お姉さん、功ちゃんまだ何にも知らないのよ。私、とてもいえない。お姉さん、話して。」

　初枝の袂に取りすがってやっとの思いでこれだけいうと、後はわあわあと泣きじゃくった。初枝は橋の真中で、事態がのみこめずにキョトンとしている小さい弟をしっかり抱きしめて、

「功ちゃん、びっくりしちゃあ駄目よ。芙次子姉さんね、今朝、死んでしまったの。」

　功の唇が見る見るへの字に歪んだ。彼は拳を握り締め、足を踏張って懸命に泣くまいと努力した。一分、二分、三分……。やがて、

「ウワーン。」

　と爆発するような泣き声が、濠の水面を震わせた。姉と弟は、病院までの長い道を、人目も構わずわあわあ泣きながら歩いて行った。

　最後の死因は心臓麻痺であった。食事も今まで通りにして、附添看護婦がお膳を下げようとした時である。スーッと目を閉じて体をこわ張らせた。慌てて呼んだが反

応がない。大急ぎで先生を呼んだが、もうこと切れた後であった。何の苦しみの表情もなく、本当に眠っているようなその死顔であった。

白木の棺一杯に菊の花を埋めて、自宅に運ばれたなきがらに寄り添うようにしてしめやかに通夜が営まれた。澄子にとって肉親との死別はこれが二度目であった。でも、父を亡くした時はまだ幼くて、これほどのショックは受けなかった。後から後から涙が溢れて来た。芙次子がいつもおとなしい優しい姉であっただけに、悲しみや悔みはなおさら深かった。気性の激しい昭と澄子の間に挟まれて、いつもいないように静かだった姉。その姉とはいつも一緒で仲良しだったのに、亡くなられて見ると、いつもいつも自分が姉をないがしろにして来たような気がして、後悔が必要以上に彼女を苦しめた。

澄子は階下の表座敷に安置された棺のそばで一夜を明かそうとする人々の、ひそやかなささやきを後に、そっと座を立って二階へ上って行った。

暗い自室に入ると、青い月明かりが窓から差込んで、その光の中に、今は形見となった机の上の姉の腕時計が、チチチチとかそかに時を刻んでいた。澄子はそっと時計を手にとると、暗がりの中で静かに窓を開けた。芙次子と一緒に朝夕眺めた賤機山が、黒々と沈黙の底に沈み、星が空一杯にチカチカと輝いていた。

お姉さーん、お姉さーん。

澄子は星に向かって心の中で精一杯に叫んだ。涙が後から後から止めどもなく頬を伝った。

（なぜ死んじゃったのお姉さん。お姉さんは優しい人だった。お裁縫をして手芸をして、美味しいお料理をこしらえて、綺麗なお嫁さんになるためにばかり生れて来たような人だったのに。挺身隊がいけなかったのよ。静かなこの邸町から、空気のよい田園に囲まれた学校へ通うばかりの毎日だったら、決してあんな病気に患りはしなかったでしょうのに、決して死にはしなかったでしょうのに……）

澄子は窓にもたれて激しくむせび泣いた。冷たい秋風がセーラー服の肩をかすめて部屋の中に流れ込んで来た。濠の向うから消灯ラッパがもの哀しく秋風にのって渡って来た。階段のきしむ音がして誰かが部屋の中へ入って来た。大きな手が泣いている澄子の肩に優しく置かれた。

「風邪引くぞ、もうお締め。」

東京の大学から急を聞いて駆けつけて来た昭であった。

澄子は救われたように兄を見上げた。

「今、先、帰って来た。芙次子のやつ……」

後は言葉にならずに、片手で妹を支え、片手で窓を締めると、暗がりでしっかりと妹を抱きしめた。

「泣いてやろうよ、可哀想になあ。優しいいい子だったのに……。あんないい子が死んでしまうなんて……」

昭も泣いていた。熱い涙が澄子のうなじにしたたり落ちた。青い月光の差す窓辺で、兄と妹は固く抱き合っていた。でもどんなに強く抱きしめても、すがりついても、ポッカリと大穴のあいたような心の痛みは埋めようがなかった。二人は、二人の間にあって、いつもいないように静かだった芙次子の存在の大きさ、温かさを初めて知った。

＋

冬が過ぎ去り、日差しも明かるく、何となく春の気配の感じられる暖かな日が続き、植込みの桃の花もふっくらとふくらみ始めたというのに、家の中に漂う淋しさは消し去ることが出来なかった。親しい人を失った悲しみは、残された四人を一層寄り添わせた。しずと初枝は折に触れては芙次子の思い出に涙を流し、澄子は一人、二階の自室に籠って物想いに耽る日が多くなった。しかし、幼い功だけはさすがに誰よりも早くこの悲しみから抜け出し、暖かい春の日を一杯浴びて元気に飛び跳ねる日が多くなった。

「御免下さい。」

玄関で落着いた男の人の声がした。澄子は噛みかけの御飯をごくんと呑込んで、エプロンの端で慌てて口を拭った。

玄関には地味な縞の背広を着た丈の高い見知らぬ老紳士が立っていた。彼は気むずかしい顔をしていたが、取次に出たのが、見るからに初々しい可愛い少女だったので心持も和んだのか、髭の生えた口元をほころばせた。淋しそうな微笑であった。

「南条進君の妹さんですね。私は進君の友人の井口敏郎の父ですが、お母さん御在宅でしょうか。」

ああ、と澄子は思わずニコッとした。初対面だったが、どこかで会ったことのあるような顔だと思った。先刻から考えていたのだが、そういわれて見れば井口そっくりだった。澄子は母の教え通りきちんと畳に両手をついて、

「母は学校へ行っておりますが。」

　と、大人びた口振りでいった。

「それではお姉さんは？　初枝さんとおっしゃいましたね。」

「ええ、姉も今日は町内の防空演習に出ております。」

「そうですか……」

　井口の父はちょっと困ったように顔を伏せたが、澄子の子供ながらも賢そうな目の色を見ると、改った口調で、

「それではお帰りになったらお伝え下さい。敏郎は、一昨年の暮、香港攻略戦で戦死致しました。三月ばかり前に公報が入りましたが、何かと取紛れてお報せが遅れました。生前の御厚志、深く御礼申上げます。進君にも御連絡したいのですが、所属隊名が解りません、どうぞお母さんから進君にも伝えて下さるようにお願いします。これは伜が生前書き遺した散文や詩を収めたものです。お読み戴ければ幸いです。」

　と、手に持った部厚い本を差出した。澄子は言葉もなくそれを押戴いた。井口の父は、さすがに涙は見せなかったが、肩を落して帰って行った。澄子は老紳士を見送って、そのまましばらく茫然と玄関に佇んでいた。

　あの快活な井口敏郎、いつも澄子に優しい笑顔を向けてくれた井口のお兄さん。その彼はもう二度とこの家を訪ねてくれることはない。クリーニング屋の達雄が戦死したことで、学生の徴兵猶予の特典を何か済まないもののようにいっていた彼も、今は達雄と仲良く靖国の神と祀られることになったのだ。

　茶の間へ戻ると一緒に食事をしていた功はもう外に飛出して、明け放しになったガラス戸の間から、暖かい春の日が差込んでいた。澄子は縁先に腰を下してそっと遺稿のページをくった。

　第一ページに彼の写真がのっていた。理知的な、引締った顔全体に温かい微笑があった。

　文学と音楽を愛したこの青年は、平和な時代なら教養ある立派なサラリーマンとして、初枝と一緒に、温かい楽しい模範的な新家庭を作ることも出来たであろうのに。

　冒頭には彼の戦死までの様子が詳しく書かれてあった。

　彼は兵二名を率いて斥候に出、任務の帰途、運悪く敵

の小部隊と出逢った。彼は、二人の部下を無事に隊へ戻すために、ただ一人踏み止まって勇敢に戦い、壮烈な戦死を遂げたのであった。

遺稿のページには彼の祖国や友に対する限りない愛情、美しい恋人に対する胸も張り裂けるような絶ち難い思慕の念、戦いを忌み嫌いながらも、戦の庭に進んで身を挺するまでの激しい心の葛藤などが、美しい詩や散文を通して切々とのべられてあった。

二時過ぎになって初枝がくたくたになって帰って来た。モンペも上衣も砂と水でくしゃくしゃになって、歩くたびに廊下にざらざらと砂がこぼれ落ちた。

「ああひどくしぼられたわ。屋根へ登らされたり、頭から水や砂をぶっ掛けられたり、もういい加減にしてと叫び出したくなるころになってやっとお昼でしょう。集合っていうからやれ嬉しやと思ったら、また、それから竹槍の練習を一時間半、お腹ペコペコよ。」

初枝はそれでも笑いながら浴室で足を洗い、黒ずくめの防空服を脱ぎ捨てて、明かるいブルーのセーターに着換えると、生き返ったように、美しくなって食卓に就いた。大急ぎで御飯をよそい始めたが、ふっとお膳の上の本に目を止めると、さっと顔色が変った。

「何よ……これ。」

「井口敏郎遺稿集」と書かれたその文字が目に入ると、初枝の顔は見る見る真青になった。こめかみがヒクヒク痙攣した。今にも気絶しそうな姉の顔を見て、澄子は恐怖で言葉が出なくなった。

「先刻、井口さんのお父様がいらしたの……。井口さん、香港で戦死なさったんですって、お兄さんに……」

澄子は涙声でどもりどもり姉に訴えた。初枝は皆まで聞かず遺稿集を胸に二階へ駈け上って行った。腸を抉られるような激しい慟哭が二階から下の茶の間まで、手に取るように聞えて来た。澄子の頬にも熱い涙が溢れ落ちた。

春休みになると、しずは澄子と功を連れて岐阜の南条家の墓に芙次子の骨を納めるための旅に出た。軍需輸送で一般の人々の汽車の旅は容易ではなかった。やっと昼間の鈍行列車の切符を手に入れて、岐阜に着いたのは夕暮に近かった。茂のすぐの弟の登叔父が、駅に出迎えてくれた。

早速、長良川のほとり、岐阜公園の近くの叔父の家に向う途中、叔父の管理している昆虫工芸館に立ち寄った。もうほの暗くなった館内に、ガラス張りの大きなケースがずらりと並び、鳥ほどもある大きな蝶や、極楽の花園に舞っていたのではないかと思われるように美しい蝶が、羽を一杯に広げて飾られてあった。

「叔父さんも、昔はよく台湾までも採集に行ったものじゃったが……。もう行けえせん。戦争で昆虫採集どころか……」

澄子は父の茂とはまるでタイプの違うこの太った叔父さんが、大きなたもを持って汗をかきかき蝶を追い廻している図を想像して、思わずフフッと肩をすくめた。

「おかしいか、ええ大人が、たも担いで蝶々とりは……」

登叔父は太った体をゆすってらいらくに笑った。館を出た時には日は西の山に落ちて、金華山の上の岐阜城が夕焼に映えて美しかった。長良の水は飛騨の山々の雪どけ水を集めて、とうとうと音を立てて流れていた。

叔父の家では、祖母のまつが曲った腰をのばしのばし玄関で待ち構えていた。

「まあまあおしずさ、やーっと振りで……。元気で何よりじゃ。それにまあ、これが澄ちゃと功ちゃか、大きゅうなって……。お祖母ちゃん覚えとってくれるか。昔はよう抱っこしてやったが、これじゃもうお祖母ちゃが抱いて貰わんならん。」

祖母と会うのは何年ぶりだろう。真白い髪、額に刻まれた深い皺、腰も大分曲って足元も不自由になったようだ。

「お祖母ちゃん、御機嫌よう。毎年、大垣の美味しい柿や干鮎を有難う。」

古めかしい十畳の客間に通されると、二人は母の傍らにきちんと並んで両手をついた。

「おうおう、行儀もようて、いい子じゃいい子じゃ。おしずさ、御丹精じゃのう。御苦労様じゃった。」

まつは目をうるませて亡き長男の忘れ形見を見守り、これまでに育て上げて来た嫁の労苦をねぎらった。

灯火管制で覆いをかけて薄暗くした電灯の向うの鴨居の上に、痩せた官服姿の老人の写真と茂の顔写真がかかげられてあった。

（お父様とお祖父様だわ。）

澄子が鴨居の上を振り仰いで、祖父の明治時代のあばらのついた官服を物珍しげに眺めていると、その下の襖が開いて、従兄弟が五人、ぞろぞろ出て来て挨拶した。長女が女学校四年、末が功より一つ上の男の子である。

叔母のそのが長女に手伝わせて食膳を整えてくれた。

「せっかくお嫂さんが初めて来ておくれやしたのに、御時勢柄、何のおもてなしも出来なくて、せめて、鵜飼の季節だったら、生きのええ鮎だけはたんと上っていただけましたろうに……」

田舎出の叔父の妻は、朴訥で、控え目で、いつもまつに心を使って、仕えているようだ。

干鮎の甘露煮、柔らかい三つ葉のおひたし、食後には真白い粉のふいた干柿が出た。

まつは上機嫌で古い脇息にもたれ、

「さあ、澄ちゃ、あんた、歌を歌っておくれんかの。あんたは小さい時からいい声じゃった。お祖母ちゃが教えてやった、あの歌覚えとるかの、ホレ、一緒に歌わっしゃい。」

おばば、どこ行きやる三升樽下げて
通らばえー、ひゅるひゅるひゅるひゅう
ひゅるひゅるひゅるひゅう
嫁のおさとへ孫抱きに……

「ホレ、また、お祖母ちゃんのおはこが始った。」

従兄弟たちが笑った。

澄子は、古い家の庭に面した濡れ縁で、祖母に抱かれて、稲荷の社のお使い狐を見上げながらこの歌を歌った遠い日のことを夢のように思い出していた。まつは歌い終ると急にポロポロと涙をこぼして、

「おしずさが五番町の家でお産するたびに、私はこの歌の通りに、よう孫を抱きに行ったもんじゃ。さとでお産するのが私らの郷里の仕来りでのう。功の時だけは野上のおばあさんが具合が悪うて、家だったのう。あのころはまだ茂も元気じゃったが、あれからじっき弱なって、とうとうあんなことになってしもて……。それにまた、今度は芙次ちゃまで……。私が代れるもんなら代ってやりたかったに……」

まつは床の間に安置された芙次子の小さな骨壷にふるえる手で合掌し、鴨居の上の茂の写真を目をしばたたきながら見上げた。それから、傍らにきちんと正座しているしずに目を移した。改めてつくづくと彼女を見直して、息子亡き後、遺された六人の子供を女手一つで育て上げ

た苦労のあとを見出そうとしたが、彼女には、寡婦特有の気負いや、世帯疲れが少しも見られなかった。小太りの丸顔が、十年を経て少し瘠せたようではあったが、それが、いよいよ彼女の人柄に気品をそえて、優しい微笑をたたえて坐っている姿は、神々しいほどであった。まつは、うっとりと嫁の姿に見とれていたが、ふと彼女の着ている品のいい紬の着物に目を止めると、たまげたように、

「おしずさ、あんた、まんだ（まだ）その着物着ていやあすか。」

　まつは感に耐えないように次男夫婦に向って、

「この着物はのう、野上のおばあさんが庭に桑を植え、蚕を飼って繭から糸を紡いで織って、おしずさの嫁入の時、持たしてくれた着物じゃ。それをこの人はずっと着ている。地味好きな人じゃったが、嫁に来た時はずいぶん地味な着物じゃと思うたが、この人が年をとるに従ってだんだん世の中が派手になって来て、三十年経った今でもちっともおかしくはないのう。それにしてもよう今まで保《も》ったもんじゃ。生地の性のいいのにも驚くが、この人の物持ちのいいのにも、全く感心してしもう。この人は、自分は新しい物は何にも買わいで、いつも始末して、古い物をちいとも古くさのう着ていたもんじゃ。そうしては、賞与を戴くたびに私や小姑たちの物をよう買うてくれた。ホレ、登、覚えていようが。お前も就職祝じゃゆうて、嫂さんから、背広を買うて貰うたろう。これ見い。私の今着ているこの大島も、いつやら奄美の人が来た時、一匹、対に買うてくれたものじゃ。今でも私は有難いと思うとる。品物貰うたから嬉しいんじゃのうて、この人の心根じゃ。出来んこっちゃ。」

　しずは褒められて子供のように顔を赤らめた。義妹のその手前、余り自分が褒められるのは心苦しかった。そのは、うつ向いて節くれた手をこすっていた。いかにも田舎者らしいその姿に目をやって、まつは、この兄嫁と弟嫁の違いをつくづく思った。

　そのもいい嫁だった。よく自分に仕えて尽してくれたが、何となくまだにこの家にはなじめず、茂やしずと暮した日を懐かしく思っていた。まつは、灰ふきにポンときせるを置くと、

「おう、そうじゃ。」

　と身を乗り出して、

「私ももう年じゃで、いつとんと逝くかも知れえせん。今のうちにお前方に遺言しとこ。私がこの家に来た時、持って来た物は、皆、茂とおしずさが買うてくれたものじゃ。私が死んだら、皆おしずに返してやっておくれ。のう、おそのさ、ええのう。あんたには登がついとるで、何でも買うて貰えるでのう。それにあんたはまだ若うて、私の物じゃ、いくら何でも地味で仕方ないわ。そこへ行くとおしずさは、もう、進が嫁貰えば、じきお祖母さんじゃ。」

まつは、しずの黒々と豊かな髪を見て金きらの入歯を見せてフフッと肩をすくめ、

「あんたは、若いお祖母さんじゃ、私が初孫の進を見た時には、もう白髪頭じゃったに、それにしてもあかんがの、早よう戦争が終らにゃ、私も容易に曾孫の顔も見れえせんがな。」

大人たちの話は戦争へ向いて行った。叔父は盛んに大東亜共栄圏をまくし立てて力んだが、女たちの表情は暗くなった。

翌日、昼食後、長良川のほとりを歩いて、市の郊外の山の麓にある南条家累代の墓地に向った。

しずは芙次子の分骨を納めた小さな壺を懐ろにかき抱くようにして土手沿いの道をほとんど無言で歩き続けた。

（芙次ちゃん、可哀想に……。若い身空でこんなになって……。でも、貴女があんなに一生懸命にお国のために働いた姿は、お母さん決して決して忘れませんよ。貴女は本当に立派だった。貴女の死は、若い男の子たちが戦場で倒れたのとちっとも変りない。貴女の死が無駄にならないように、そして、もう、貴女のような女学生まで戦に駆り出されて死ぬようなことのない、平和な世の中が早く来るように、皆で努力しますよ。優しいおとなしい貴女をこんな遠い土地に埋めるのは可哀想ですけれど、ここは貴女の本当の故郷、そしてお父様も御一緒だから、淋しくはないわねえ。お母さんも早く貴女やお父様のお側に行きたい。でも、それでは澄ちゃんや功ちゃんが可哀想だから……。お母さんは精一杯頑張って貴女の分まで生きますよ。どうぞ淋しがらないで待っていて下さいね。）

墓の前で、しずはホロホロ涙をこぼしていた。苔むした墓が登の手で掘り起され、ポッカリと石室が開いた。その中に大小さまざまな骨壺が、祖先たちの魂を宿して

眠っていた。

「これがお父様ですよ。」

しずは涙に濡れた顔を上げ、傍らに立って石室の中をのぞき込んでいる澄子と功に、白いやや新しい壺を示すと、そっとその隣に肩を寄せるようにして、芙次子の骨壺を納めた。

墓石を囲んでまつも叔父夫婦も、涙にむせびながら合掌した。紫の衣をまとった寺の住職の読経の声が山のしじまにしみ通り、香の煙がゆらゆらと真直ぐ空へ上って行った。

十一

「歩調とれッ。」

先頭を行く引率の五年生が慌てて金切声を上げた。ザッザッザッと靴音が鳴る。

「頭ア、右ッ。」

二列縦隊に並んだ女学生たちの白い顔が一斉に右向け右をする。自転車に乗った遠山先生は馬上の将軍のように大威張りで、めんどう臭そうに挙手の礼をして、生徒を追い越して行った。

「どう？　あの態度。」

「ホントに憎たらしいわ。」

後部の上級生たちが顔を見合せて聞えよがしに悪口をいった。

向うから中学生の隊列が来た。国防色《カーキ》の学生服に戦闘帽、巻脚絆《ゲートル》、一見しては兵隊と余り変りない。背嚢の代りに肩からズックの鞄を下げ、ザックザックと足並み揃えて通り過ぎて行く。戦闘帽につけた校章がキラリと朝日に輝いた。

澄子は二十人ばかりの学区の女生徒の最前列にあって、真新しい赤いズックの手提げ鞄を右手に、他の小学校から来た同じ一年生と肩を並べて黙々と歩いていた。時々左の手首をそっと耳に当てて見る。白線の二本通ったセーラー服のカフスの下から、チチチチと可愛い音が伝わって来た。姉の遺品の腕時計である。

（芙次子姉さん、私もいよいよ女学生になったのよ。もう一月、学校にも大分馴れました。私、嬉しくて嬉しくて。でも今の女学校は、お姉さんたちの時とは大分違うのよ。」

　街はずれの家の垣根に植えられた連翹《れんぎょう》の花の炊り卵のような黄色い花びらが、はらはらと紺のセーラー服に降りかかった。アスファルトが砂利道に変って、視界が一杯に開けた。田圃はれんげの花盛り、甘い新鮮な空気を胸一杯に吸い込んで、澄子は晴れ晴れとあたりを見廻した。学校が見えて来た。

　静岡県立静岡高等女学校。

　市の東北部の郊外、田圃の真中の広々とした敷地に、六年前に移転新築されたまだ新しい木造の校舎三棟と、鉄筋コンクリート白亜の講堂、体育館が、富士と竜爪の山の緑を背景に美しい姿を現した。

「やあ、お早よう。皆元気だな。」

　チリリンとベルが鳴って明かるい声が隊列を追い越して行った。

「村岡先生。」

「お早ようございまーす。」

　生徒たちの楽しそうな笑い声が先生の後姿を追い駈ける。

　通用門をくぐると校庭は見渡す限り緑の芝とクローバーに覆われて、コンクリートの柵のきわにポプラ並木が背伸びして薫風にそよぎ、白亜の講堂の正面に撫子の校章が朝日に照らされて輝いていた。昇降口で隊列がほどかれる。

　大きな下駄箱の前で上靴に履き替えていると、

「お早よう。澄子、今日は遅かったじゃない。」

　聞き馴れたはずんだ声がして、後からポンと肩を叩かれた。恵子だ。一年菊組の札をくぐって教室に入ると、すでに殆んどのクラスメートが顔を揃えていた。誰が活けたのか、白百合の花が花瓶一杯に盛られて、甘い香りが教室の中にほのかに漂っていた。

　リーンとけたたましくベルが鳴った。朝礼だ。千人の生徒が駈け足で校庭に集合した。

「気をつけー、国旗掲揚。」

　スピーカーから、君が代の奏楽が流れて、五年生の手で、日の丸がするすると上り、はたはたと朝風にはためき始めた。

　校長先生の訓示、続いて教頭先生の伝達事項、そして遠山先生が指揮台に上った。

「本日は、五年生全員、第五時限より、農事試験場へ勤労奉仕に出掛ける。作業服着用の上、各自、鍬を一丁ずつ持って昼食後北門の所に集合のこと。四年生は五時限に合同教練を行う。」

「うえー。」

　というような溜息が、上級生の列から洩れて来た。

「二、三年は六時限に防空壕掘りを行う。場所は校庭北側のバレーコート附近、各組の配分は受持の先生に連絡済みである。

　オイッ、そこ、何を喋っておる。訓示中によそ見をして笑うとは何事だッ。三年松組、後から四番目ッ、前へ出ろッ。」

　澄子は自分が叱られたようにハッとして飛び上った。生徒がざわめいて、三年生の列が動揺した。

「オイッ、早く出て来んかっ。」

　遠山先生は真赤になって怒鳴ると、ヒラリと指揮台から飛び降りて、三年生の列の中から一人の生徒の手をぐいぐい引張って来て、指揮台の前に引据えた。居並ぶ先生方は、また始ったというように眉をひそめた。澄子は愕然としてこの突発的な椿事を見守った。

「オイ、貴様、今何を笑った。いって見ろッ。」

　校庭が水を打ったように静かになった。吊し上げられた生徒は青褪めてうつ向いたまま、唇を噛んで答えない、頰がひくひく痙攣した。その態度が遠山先生には無言の反抗と受け取れた。先生はいきり立って、右手で生徒の顎をグイと持上げた。

「答えられんか、意気地なし奴。貴様、それで荒鷲の母になれるかッ。」

　大喝ざま、生徒の頰に激しいビンタが飛んだ。澄子は、「止めて下さい。先生、止めてッ」と叫び出したくなるのをやっとこらえて息をのんだ。隊伍を整えて教室に向いながら、澄子の足は重かった。何というひどいことを……。訓示中に横を向いたり、笑ったりするのは確かに悪い。でも何もあんなに殴りつけたりしなくても……。他の先生方はなぜ止めて下さらなかったのだろう……。澄子は悲しくて仕方がなかった。涙ぐんで歩いていた。希望に胸をふくらませてくぐった女学校の校門の中でこんな暴力が横行しているのは心外だった。女学校とは、もっと明かるく温かく淑やかなところのはずだった。講堂の正面にも、校訓として、「温良貞淑」の文字が掲げられてあるのに……。

母や、初枝や、芙次子に聞かされて来た女学校時代の楽しい思い出話から想像していた、甘く美しい夢は、この一カ月の学園生活で完全に消えてしまった。今は非常時であった。決戦下なのであった。厳しい訓練だけが、これでもか、これでもかと課せられた。

「ひどいわ、本当にひどいわ。何もあんなにしなくたって……」

皆、口々に今の事件を話題にして教室の中が騒がしくなった。

「シーッ。」

窓ぎわの生徒が立って、一本指を口元に制止した。

選りに選って一時間目は国史の時間であった。遠山先生が浅黒い顔に目ばかりギョロギョロさせ、低い肩をいからせて、教壇に立った。遠山先生は中国戦線歴戦の勇士で、教練の先生も兼ねていた。中肉、中背、平たい頬に、角張った顎が、いかにも底意地悪そうに突き出ていた。

先生はまず最初に全員に宣戦の詔勅を暗誦させ、熱の篭った調子で、神国日本の国体のいかに偉大であり、諸外国に類を見ない尊い国柄であるかを、がらがら声でまくし立てた。澄子は、先生のお講義をこちこちにしゃちこばって拝聴してはいたが、それは表面だけのことで、心の中は、今の今、行われたばかりの暴力のことで頭が一杯であった。それに、そうでなくても遠山先生のお講義には何となく馴染めないものがあった。

澄子は小学校時代から歴史が好きだった。ごく小さい時、野上のお祖父さんから、古い神話や伝説や、古事記や日本書紀の話を聞かされて、髪をみずらに結い、曲玉をつけた日本の古い神々たちを、そのまま祖父を通して、自分と本当に血の繋がる祖先と感じて親しんで来た。しかし、遠山先生の歴史は違っていた。先生は、余りにも国体を神格化し、誇張し過ぎて、澄子が、幼いころから馴れ親しんで来た古事記や万葉の人々を、遠い雲の上に取り上げてしまった。

歴史の授業が終ると、澄子は疲れた足取りで、赤いセルロイドの裁縫箱を抱えて、南側校舎の日当りのよい裁縫室に入った。

後の壁際に、上級生たちの廃物利用の手芸作品が一杯並べてあった。浴衣地で作ったワンピース、帯地で作った防空頭巾、風呂敷を利用して出来た座蒲団、ネクタイが下駄の鼻緒になり、紺絣と綿ネルで足袋が出来ていた。澄子が古いフェルトの帽子で作った上靴を手にとって眺めていると、不意に後で優しい声がした。

「南条さん……でしたわね。貴女、南条芙次子さんの妹さん？」

黒っぽい、地味な和服式の防空服を着た小柄な田辺先生が、教科書や、布地や、型紙を一纏めに抱えてにこにこして立っておられた。先生は御年のころ四十に近く、いつも優しい微笑をたたえて、生徒たちから母のように慕われていた。

「ハイ、そうです。でも、姉は去年……」

今朝の出来事から、感情が高ぶっていたせいもあって、澄子は危うく涙をこぼしそうになった。先生は存じていますよ、というように深く頷いて、

「貴女のお姉さんは、おとなしい、いい子でしたねえ。お裁縫や家事は本当によく出来て、将来はどんないい奥様におなりだろうかと楽しみにしてましたのに……。本当にお気の毒なことをしましたわ。」

田辺先生は労るようにそっと澄子の肩に手を置いて、

「お姉さんが挺身隊に志願された時、私、こんなおとなしい淑やかなお嬢さんが……、と実はびっくりしましたのよ。でも本当にあの時、あの子は真剣でしたね。止め立て出来ない強さを持ってどうしてもお国のお役に立ちたいといわれました。私、あの子の芯の強さに二度びっくりしましたわ。でも、やはりあの子には挺身隊のお仕事は無理だったのね。可哀想に……。しかし、醜く長く生きても一生、潔く短く生きても一生なら、私、お姉さんの短い生涯を本当に美しいし、立派だと思いますよ。でも死んでしまったら何も彼もお終いです。貴女はお姉さんの分までしっかり生き抜いて下さいね。これからの女学校生活はますます厳しくなるでしょうけれど、貴女だったら耐えて行けそうね。頑張りましょうね。」

優しく肩を叩かれて、澄子はうるんだ目で先生の顔を見上げた。温かい微笑をたたえて、先生は、澄子をそこに残して教壇に立たれた。

「さあ、お授業を始めましょう。今日は、モンペの脇の始末を致します。まず、持ち出しと見返しを……」

澄子は兄たちの着古した紺絣の単衣をほどいて上手に裁ったモンペを、黒の木綿糸で一針一針丹念に返し縫いした。廊下側の窓下にはミシンがずらりと並んでいたが、

白い覆いを掛けられたままだった。白黒の木綿糸の配給はたまにはあったが、ミシン糸は手に入らないのだ。

「あーあ、もっと綺麗な物を縫いたいなあ。こんな薄汚いモンペなんかじゃつまんないわ。」

恵子は、古い銘仙の布地をやけにぎゅうぎゅう引張って唇をかんだ。

お割烹の時間は「栄養のあるすいとんの作り方」である。配給の満州大豆だの、真黒いふすまの一杯入った小麦粉だの僅かな菜っ葉だのが調理台の上に並べられた。農家の子が、供出をくすねたにんじんやごぼうを提供してくれた。

「まず、大豆をよく洗って、こんがりと狐色になるまでよく炊ります。それから、三十分ほどお湯に浸しておいて、その間にお野菜のお仕度をします。よく、お大根やおにんじんの葉を捨ててしまう方がありますが、お大根は葉の方にこそ栄養があるのです。」

家事の増井先生が、太った二重顎の下の首すじににじんだ汗をふきふき、熱心にお講義を始められた。しかし、澄子は、先生の言葉は上の空で、向うのガラス戸棚の中にしまってあるドウナツやワップルや、ビスケットの型、しぼり出し器などを怨めしそうに横目で睨んでいた。かつて、初枝や芙次子たちは、これらの道具を使って、喜喜として料理の勉強に励んだであろうのに……。もう今では絶対にこんな道具が役に立つことはないのだ。澄子は刃の欠けた包丁を片手に、深い溜息をついて窓外に目をやった。

校庭に植えられたポプラの木のしたたるような緑に、さんさんと五月の太陽がふり注いで、若葉が薫風にそよぐたび、きらきらと金色に輝いていた。自然は、すべての生物を健やかに育てる五月、そして澄子も、育ち盛り、伸び盛りの女学校一年生というのに、澄子の心は暗く、ずっしりと重かった。

お昼休み、澄子は恵子を誘って校庭に出た。広々とした校庭一杯に五月の明かるい太陽が輝いていた。緑に萌えるクローバー、そしてその中に点々と白い花が可憐に咲いていた。空は真青に晴れ上って所々に白い千切れ雲が浮んでいる。初夏の爽やかな風が、そよと乙女たちの薔薇色の頬を撫でて通り過ぎて行った。みどりや正子も後を追って来た。澄子は校庭の真中の一際高いポプラの木陰のクローバーの上にすんなりとしなやかに伸びた足を投げ出して、白いクローバーの花で首飾りを編み始めた。校庭の向うの梨畑は花盛りで、甘い香りがほのかに漂ってくる。花摘をしているうちに、今朝からの憂鬱も、いつの間にか晴れて来た。

「ああ、何て綺麗な空。この空の涯で空中戦が行われているなんて、想像も出来ないわねえ。」

　みどりが仰向けに寝ころんで、まぶしそうに青空を見上げながら、溜息まじりにつぶやいた。

「空中戦ていえば……」

　と、これも寝そべっていた恵子が、クルリと皆の方へ向き直った。

「うちのお兄さんね、海軍飛行予備学生になるんですって。」

　ちょっと得意そうに皆を見廻した。

「まあ、素敵じゃない。未来の海鷲ね。」

　佐伯百合子が、首飾り編みの手を休めて羨ましそうに叫んだ。

「いいなあ、私もそういう勇ましいお兄さんが欲しいわ。」

　百合子は一人娘だった。父親は市内で軍需工場を経営して莫大な利益を得ているという噂で、事実このせち辛い世の中に、何の不自由もなく我侭一杯に暮しているが、友だちの兄たちが、海軍兵学校へ行った、陸軍士官学校を卒業した、と誇らしげに話すたびに、羨ましくて仕方がなかった。自分にもそういう兄がいて、勇ましい士官姿で、立派な手柄を立ててくれたらどんなにいいだろう。海鷲の妹なんて、何て素敵だろう……。

　澄子はいぶかしげに恵子を見詰めた。恵子の兄は弁護士が志望のはずであった。

「志願したの？」

　澄子の不審そうな質問に、恵子はちょっと出鼻をくじかれたように伏目がちになった。

「う、うん。まあ、志願ていえば志願ね。でも本当は大学に海軍の士官が来てちょっとでも体のいい頭のよさそうな学生を見つけると、片っ端から、オイ、コラ、チョット来い、てなもんだったんですってよ。」

「まさか……。それじゃまるで悪いことして警察に引張られるみたいじゃない。」

　みどりが横坐りして、持っていたクローバーの首飾りを手錠のようにして両手を前につき出したので、皆、どっと笑った。恵子は、むっとしたように黙ってしまった。

「あら、でも、それは本当のことよ。」

澄子は春休みに来た時の昭の言葉を思い出して、恵子の話は本当だと思った。恵子は、思い出したように、

「変ねえ、貴女のお兄さん。よく、その検問に引掛らずにすんだわね。あんなにいい体格で成績も抜群でしょ。うちの兄さえ引張られたのに、不思議だわあ。」

澄子は、周りのクローバーをつまんではむしりながら、頷いた。

「うん、うちのお兄さんも呼ばれたんですって。でもうちのお兄さんは、僕は現役に入って新兵から叩き上げて貰いますって断ったんですって。」

「まあ、なぜ？　せっかく海鷲になれるのに惜しいじゃない。」

百合子が身を乗り出して来た。

「それで？　通ったの？」

恵子が心配そうに声をひそめた。

「ううん。貴様、そんなことをいって、本当は恐いから一寸延ばしに延ばしているんだろうって、二つ三つぶん殴られたそうよ。」

「まあ、それで、やはり予備学生になったの。」

正子が息を詰めた。

「ううん。その時はもう一応定員を越していたから、それでよしになったらしいけど、これからまた、何かとマークされてうるさいだろうって、お兄さんボヤいていたわ。」

少女たちは、フーンと安心とも心配ともつかない溜息をついた。百合子だけが意地悪そうに目を光らせて、

「貴女のお兄さんて、随分変ってるわね。新兵で追い廻されるより、海鷲士官になる方がよっぽどいいのに。本当は、その士官がいったように、恐いから逃げているんでしょう。弱虫ね。」

と、憎々しげにいった。百合子は小学校ではいつも級一番で通っていた。母親は熱心に先生への附届を怠らなかったし、友だちは、いつも上等の服を着て羽振りのいい彼女に一目も二目も置いていた。彼女がこうと思えばそれが通らないことはなかった。大柄でどぎつ過ぎるほど濃い目鼻立ちをした彼女は、確かに美人ではあったが、その外見通り、次第に驕慢な性格になって行った。周り

が皆して彼女をおだて過ぎたのだ。彼女は女学校へ入っても小学校時代そのままに振舞おうとしたが、そうは行かなかった。他校から来た澄子と恵子に、次第に級中の人気が集るようになって、彼女の存在は影が薄れつつあった。彼女はやっきとなって自分の存在を誇示しようとするのだが、そうすればするほど、友だちの心は彼女から離れて行った。彼女は面白くなかった。しかし、勉強でも運動でも、二人にはとても敵わなかったから、ますます憤懣やる方なく、最近では、事々に澄子にさからう態度を見せて来たのである。

「何よ。」

澄子は猛然と百合子に喰ってかかった。

「うちのお兄さんは弱虫じゃありませんよ。剣道だってラグビーだって凄く強いんだから。お兄さんにはお兄さんの考えがあるのよ。歩兵は屑ばかりでいいって訳じゃないでしょ。歩兵にだって立派な体格の立派な学問をした人が必要なんだわ。」

「フン、何とかいってるわ。本当は落されたんでしょう。航空将校にそんな弱虫の卑怯者はいらないものね。」

澄子は今にも飛び掛りそうな勢いで百合子を睨みつけた。信頼し切っている兄の悪口をいわれて、無性に腹が立った。爆発しそうな怒りを押えてこめかみがぴくぴく痙攣した。

「お兄さんは絶対卑怯者じゃないわ。何いってるのよ、解りもしないくせに。」

「フン。」

百合子は、小馬鹿にしたように鼻の先でせせら笑った。澄子はむかむかっとして思わず我を忘れ、手に持ったクローバーの首飾りを百合子の驕慢な頬に向って投げつけようとした時、向うから上級生がヒラヒラと長い布をなびかせながら駈けて来た。澄子の学区の五年生である。

「南条さん、やっと出来たわよ。間に合ってよかったわ。」

彼女は何も知らずに、明かるい声でにこにこしながら、澄子の手に白い晒の布切れを渡した。

「済みません、お世話をおかけして。」

上級生から渡された布を手にすると、澄子は、今までの不快は忘れたように、それを両手で大きく広げて満足そうに眺めやった。

「まあ、心臓ねえ、貴女。千人針を五年生に頼んだの。」

百合子がまたからんで来る。しかし、澄子はもう彼女など相手にしなかった。

「ええ、そうよ。慰問袋に入れて上げるの期限があるから、のんびりしていられないの。でもよかったわ。間に合って……。こんな物を巻いてても弾丸に当る時は同じでしょうけれど、それでもね、兵隊さんは私たちの真心をくんで下さるでしょう。」

澄子は膝の上で丁寧に千人針をたたんで、そっとそれを真赤にほてった頬に押し当てた。

「それはそうと、澄子の首飾り、いやに小さいわね。これじゃあ首どころか、腕にもはまりそうもないわ。」

恵子が澄子の作ったクローバーの小さな花輪をつまみ上げて宙にかざした。

「ああ、乱暴しないでよ。慰問袋に入れるお人形の首に掛けて上げるのよ。戦地へ着くころにはもう枯れて茶色になってしまうでしょうけどね。でも、兵隊さん、きっと喜んで下さると思うわ。ついでに四つ葉のクローバーの押葉もね。」

澄子は、千人針とクローバーを大事そうに抱きかかえて教室に戻った。


楽しい遠足の日、といっても、小学校時代と違ってこの学校では行先も遠いし、仲々難業である。遠足となると、西洋史の村岡先生が大いに張切った。学生時代、山岳部員だった村岡先生は、山登りのベテランだ。授業の時にも、よく山登りの話が出た。白い体操服にモンペ姿の女学生たちの長い行列の中にあって、澄子はこの間の村岡先生の授業を思い出していた。

村岡先生の授業は一風変っていた。どの先生も全国一律の国定教科書を熱心に教え、二言目には、非常時と聖戦を口にするのに、村岡先生だけは、戦争などどこ吹く風かというふうなのんびりした顔をしていた。そして新しい国定教科書などには目もくれず、授業の半分は芙次子たちの使っていた古い教科書を棒読みにしてノートをとらせ、持時間の中ほどになるとさっさと教科書を閉じて、残りの半分の時間は登山の話や、戦争が終った後の楽しいユートピアの話に熱中した。

先生は、教壇の上に椅子を持ち上げて、ゆったりと坐り込み、

「さあ、今日の授業はこれでお終いだ。今から楽しい話

をしよう。その前に一ぺん、一息入れような。」

と生徒を見廻した。生徒たちはわあっと歓声を上げて瞳を輝かし、教科書やノートをバタバタと片づけて、机に頬杖をついたり、腰掛をずらして伸び伸びと足を投げ出したり、立って思いっ切り伸びをしたりして、思い思いに楽な姿勢をとり、身も心も、枷の取れたようにのんびりして、先生の方に注目した。先生は楽しそうに生徒たちを見守り、明かるい声で、

「さあ、いいか。今日は、戦争が終った後のユートピアの話をしよう。」

そういう先生の顔は、いつもの虚無的な表情が消え失せて、青年教師らしい活き活きとした笑顔に変っていた。

「皆、この戦争が終ったらどんな時代が来ると思う？」

生徒たちはざわざわとざわめいて、てんでに隣同士でペチャペチャと自分の意見をのべ合った。

先生は、「喧しい」とも、「騒ぐな」ともいわず、のんびりとした顔でしばらく生徒たちに勝手なお喋りをさせた後、喋り疲れた生徒が先生の意見を聞きたそうに正面に向き直ると、

「先生はこう思うな。」

と教卓に両手をゆったりと置いて、穏やかな表情で、

「まず、戦争がなくなれば、莫大な軍事費が不必要になる。それが皆、平和産業に廻されるな。戦場に駆り出されていた若者も、喜び勇んで故郷に帰って来る。農民は、安心して田畑を耕すことが出来るだろう。それも今までのように田圃を這い廻るようなやり方ではない。機械化農業が発達して来るな。大砲や鉄砲を作る必要はないから、そういう資材はどんどん平和産業に廻すことが出来るようになる。食糧も衣料もどんどん出廻るだろう。科学も発達するだろう。テレビジョンも、月旅行も夢ではなくなる。素晴らしい高速道路が出来て、高級車がどんどん走るだろう。木炭のガタボロ自動車や、国民車（輪タク）なんかクソ喰えだ。世界の海や空は、貿易や観光、文化の交流のためにのみ、開かれる。戦闘機や、爆撃機の代りに、美しい旅客機がお客を乗せて、今朝、羽田を発つ時朝日を見て、夕方にはもうエッフェル塔の上だ。どうだ君たち、何と楽しいじゃないか。」

よく通る男らしいバスが、適当に制御されて、美しい音楽のように快く響いた。澄子はうっとりと我を忘れて聞き惚れていた。いつの間にか、降るように星の一杯輝

く大空を月に向って飛び立って行く自分の姿や、明かるい太陽のもとで、広々と果てしない大地を背景に、のんびりと田畑を耕している農夫たちの姿が瞼に浮んで来た。

　リリリリリーンとベルが鳴った。

「よしよし、礼ははぶく、皆、苦しいことばかり考えないで、たまには、とてつもなく大きな夢を描いて生きなさい。」

　先生は机の上の教科書を手にとると、サッと右手を挙げて、廊下へ出て行かれた。少女たちは、夢から覚めたように互に顔を見合せ、幸福そうに、にっこと微笑み合った。

　日本平のうねうねとした坂道を登りながら澄子は一人夢見るように微笑していた。

　たとえ夢の夢であってもいい。みじめな現実をさらけ出して、我慢しろ、非常時だ、頑張れ、負けるな、と、絶えずお尻を叩かれ通しの現在、あんな楽しい夢の世界をくり広げてくれた村岡先生の授業は、この殺伐とした女学生生活の唯一つのオアシスのように澄子には思えた。

「澄子、先刻から何考えているの？　黙ってるくせに、時々にっこりしたりしてさ。」

　恵子が澄子の手を引張ってグングン振廻した。

「少しは私とお喋りしてよ。黙って山登りなんて、お腹は空くし、つまんないわ。」

　澄子はにっこりと恵子を見返した。優しい大らかな微笑だった。

「今？　とっても楽しい空想をしていたの。」

「フーン、貴女はいいわね。どんな時でも夢を忘れない。私は駄目よ。こうお腹が空いては瞼に浮ぶのは食べ物ばかりだわ。」

「食イシンボ。いやしいことはいわないの。せっかく描いた美しい夢が破れるわ。」

　日本平を草薙側から登って清水側へ下りた後、一行は、丘陵の下を一廻り廻って久能山下まで来た。くたびれ切った生徒たちは、高い段々を見上げて悲鳴を上げた。

「また、登るんですかあ。」

　監督の村岡先生はお構いなしに生徒たちを督励して、ずんずん石段を登り始めた。

「この石段、何段あると思う？　千百五十九段よ。全く一《いち》一《いち》五《ご》九《く》ろう様だわ。」

　恵子は、丸い額に流れる玉の汗を拭き拭きぶつぶつ愚痴をこぼし始めた。

「こらこら、ぐずぐずいわずに登り給え。何だ、山、山って、こんなの山ってなもんじゃないんだぞ。地球の皺、それもお婆さんの皺じゃあない。君たちのような若人の、クシャミでもした時に出る、あるか無きかの可愛い皺だ。君たちの先輩は、富士登山から、日本アルプスまで行ったんだぞ。」

　登山帽をきりりとかぶり、白ズボンに白い運動靴の村岡先生が、いつの間にか恵子と並んだ。恵子は、「聞かれちゃった」というように首をすくめて澄子にウィンクした。澄子はおどけた恵子をメッと睨みながら、なるほどそうだった、大人しく淑やかな初枝姉さんも、芙次子姉さんさえも、富士登山も、白馬縦走もやったのだったと思い出した。

「でもー、先生、それは満足に食べていた時代の生徒のことでしょ。私なんか、今朝はすいとん二杯に、お弁当は小さなお握り二つきりよ。とてもじゃありませんわ。」

　恵子は構わずふくれっ面をして抗議を申込んだ。

「こらこら、さもしいことをいいなさんな。武士は食わねど高楊子ってこと知ってるだろう。」

　澄子は思わず先生を見上げて、クスリと首を縮めて笑った。

「何がおかしい。」

　村岡先生は別に怒るでもなく、自分もちょっと照れ臭そうに、にやりとしながら、首を傾けて澄子を見下した。そんな仕草は、まだ少年といいたいような清らかな感じであった。

「だって……。先生が武士なんておっしゃっても、ちっとも似合わないんですもの。遠山先生ならピッタリでしょうけれど……」

「そうかなあ。」

　先生は、青々と剃り上げた顎を撫でながら、またにやにやして、

「すると僕は、腹がへっては戦は出来ぬという類いか。」

　澄子は強く首を振り、じっと先生の顔を見詰めた。

「いいえ、それとも違います。何かこう、もっと温かい、人間味のあるもの……」

　澄子は、そこまでいって止めてしまった。後は説明がつかなかったのだ。しかし、何か、この先生からは、澄子の心の奥に、直かに触れて来るものがあった。それが

何であるか、その時の澄子には言い表すことが出来なかったが、戦時下には表面に出すことの許されないヒューマニズムの思想が、この先生の血潮の中に脈々と流れていたことを澄子は、ずっと後になって知ったのであった。

　村岡先生は、歩きながら、一つ大きく息を吸い込んで、澄子の顔を深々と見詰めた。今度はにやにやしてはいなかった。澄子は、その先生の瞳の中に、初めて真実の光が輝くのを見たような気がした。

十二

　夏休みになった。でも、満足に一カ月なり四十日なり、たっぷりと休暇を楽しむことが出来たのは、古き良き時代の夢であった。非常時の夏休みはわびしい。勉強こそなかったが、三分の二は登校し、勤労奉仕、学校田や菜園の手入れ、教練などに汗を絞られた。

　でも、女学生の澄子たちはまだよかった。大学生の昭にとって、この夏休みは、学生生活の最後の休暇である。彼の同級生たちは、川村達弘をはじめ、半数近くが、すでに学園を去って決戦場へ向っていた。或いは予備学生として、或いは現役兵として……。学生に対する徴兵猶予の特典は取消を目前にして、この秋には彼もまた、戎衣に身を包んで敵地に乗り込む運命にあった。

　僅かな休暇を、それでも彼は限りない感謝をもって帰省した。すでに兵役にある友は、この貴重な幾日かの休日さえ与えられはしないのだ。

　東京の街の目まぐるしい騒音に比べて、この故郷は何と大らかな静けさに満ちていることだろう。濠の端を一人そぞろ歩きながら、彼は、二度と帰らぬ青春の日の思い出を、心行くまで己が心に焼きつけたいと切なく願った。青々とした土手の松、石垣を這うつたかずら、その一本一本にも、少年の日の思い出の数々が秘められているようであった。

　澄子は庭に出て、家庭菜園のトマトや胡瓜の手入れをしていた。およそ百姓仕事に縁のなかった彼女も、必須科目になった農業のお陰で、少しは耕し方も、肥料の与え方も解るようになった。トマトは、艶やかな赤い実をつけていた。ちょうど彼女の上気した頬そっくりの色だ。胡瓜は淡い緑の肌を葉のかげから覗かせていた。食糧不足の東京から帰ったお兄さんに、今夜は素晴らしく新鮮な野菜サラダを御馳走して上げましょう。澄子は、充分実の入ったものを選んで、その青い水々しい茎にパチンと鋏を入れた。

後の庭木戸がそっと開いたので振向くと、お隣の鈴木家の娘光子が立っていた。彼女は双葉学園の五年生で、しずの教え子である。すらりとした肢体、おっとりとした気質で、思慮も深い彼女は、しずを慕い、澄子とも仲が良かった。

「澄子さん、お兄さんいらっしゃる？」

澄子は切り取ったばかりのトマトや胡瓜を両手に一杯抱えて、にっこりと立上って首を振った。

「今、お散歩に行ったわ。何か御用？」

「先生は？」

「お母さんも留守。ナーニ？」

光子は、そっと四辺を憚るように見廻して、一通の封筒を差出して、

「これ、お兄さんに渡してくれない？」

と頰を赤らめた。澄子は目を見張って唇を歪めると、たちまち悪戯っぽい顔になって、

「まあ、光子さん、不良ねえ。お兄さんにラブレター？およしなさいよ。そんなの古いわ。正々堂々と遊びにいらっしゃいよ。お隣同士だもの。補導連盟にだって解りゃしないわよ。」

ククッと笑った。光子は真赤になって、白い指で口元を押えながら、

「まあ、厭ね、澄子さん。これ、私のじゃないわよ。お友だちに頼まれたのよ。」

「なあんだ、そお。でも、お兄さん、いつの間に……。」

兄が恋愛しているなんてちっとも知らなかった。でも厭な気はしなかった。爽やかな楽しさが込み上げて来た。きっと優しい美しい人だろう。光子はそんな澄子の表情に誘われたように、にこにこと彼女のそばにしゃがみ込み、胡瓜の葉っぱをちぎって指先でしごきながら、内緒よ、というような身振りをして、

「いつか貴女の家へ、大火の時、十人位、汽車通いの子が泊りに来たことがあったでしょう。この人、その中の一人だったのよ。由比から来ている勝沼敏子さん。私の親友よ。貴女、覚えていない？」

「さあ？」

澄子には全然覚えがなかった。昭和十五年の静岡大火の時、列車が不通になって帰宅出来なくなった生徒を母が自宅に預かったことは覚えていたが、その時十人ほど来た女学生は、制服にお下げ髪で、皆同じように見えた。誰が何という名か、どこの人か、聞く必要も、気もなかった。ただ、猛火に怯えた恐ろしい一夜だったのである。

昭が帰ると、澄子は早速、兄の部屋へ上って行った。

「お兄さん、いい物、上げましょうか。」

「何だ。」

書棚を整理していた昭は、澄子の躍るようなキラキラ光る瞳を見て、大いに警戒を要するなと思った。この妹がこんな顔をしている時は必ず何か悪戯を企らんでいる時だ。彼は、わざと知らん振りを装った。しかし澄子がチラリと先刻の封筒を見せびらかすと、急に彼の目の色は変った。

「欲しくないこと？」

「コラ、早く寄来せ。」

昭は照れ臭さを隠すために、わざと威張って声高に怒鳴った。

「駄目駄目。この人ダアレ？　白状しなけりゃ上げないわ。」

澄子はますます悪戯っ子らしく顎を突出し、大きな瞳をクルクルさせて兄をからかい始めた。

「お前なんか知る必要はないよ。」

昭は手に持った本を本箱の前にドサリと置くと、澄子の手から封筒を奪おうとした。澄子はちょっとの間、独楽鼡のように狭い部屋の中を駈け廻って逃げていたが、そのうち、

「ハイ、お兄さん。」

と、案外素直にそれを渡して、

「私、お兄さんの味方になってあげるわ。」

と真顔になった。

「百万の味方を得たような気がするよ、大いに頼りにするぜ。」

昭は苦笑した。

昭と勝沼敏子の出会いは偶然だった。去年の暮の休暇、彼は帰省の途中で由比から乗り込んだ女学生が、ひどく顔色が悪く、お腹を押えて苦しんでいるのに気付いた。制服からすぐに母の教え子の一人であることが解った。彼は鞄の中の持ち合せの薬を与えて介抱してやった。昭

も、澄子と同じように、彼女があの大火の日に、母に連れられてやって来た生徒の一人とは知らなかったが、彼女の方は、当時まだ中学生だった先生の息子さんに見覚えがあった。二人は急激に親しくなった。

　東京へ帰ってからもこっそり文通が続いた。二人共、何も内緒で交際したいことはなかった。清らかな愛情が自然に育てられて行く時代なら、彼らはどんなに幸福だっただろう。だが、今は違っていた。兄と妹でさえ男女学生が肩を並べて歩けば不良と見なされる恐るべき世の中であった。補導連盟というのがあって、学校側と連絡を保ちながら、学生の校外生活を監視していて、映画館でも飲食店でも一切立入りは御法度であった。ただ、戦争遂行の目的に適った映画だけ父兄同伴で観覧を許された。「海軍」、「不沈艦撃沈」、「加藤隼戦闘隊」、皆、戦争の映画ばかり。

　こんな厳しい戒めの中で、昭と敏子の若い魂は激しく触れ会った。昭が帰省してから一週間ばかり経った或る登校日、しずの学校で緊急職員会議が開かれた。議題は補導連盟から通達のあった一人の生徒の処罰に関する件である。担当の宮城先生から、まず情況報告が行われた。

「五年西組の勝沼敏子は、去る十九日、或る大学生と由比町の喫茶店〝さつき〟から出る所を補導連盟の某氏に詰問されました。勝沼は、その喫茶店が叔父の家であること、俄雨の際で雨宿りを勧められたと申立てておりますが、かかる行動は絶対に慎むべきことであり、弁解の余地なしと考えられます。殊に、これが補導連盟よりの通達である以上、内輪に済ませることは本校の名誉にかかわることと存じますので、厳格な態度をもって臨むことを希望致します。諸先生方の御意見を……」

　先生方はがやがや騒ぎ出した。勝沼敏子は大勢の生徒の中でも、特に成績も秀れ、おとなしい淑やかな娘であった。大学生と遊び廻るような不良少女とはどうしても考えられないのである。

「一体、その相手の学生とは何者です。お差しつかえなかったらお聞かせ下さい。」

　宮城先生は、じろりとしずの方を見やった。

「それは少々憚られる向きがありますので、差控えさせて頂きます。」

　先生方の中に不満の声が洩れた。一方だけを処罰するのは片手落ちだと誰しも思うのは当然である。

「他区域の大学生を処罰する権限は、補導連盟にも、勿論、本校にもございませんので、その点は論外に願います。」

　そういって、宮城先生はまた、チラリとしずの横顔を窺った。しずは何となく胸騒ぎがしたが、まさか、と心の中で強く打消した。

　別の先生が立って、

「本校はミッション・スクールであるため、とかく世間から西欧的軟弱な校風であると批難されがちであります。この際、校長様の断固たる御処断をお願い致します。」

といった。

　校長は本部から派遣された日本人の修道女《マダム》であった。数年前までは、代々この学校の校長はフランス人かイギリス人のマダムによってしめられていたが、戦争が激しくなり、外人のマダムやスールが自発的に横浜に引揚げてから、日本人の校長が初めて誕生したのである。

　結局、勝沼敏子は二学期になってから、三日間の停学処分と決定した。

　会議が終ってから、地歴教室で調べ物をしていたしずの所へ、宮城先生がこっそりやって来た。しずは、悪い予感が当ってギクリとした。

「南条先生、誠に申上げにくいことですが……」

　しずは、敏子の相手が昭であるということを聞かされて愕然とした。学校側に対して、自分の息子に対する監督不行届きを恥じる気持も強かったが、それよりも何よりも、今まで女手一つで手塩にかけて育てて来た息子に打明けて貰えなかった悲しみの方が幾倍か強かった。

（私はやはり忙し過ぎて、子供たち一人一人の心にまで入って行く余裕がなかったのだろうか。）

　帰宅すると、しずは昭を人気のない仏壇の前へ呼んだ。

「お母さんに一言耳に入れておいて欲しかった。」

　しずは目に涙さえ浮べていた。

「申訳ありません。勝沼さんと交際していたことは事実です。お母さんにも、いつかお話しして許して頂こうと思っていました。しかし、僕もあの人もまだ学生ですし、僕はもうすぐ戦場へ行く身です。何の約束も、未来の希望も許されません。ただ、清らかに心が触れて別れるだけのはかない花を、何とお話ししようかと迷っていました。こんなことになって、僕はあの人に何と詫びていいか解りません。詫びて済むことでもありません。しかし、なぜ、僕たち若人は、こんなに弾圧されなければならないのでしょう。誓っていいます。僕たちは、やましいことは決してしていません。それだけは信じて下さい。しかし、僕のためにお母さんの長い教職生活に一つの汚点をつけてしまったことは、深くお詫びします。」

昭は畳に両手をついて、素直に頭を下げた。

しずは勿論息子を信じていたし、今日の彼の態度も心構えも立派だと思った。そして、若い者の気持を少しも理解しようとせず、やたらに事を荒立てて、取締りにばかりやっきとなっている大人たちの方が余程恥かしいと思った。若者たちは、大人たちが考えているほど、浅はかでもなければ、浮わついてもいない。彼らは自分たちの前途をしっかり見究めている。大人たちが歩んで来たより、もっともっと厳しく過酷な行手を知りながら、なおかつ精一杯の若さで、残り少ない青春を清く明かるく生きようとしているのだ、しずは、息子と教え子の心根がいじらしく、思わず目頭を押えた。

神宮競技場は角帽と日章旗に埋まった。

昭和十八年十二月一日。

関東地区七十七校、三万人の若い学徒が、今、学業を投打って勇躍、征途に赴こうとしている。黒の学帽、黒の制服、ゲートルに、必勝、七生報国を大書した日の丸を肩から襷にかけて、各校の校旗を先頭に、ぬかるみを踏んで堂々の行進を続ける。送る者も送られる者も、一億火の玉となって、宿敵米英撃滅の悲願に燃える感激の一瞬だった。

東条首相の訓示、「海行かば」の大合唱。

氷雨降る神宮競技場の、この史上空前の大壮行会の中にあって、昭の心は一切、無であった。言葉は内に溢れていた。しかし、それをいって何になろう。このぬかるみに続く道は決戦場である。そしてその先には冷たい死あるのみだ。

「大君の御為に一切を捧げ奉ることは、悠久の大義に生きることである。」

東条首相の言葉が彼の胸に深い波紋を投げた。

この世に生をうけてより二十年、勉学に励み、寒風に鍛えたこの体は、すべて今日、この時のためにあったのだ。彼は強いてそう思おうとした。自分は今までそういう教育を受けて来た。それ以外のことは何一つ教わりはしなかった。これでいいのだ。これが自分の人生なのだ。

しかし、何か割切れないものが蟠《わだかま》るのはなぜだろう。死を恐れているのだろうか……。それもあるだろう。だが、自分が他の若人たちと比べて、特に臆病者だとは思えなかった。むしろその反対だ。他の男が平然として死んで行くのに、自分だけが恐れるはずはない。その時が来れば、自分だって立派に死ぬことが出来るだろう。

それならば、この気持はどこから来るのだろう。彼は、小学校入学以来今日まで、一貫して教え込まれた、尽忠報国、滅私奉公の精神がすべて外から叩き込まれたものであることに気づいて、初めて自分の今の割切れない気持が解るような気がした。

彼の心身は、今はすべて大君のものであり、国家のものであった。しかし、彼自身の心の片隅では、別の心が絶えず、

「自分は自分自身でありたい。自分自身でありたい。」

と叫び続けているのであった。

彼はぬかるみを踏みしめながら思った。もう考えるのはよそう。考えたって事態は変りはしないのだ。自分が自分自身であることは、永久に失われてしまったのだ。彼は無念無想でぬかるみを踏んで行った。

この壮行会から九日後の十二月十日、彼は名古屋の砲兵連隊に入隊することになった。

昭は出発の前日、自室の整理に余念がなかった。

「この部屋ともお別れだな。」

澄子が入って行くと、昭は感慨深げに狭い部屋の中を見廻していった。そこにはさまざまな青春の希望が残されている。しかし今は一切を捨てて死地に赴く自分の体があるのみだった。別れ難くいとしいこの部屋を、彼は最愛の妹に譲ろうと思った。

「お前の部屋は寒いよ。僕が行ったらこの部屋をお使い。ノートでも鉛筆でも使ってしまって構わないよ。本でも辞書でも自由に見ていいよ。僕にはもう用のないものだから。」

澄子はその兄の顔に、すべての煩悩を払い落した高僧の姿を見たような気がした。

「お兄さん、きっと帰って来てね。私、それまでしっかりこの部屋を守ってお留守番するわ。」

昭は窓にもたれて静かに頷いた。

「帰りたいなもう一度。そうして自分の意志で自由に、力の限りを尽して精一杯に生きて見たい。そうしてうんと親孝行する。いいお母さんだ。澄子、僕の分まで親孝行を頼むよ。」

「大丈夫、引受けたわ。」

昭はしっかりと妹の手を握った。可愛い、柔らかな温かい手、この手がいつまでも幸せを掴んで行けるように……。昭は心からそう願った。

昭は並んで立った澄子の肩に大きな手を置いて、窓の外の夜空を見た。暗いしじまの中に、賤機山に近い母校の方角を見詰めて、彼は若々しい声を張り上げた。

岳南健児一千の
理想は高し富士の山
八面玲瓏白雪の
潔きは我等が心なり

中学校の校歌である。澄子も兄について精一杯に歌った。感動に目頭が熱くなった。若い歌声が一つになって、黒い夜空に高く吸い込まれて行った。

昭の入営の朝が来た。

抜けるような青空に、ところどころ真綿をはいたような雲がたなびいていた。晩秋の空は、戦争の悲惨も、愛別離苦の悲しみも知らず、ただただ無心に碧く深かった。その青空の下に、日章旗と旭日旗があざやかにはためいていた。

その旗の下をくぐって早朝から南条家の門を人々が出たり入ったりしていた。

「本日は御入営、おめでとうございます。町会を代表致しまして、お迎えに上りました。ぜひ、町内会の壮行会に御出席願います。」

薬罐頭の隣組長が、国民服に威儀を正して玄関で口上をのべた。

町会の紫の幟を先頭に、出征者の昭を中心にした一団が、町内の氏神様の境内にくり込んだ。今日はこの町内から、三人の出征者が出る予定である。神社に着くと、昭と同じ学徒兵が、親類縁者に囲まれて、頬を紅潮させていた。

「もう一人来るはずですが……。すみません、しばらくお待ち下さい。」

町内会長が鄭重に、「おめでとう」と祝をのべた後でこういった。大分待たされたが、その人は仲々現れない。

「私が行って見て来ましょう。」

一人の警防団員が自転車で濠の方に走って行った。

やがてその一行が到着した。だが、一体どの人が出征者なのだろう。待ち兼ねていた澄子はちょっと戸惑った。その一行の中には、出征者らしい若者は一人もいなかったのである。

だぶだぶの国民服を着た一人の禿げ上った老人のような男が昭たちと並んで立った。それを見て澄子は思わずあっと叫んでしまった。それは濠端の駄菓子屋のおじさんだったのである。

それにしてもこのおじさんは一体幾つになるのであろう。頭が禿げ上っていて、いつも真黒い髪で苦労の割に若々しいしずに比べれば、もっと年とっているように見えるが、まだ四十を越えたばかりであろうか。

百七十七センチ、六十七キロ、スマートで若さに溢れた昭と並んだおじさんは、余りにも貧弱で気の毒だった。

「倉石実君、南条昭君、山下秀雄君、万歳。」

「しっかりやってくれ。」

「元気でな。」

「皆さん、お見送り有難うございます。元気に御奉公致します。」

年長の倉石が二人の学生に推されて、皆の歓呼に応えて挨拶したが、その声はしわ枯れて喉の奥で詰ってしまった。

昭は立派だった。美しく頼もしい若武者振りであった。唇を真一文字に引結んで、キッと前方を睨んでいるその姿は、そのまま、母や姉妹や銃後の人々を守って、攻め寄せる敵前に大手を広げて立ちはだかる、大磐石の構えに似ていた。もう一人の学生山下も、小柄ではあったがキビキビしていた。だがこの老兵は……。

倉石のおばさんの背中の末っ了が急に火のつくように泣き出した。まだいたいけな幼な子にも、父との別れが解るのであろうか、おばさんが慌てて背中をゆすり上げてあやし始めた。皆の目が一斉に彼女に注がれた。彼女はその夫以上に、生活に疲れ果てた姿であった。垢づいた木綿縞のネンネコの衿に、鬢のほつれ毛がたれ下っていた。節くれ立ったあかぎれだらけの両手に引いた二人の男の子が、赤ん坊の泣き声に急《せ》かれるように、急に母の手を振り切って、

「お父ちゃん、行っちゃ厭だ。」

と、わっと両側から父の太股にしがみついた。それにつられて高等小学校の長女も、すすり泣き始めた。小学生の男の子だけが拳を固く握りしめ、ギュッと唇を噛んで突立っていた。

「何をいうの、聞き訳のない子だね。お父ちゃんは兵隊さんになるんだよ。おとなしくお留番しようって、あれほどいっといたのに……」

おばさんは慌てて二人の子供を父親から引離そうとした。子供たちは遮二無二父に齧りついて叫んだ。

「お父ちゃん、金鵄勲章とお土産を買って来ておくれよう。おとなしく待っているからさあ。」

しずは思わず短く切った袖で涙を拭った。余りにも哀れであった。

「ああよしよし。母ちゃんのいうことをよく聞いて、仲良く留守番しててくれよなあ、達者でなあ。」

おじさんは、晴れの出征兵士が涙を見せてはと、懸命にこらえながら、声を震わせた。

おばさんは、二人の子供をやっと夫から引離した。だが、本当はこの妻こそ、夫の腕にすがりついて、その乱れた髪の一本一本でも、夫を繋ぎ止めて置きたかったに違いない。澄子は目を背けた。昨日濠端をあえぎあえぎ駈けて行った老兵たちの姿がまざまざと蘇って来た。あの人たちもこうして妻や子に後髪を引かれる思いで故郷を離れて来たに違いない。そして、このおじさんも、あの人たちと同じように、これから毎日、戦場よりもつらい訓練に引摺り廻されて、摺り切れてしまうのであろうか……。

駅頭に三人を見送って帰る途々、しずは、ともすれば溢れ出そうになる涙を懸命にこらえていた。あの人たちでさえ行かなければならないのだ。今すぐにでも倒れてしまいそうに疲れ果て、年老いたあの人でさえ……。

あの妻はこれから先、五人の幼い子をかかえて、どうして暮して行くのであろう。恐らく、夫を送れば、今日の生活にも事欠く暮しに違いない。それでも黙って送り出さなければならないのだ。それを思えば、若く潑剌とした進や昭を戦場へ送るのは当然のことだ。歎くまい。耐えなければならない……。でも、やはり私はつらい。

いつまでこんな悲しい日々が続くのだろう。老いも若きも皆揃って明かるい喜びに包まれ、元気に凱旋し、再び平和に暮せる日は一体いつ来るのであろう……。

澄子はその夜、昭にいわれた通り、早速、兄の部屋に引越しを始めた。窓にも壁にも畳にも兄の体臭が残っていて、無性に今朝出て行ったばかりの昭が恋しくなった。やっと片づけを終えたころ、濠の向うの兵舎から、消灯ラッパが凍てついた夜空を震わせて響いて来た。

「新兵サンハ可哀想ダネー。又寝テ泣クノカヨー。」

澄子はそっと消灯ラッパの変え歌を口ずさんで見た。進が入営した当日に、激しいビンタで気絶した話を思い出した。また、あの老兵たちの姿が瞼に浮んで来た。昭兄さんは今ごろどうしているだろう。

だが、昭兄さんは泣かないだろう。決して負けはしないだろう。

翌朝、まだ暗い寒気を突いて起床ラッパが鳴り渡った。

「起キロヨ起キロヨ皆起キロ、起キナイト班長サンに叱ラレルー。」

澄子はパッと飛び起きて、寝巻のまま、窓を開け放った。冷たい大気が寝巻の下の素肌を刺した。澄子は両手を一杯広げて大きく深呼吸すると、心の底に堅く誓った。

さあ、今日から心機一転して頑張ろう。お兄さんたちだって頑張っている。勉強もしよう。運動もしよう。勤労奉仕でも教練でも、全力を尽してやり抜こう。

それから数カ月後、昭は甲種幹部候補生の教育を受けるため、満州国の首都新京の陸軍経理学校に行った。

十三

庭先の桃の蕾も豊かにふくらんで、今年もまた、女の子には何より楽しいお雛祭りが近づいて来た。

澄子は二階の窓を大きく開け放ち、広廊下の隅の押入から、古い桐の箱を幾つも取出して、蓋の上に積った一年間の埃を払い、お雛様を一つ一つ取出していた。

一通りお人形の飾りつけがすむと、澄子は花鋏を持って庭へ下りた。可憐にほころびた桃の枝を数本、そして、今は防空壕のお陰で庭の片隅にチンマリと移し植えられて、それでも馥郁と咲き誇っている水仙の花を一本《ひともと》二本《ふたもと》手折りながら、楽しそうに「早春譜」を口ずさんでいた。

突然、庭木戸が乱暴に外から開けられて、功が血相変えて飛込んで来た。

「大変だ大変だ。」

「どうしたの？」

澄子はただならぬ功の様子に鋏と花を持ったままギクリと立上った。功は目の色を変え、息せき切って、

「直明君のお父さんが戦死したんだって、今、家へ軍人さんだの新聞記者だのが一杯来ている。凄い手柄を立てて立派に玉砕したんだって。」

功は興奮してろれつも廻らぬほどである。

「まあ。」

雅彦さんのお父様が……。

花鋏ががちゃんと音を立て、足元に落ちた。

「そうだ、こうしちゃいられない。皆に知らせて来なくちゃ。」

功は木戸を開け放しにしたまま、また慌しく表へ飛出して行った。

一人庭に残された澄子は、桃と水仙を手にしたまま、茫然とそこに立ち尽していた。瞼に浮ぶのは、遠いあの日、数千の部下を率い、馬上豊かに威風堂々と出征して行った在りし日の大谷部隊長の勇姿であった。

あれから六年余り、一時、大本営に籍を置いた大谷大佐は、太平洋戦争が始ると同時に、また南方の最前線に向ったとは聞いていたが……。

冷たい風が、澄子の持っている桃の花びらをさっと散らして吹き過ぎて行った。澄子はそっと木戸を閉め、茶の間に入るとラジオのスイッチを入れた。大谷部隊玉砕の報が流れて来た。

大谷大佐、今は二階級特進の栄誉を得て中将となった将軍は、もう一年近くも前に戦死していたのであった。南方の孤島で数十倍の敵を迎え撃ち、一兵の援助も受けず孤軍奮闘、遂に全員玉砕とラジオは報じていた。その島は絶海の孤島であったが、戦略的に非常に重要な基地だったので、一年近くもその玉砕の報道が伏せられていたのである。

お花を活け終ったころ、夕刊が運ばれて来た。第一面に大谷将軍の写真と玉砕の報がでかでかと掲載されていた。「岳南の雄将」、「鬼神も哭くこの壮挙」。しかし、澄子の目に将軍の顔は、ただ、優しく慈愛深い雅彦の父としてしかうつらなかった。地方版には大谷将軍一家の写真がのっていた。将軍を中心に、美しい夫人と令嬢、令

息二人、楽しい一家団欒のひとときのスナップである。

（雅彦さんは今ごろどうしているかしら。）

華々しい報道のかげに、歯をくいしばって父を失った悲しみにじっと耐えている雅彦の顔が浮んで来た。それは、「軍神の遺児」、「昭和の小楠公」などという新聞の美辞麗句とは違う、もっとつきつめた純粋なものであった。

（雅彦さんも私と同じに、お父さんのない子になってしまったのだわ。）

澄子は雅彦の深い悲しみが理解出来た。

そっとして置いて上げて欲しい。やたらに世間から騒ぎ立てられるのは厭だろう。病死であろうと戦死であろうと、父を失った子の悲しみに変りはない。澄子は雅彦を一層身近に感じた。そっと彼の肩に手をかけて、優しく慰めて上げることが出来たらと思った。

二年生になるともう落着いて勉強していることは殆んどなくなった。一年生の時も勤労奉仕や作業はあったが、まだまだ生易しいものだった。最下級生として庇われてもいたのだが、二年生となるともう容赦なく絞られた。戦いは激しくなる一方で、国内の生活もそれに比例して困窮を極めた。

上級生は学徒動員でどんどん軍需工場に出て行った。お隣の光子も勝沼敏子も、学校を卒業するとそのまま全員挺身隊となって豊川の軍需工場へ行くことになった。澄子たちも上級生の後を継いで、校庭の防空壕掘りから、諸畑の開墾、農繁期の勤労奉仕と、息つく暇もなく、馴れぬ手に鍬を持ち、血豆だらけ、汗まみれ、泥まみれになって、懸命に働かねばならなかった。

週に三日は軍用食糧工場へ包装作業の手伝いに行った。製茶工場を改造したその工場へ一歩足を踏み入れると、プーンとお茶の香ばしい残り香が鼻をついた。工場の中は殺風景で、製茶の機械は片隅に押しやられて錆びつき、作業場では、殆んど女子ばかりの作業員が陰気な顔付きでめんどう臭そうに機械を動かし、大勢の女子学徒が交代で包装に当っていた。

澄子は大勢の友だちと一緒に、勇んで包装台の前に立った。今までもいろいろな作業はやって来たが、食糧増産とか、防空壕掘りとか、皆、間接的な仕事ばかりであった。だが、今度こそは、本当に、自分たちの作業がそのまま戦地の兵隊さんたちの糧になるのだ。澄子は張切って部署についた。そこには直径二センチ、厚さ五ミリくらいの薄茶色の航空栄養食糧と称するものが、うず高く積み上げられていた。それを二十個ずつ棒状にまとめて紙に包むのである。向うの女工さんたちは時々それをチョイチョイと摘み食いしながら、ペチャペチャお喋りしている。

恵子はまず作業を始める前にその一つをひょいと指先で摘んで口に入れた。そうしてしばらく舌の先でもぐもぐやっていたが、世にも拙いという顔をすると、窓際へ行ってペッペとそれを吐き出して、手の甲で口を拭き拭き、しかめっ面をして、自分の部署へ戻って来た。

「澄子、この航空栄養食糧なるもの、後学のために一度食べてご覧なさいよ。一体どんな味がすると思う？　全く食べられたもんじゃないわよ。」

澄子は眉をひそめた。いくら山ほどあるとはいえ、大切な軍隊の食糧を摘み食いするなんて……。澄子がためらっていると、

「どう？　帝国陸海軍の荒鷲たちが、どんなものを食べて特攻機に乗り込むか、知りたくはないこと？」

恵子はまた一つ指先で摘むと澄子の口へ無理矢理押込んだ。澄子はそれを丹念に味わってグッと呑み込んだ。

恵子は目を見張った。

「貴女、よくそれを呑み込めたわね。」

「私は昨今、粗食に馴れておりますので。」

澄子はちょっとおどけた口調でいった。

「粗食に馴れているのはお互い様だけれど、私には到底呑み込めない代物だったわ。」

恵子は首を傾げてまじまじと澄子を見詰めた。澄子は暗い顔で頷いた。

「本当はね、私もそうなのよ。でも私は、海鷲さんや陸鷲さんに敬意を表して呑み込むことにしたの。考えてごらんなさいな。その人たち、上官からこれを渡されて、貴女のように窓へ行ってペッペと吐き出すことを許される？　貴女のお兄さんだって、今はもうこれを食べているかも知れないのよ。」

恵子はクシュンと鼻をすすった。よにも申訳なさそうに目を伏せて、べそをかきながら、もう一つ口に入れて、今度はしっかり噛みしめて呑み込んだ。

「でもひどいわねえ。こんな物が航空栄養食糧だなんて

……。一体何で出来ているのかしら。」

「蜜柑の皮のビタミンAとC、これは静岡にまだ豊富にあるわ。うちのお母さんはあれを乾して燃料にしているくらいですもの。それに米糠のビタミンB、サラサラしたのは何かしら？」

「きっと磨き砂よ。」

「まさか？」

「いや、きっとそうよ。だって配給の玄米を一升瓶で搗く時、よく搗けるように磨き砂を入れるじゃないの。」

恵子は絶対間違いないと断言した。二人はふうっと呆れたような情けないような顔をして錠剤の山を見上げた。

「可哀想ねえ。こんな物を食べさせられて特攻機に乗るなんて……」

「そうねえ。それにこんな物しかないとなったら、一体、これから先どうなるのかしら……」

二人は悲しげに溜息をついて、力ない手つきで作業にとり掛った。


真夏の太陽がじりじりと照りつける午後、澄子は鍬を片手に県営野球場のグラウンドに立っていた。

かつて、大正十五年、父の茂が教頭で野球部長をしていたころ、甲子園の全国中等学校野球大会に、優勝の栄冠をかち得た名門静岡中学のホームグラウンドであったこの野球場、また、かつてニューヨーク・ヤンキースのベーブルースと、全日本の沢村栄治が四ツに組んで熱戦を繰り広げ、スタンドを熱狂させたこの野球場も、今はスタンドに夏草が背丈よりも高く生い茂り、グラウンドは、ヒマや鳩麦や甘藷の畑に変って、昔日の面影は偲ぶべくもない有様だった。ヒマの種子は航空燃料に、鳩麦は粉にひいて食糧にするのである。隣の県営グラウンドも、トラックといわず芝生といわずバレーコートといわず、見渡す限り耕され掘り起されて甘藷畑に変っていた。

かつて澄子は幾度この競技場に足を運んだことだろう。体操大会、陸上競技大会、美しいマスゲーム、昭について、静岡の早慶戦と呼び声の高い、中学対商業の野球試合を観戦に来たこともあった。芙次子について、バスケットボールの試合を応援に来たこともあった。

広いグラウンドの真中に立っていると、そのころの若人の溌剌とした姿態、熱狂の声援が耳に聞え、瞼に浮んで来る。

だが、今は広漠とした、藷、ヒマ、鳩麦の畑があるだけであった。

「私たちがこうして夏休みまで返上して、毎日毎日汗水たらして耕したり手入れをしたりしたこの作物は、一体誰の口に入るのかしら。」

　みどりがフウフウ息をはずませながら汗を拭き拭きいった。水筒から、お湯のようになった水をラッパ呑みしていた恵子は憎々しげにいった。

「とにかく、私たちの口に入らないことだけは確かよ。」

「馬鹿馬鹿しいったらないわ。増産増産だなんて掛声ばっかしで……。澄子、ここの収穫物は誰がどう処分するか知ってる？」

　澄子は我に返った。

「さあ、私も全々知らないわ。でも、そんなこと、どうでもいいことよ。私はそれよりここの美しかった昔の事を思い出していたわ。」

「どうでもよくはないわよ。私たちの汗水たらして作った作物がどのように処分されるのか、はっきり監視する必要があると思うわ。貴女は頭がよくてしっかりしているけれど、どうも実質に欠ける厭いがあるわね。それが貴女の欠点よ。」

　恵子はいつもその点が唯一つ、澄子に対して不満であった。雲や霞を食べて生きていられる訳じゃあなし、もう少し現実的になったらどうなのだろう。

「これが戦地や内地の兵隊さんに送られるのなら、私たち一言の文句もないわ。どんなに大変だって喜んで働く。でもね、これが、役人だか先生だか誰だか知らないけれど、そういう人たちの、文字通り私腹を肥やすとしたら、断じて許せないわ。」

　澄子はその言葉で初めて魂が現実に戻って来た。

「本当にそうね。貴女のいう通りだわ。」

　そこへ作業監督の遠山先生がつかつかとやって来た。

「コラッ、サボっていてはいかんぞ、働け。」

　澄子はキリッとして先生に向った。

「先生、このグラウンドに出来た作物はどうなるのですか。」

　先生は光る目でじろりと澄子を見下した。

「勿論、軍へ献納するのだ。だがお前たちが一々そんなことを聞く必要はない。お前たちはただ与えられた作業を忠実に実行すればいいのだ。その先のことまでお前たちがとやかくいうことは許さん。」

先生が行ってしまうと恵子は長い舌をペロリと出した。

「何よ、威張りくさってさ。本当は遠山先生だって何にも知らないのよ、きっと。」

「あーあ、馬鹿らしいわね。私は余り勉強は好きな方じゃなかったけれど、こんなことしているくらいなら、毎日試験でもその方がよっぽどいいわ。」

みどりは鍬を放り出して大あくびをした。澄子は黙ってまたせっせと鍬を動かし始めた。

誰の口に入ろうと構わない。日本にそれだけ食糧がふえると思えば、それでいいではないか。だが、不正は許せない、断じて許せない。澄子は怒りを篭めて鍬を振り下した。

十四

サイパンの玉砕が伝えられると同時に、いよいよ本格的な本土空襲の火蓋が切られた。

昭和十九年十一月の末。

外はそろそろ木枯しの吹き始める季節だったが、教室の中はぽかぽかと暖かく、うっとりとけだるく、すべてのものが眠っているようだった。

上級生は全部軍需工場へ動員になって、南側の校舎は全棟がら空きになっていた。時々何かの用事でその廊下を通る時には、余りの静けさに薄気味悪くさえ感じられる。何かに追われるような気持で足を急がせると、自分の足音にさえ怯えるような今日このごろであった。千人余りいた生徒が、一、二年生だけ、たった四百人になった。そして澄子たち二年生さえ、もういつ動員になるか、明日も知れない状態だった。

こんな緊迫した情勢下にあるのに、この教室の中の空気はまるでだれていた。

最近、心の中は張り詰められるだけ張り詰めているのに、どうしてこう眠くなってばかりいるのだろう。

それは極端なビタミン不足と、夜中にきまって出る警報のための睡眠不足からくる当然の成行きなのだが、澄子は何かひどく自分がたるんでいるようで、戦場にいる兄たちや、玉砕した同胞に申訳ない気持で一杯だった。

しかし、そういう心の内とは裏腹に、眠む気は容赦なく攻め込んで来る。でも、それは澄子ばかりではなかった。すでにこっくりこっくりの舟漕ぎが教室内のあちらでもこちでも次々に始っていた。大体この大崎先生のお講義が、すでに何分の一かの睡眠剤の役をしていたのである。アーとか、エーとかが、言葉の端々に余りにも多く、だらだらと張りのないお声は、眠気のさした生徒に子守歌の作用をした。

「コラーッ、たるんどるぞ、お前たちは。」

突然大崎先生が教壇を踏み鳴らして怒鳴った。澄子はハッと目を開いた。眠るまい眠るまいと思いながら、いつの間にかまどろんでいたらしい。その時遥か彼方の警察署の望楼で、

「ウー、ウー、ウー。」

と警報が鳴った。生徒たちは皆、一斉に立上って、机の上の道具を鞄の中へしまい始めた。

「何を寝惚けとるか、まだ終業ではない。」

青筋を立てて怒っていた先生には、警報も耳に入らなかったらしい。

「先生、警報です。」

「空襲警報です。」

皆は口々に叫んで出口に殺到した。

「慌てんでよろしい。どうせまた東京だろう。こっちには来ない。落着いて仕度しなさい。」

しかしもう廊下は昇降口へ急ぐ生徒たちでごった返していた。校庭へ走り出た時、今までついぞ一度も聞いたことのない異様な爆音が地鳴りのように響いて来た。

「アッ、あれは何？」

一人が空を見上げて頓狂な叫び声を上げた。一斉に見上げる紺碧の秋空に、真白い雲のようなものが東から長い長い尾を引いて飛んで来た。その先に、点のように、銀色のガラスの玩具のように光る飛行機、これぞ生れて初めて見る敵爆撃機B29であった。

「敵機来襲。」

「退避、退避。」

つんざくような声と一緒に、生徒たちは毬のように防空壕に転げ込んだ。敵機は長い長い飛行雲を引いて、紺碧の空を悠々と西へ飛び去って行った。何事も起らなかった。ほっとして見合す顔と顔。

「偵察に来たのね。」

「悠々としちゃってさ、何て憎らしいんでしょう。」

皆、憤懣やる方ない思いだった。遂に神国の空を敵機に侵される事態になったのだ。

　こうぞの皮むきをやる。何百本と水槽に漬けてあるのを取出して、工作室の机の上で、包丁を使って皮をこそげ、また冷水に晒して日に乾かす。本来は和紙の原料のこの植物も、今では何とかいう新型爆弾になるという噂だった。隣組にも割当が来ていて、家でも初枝が霜焼けの出来た真赤な手に息を吹きかけ吹きかけ一生懸命この仕事を続けているはずであった。

「これを爆弾にするって、一体どんなふうに作るのかしら。」

　恵子が首を傾げた。

「何でもこれで気球みたいな物を作って、爆弾をつけて成層圏をアメリカ本土へ向けて飛ばすんですって、風船爆弾っていってね。物凄い威力があるんだそうよ。ヤンキー共、さぞびっくりするでしょうね。」

　佐伯百合子が、如何にもいい気味だというように笑った。

　突然、ゴーっと地鳴りがして、グラグラと激しい上下動が来た。

「空襲ッ？」

「地震だッ。」

　皆、一斉に入口目指して殺到した。

「出てはいかん、却って危いぞ。皆机の下へ潜り込め。」

　監督の村岡先生が入口に大手を広げて立ちはだかった。

　こうぞの皮も包丁もごっちゃになって、皆、机の下に潜り込んだ。激しい震動がいつまでも続いて、ガラス戸が今にも割れそうにビリビリ響きを立て、防火用水の水がバチャッバチャッとはねこぼれた。

　やっと揺れが収まると、皆は真青い顔で机の下から這い出した。どうやら潰れはしなかったらしい。

「皆無事だな。じゃあ、もういいようだから、作業を続けなさい。」

　その日は後から後から余震が続き、帰宅してからもおさまらなかった。震源地は遠州灘で、太田川流域はひどい被害だったという。

　初枝は余震のたびに裸足で庭に飛出して澄子を笑わせた。彼女は決して慌て者ではなかったが、三歳の時、関東大震災に逢って、地震恐怖症になっているのである。

澄子はグラグラと絶え間なく揺れる地面を見つめてやり切れない気持だった。地震、雷、風水害、この世の中には、人間が避けようとしても避けられない天災地変の脅威があるのに、その上何だってご丁寧に戦争まで始めなければならないのだろう。

夜になって、やっとどうやら余震も鎮まり、電灯もついたので、澄子は二階の兄譲りの勉強部屋で、兄の本箱から探し出したミッチェル女史の『風と共に去りぬ』の続きを読み始めた。南北戦争を南軍側から見たこの小説は、妙に澄子の心を引き付けた。かなり長篇だが、これを読み始めたら途中で止められなくなった。勉強もそっちのけにしてむさぼり読んだ。時々、敵国の小説をこんなに夢中になって読んでいることが、学校の遠山先生にでも知れたら唯では済まないと、ちょっとばかり気が咎めた。敵性語だというのでポスターは壁新聞になり、英語の授業も二年の始めから止め、敵性スポーツだというので、野球も止めてしまった今日だ。音譜もドレミファが、ドイツ語のアーベーツェーになり、今ではハニホヘトイロハ、君が代を音譜で歌えば、「ニハニホトホニー」ということになる。

でも澄子はすぐにまた小説の虜になった。この小説のヒロイン、スカーレットをはじめ、南部の人々の辿った運命が、そのまま九カ月後の自分たちの姿になろうとは、いかに鋭い感受性をもった澄子でも想像も出来ないことであったが……。もっと前に、パール・バックの『母の生活』やストー夫人の『トム叔父の小屋』等も読んで深く感動したことがある。どれも、百年も前の南北戦争当時の、しかも今は敵国の物語だったが、それが百年の歳月と、敵味方の壁を乗り越えて、ひしひしと胸を打つのである。文学の世界には国境も、敵味方の憎しみもないことが不思議であった。澄子は芙次子を死に至らせ、雅彦の父を玉砕させ、連日本土に火の雨、弾の雨を降らせるアメリカを心の底から憎いと思っていた。だが、アメリカ人であるはずのパール・バック女史やミッチェル女史を憎む気にはどうしてもなれなかった。彼女たちに対する澄子の気持は、開戦前も今も少しも変らず、賞讃と尊敬の念はどんなに戦争が激しくなっても同じであった。

（私も一生に一作でいいから、立派な小説を書いて見たい。）

澄子は立って電灯のスイッチを切り、雨戸を開けた。

身を切るように冷たい風がさっと吹き込んで来た。冷たい風が読書の興奮でほてった頬にかえって心地よかった。

外は真暗だった。

澄子は街の屋根の上にじっと目をすえた。しかし、そこに見えるはずの家の温かい明りはなかった。厳重な灯火管制のために、黒い墨汁を流したような闇の中に街全体が沈んでいるようであった。

突然、目の前がパーッと明かるくなった。家々の屋根も濠の松も地の底から押出されるようにくっきりと浮び上った。真赤な火柱が空から矢のように駈け下りて、バババーンと物凄い音を立てて炸裂した。無気味な爆音が空を覆っていた。

「空襲ッ、空襲。」

「退避ッ、退避。」

澄子は転がるように階段をかけ降りて、裸足のまま壕に飛び込んだ。

ドドドドドドッ。

大地が激しく揺らいだ。爆撃は市の東部の工場地帯に集中されているらしい。壕の扉のすき間から真赤な火柱が吹き上るのが見える。夜勤の上級生たちはどうしているだろうか。壕の外が真昼のように明かるくなった。それにつれて真暗なはずの壕の中も、お互の顔がはっきり見分けられるようになった。

「照明弾だ。」

功が口惜しそうに叫んだ。三千メートルもの上空にいるB29の搭乗員に解るはずもないのに、明かるく照らされた壕の中で、四人は片隅にかたまって身を縮め息を殺した。

ドカーン、ドカーン。爆弾が炸裂するたびに壕が大揺れに揺れた。

ゴゴゴゴゴーッ。百雷が砕けるような物凄い大爆発を置土産に、敵機は悠々と南方の闇に消えて行った。

壕を出ると東の空は真赤だった。だが反対側の山の頂きには星が妖精のように輝いていた。山は何事もなかったように黒々と聳えていた。澄子は敵機の去ったばかりの大空を見上げて溜息をついた。宇宙はこんなに広いのに、たった一つの星に過ぎない地球の上で、なぜ人間同士がこんなにいがみ合ったり殺し合ったりしなければならないのだろう。澄子は村岡先生の月旅行の話を思い出した。月へでも火星へでも、もっともっと遠いアンドロメダへでも、自由自在に人間が飛んで行くことが出来るようになったら……。人間の心も宇宙のように広く大らかになるだろう。

　突然、目の前の庭木が風もないのにざわざわと揺れ始めた。ゴーッと地鳴りが響いて来た。家も木立も板塀も、ミシリミシリと無気味な音を立てて、足元の壕へ続く急ごしらえの石段が、ズズズズーズー、と崩れ落ちた。澄子は体の平衡を失って、壕の入口へ転がり落ちた。

「澄ちゃんッ、壕へ入っては駄目よッ。今度は地震だわッ。」

　初枝が金切声を上げて縁側から芝生へ飛び下りるのが見えた。壕の土が崩れ落ちて来た。澄子は土煙をあびながら夢中で跳ね起きて、初枝の方へ走って行った。

「畜生、畜生。」

　功が小さい拳を固めて怒りに震える声で怒鳴っていた。揺らぐ大地にしっかりと短い足を踏張って立つ功の緊張した頬に、真赤な焔が照りつけていた。

　地震と空襲の恐ろしい一夜が明けて、何事もなかったように晴れ晴れとした晩秋の朝が訪れた。澄子は壕へ転がり落ちた時打った肩がズキズキ痛み始めたが、それでも元気に登校した。

　昨日、工場監督に行っていた受持の田辺先生は、教壇に立つと生徒一人一人の顔を慈愛深い眼差しで、しかし、初めて見るような丹念さでつくづくと見廻した。そして一渡り五十人の顔を眺め終え、異状がないと解ると初めてにっこりとして、

「皆さん、一人の欠席もなく、元気そうですね。先生、本当に安心しました。昨日はまあ……何といったらいいか。皆さんもさぞびっくりなさったことでしょうね。先生もあの大地震で肝を潰した後、汽車が不通になってしまったので、夜までかかってやっと汽車通いの生徒を工場の寮に預けてホッとして事務所を出た途端に、真赤な火の玉が唸りを立てて飛んで来て、目の前にドカーンドカーンでしょ。全く天地の終りが来たかと思って生きた心地がしませんでしたよ。でも、皆さんこうして御無事で……。ええ、工場にいた上級生の方たちも皆無事でしたよ。今朝ほど皆さんの元気な顔を見て嬉しく思ったことはございません。」

　先生は涙ぐんでこういわれた。澄子の目頭もじーんと熱くなった。

昭和十九年十二月八日、最後の大詔奉戴日の朝のことであった。

放課後、澄子と恵子は暖かい窓際で今朝集めた廃品の整理をしていた。古新聞、雑誌、ボロ切れ、種々雑多な品が散らばっている。

「まるで私たちボロ屋か紙屑拾いね。」

恵子が情けなそうにボヤく。

「うん、本当。でもね、このボロ屋稼業もこのごろだんだん不景気になって来たと思わないこと？」

澄子は新聞紙を揃えてその厚さを目で測りながら首をかしげた。

「そうねえ、一年に入ったばかりのころには、一度集めるとうんざりするほど沢山あったけれど、このごろは半分もないわ。だんだんせち辛くなるのね。こう何もかも無くなって来ると、ボロ切れ一つ、古新聞一枚だって大切ですものね。出したがらないのも無理ないわ。でもこっちはお陰で大助かりよ。」

「でも、整理は大変でもやはり沢山集った方が張合があるわ。廃品まで少なくなったかと思うと心細くなっちゃう。これじゃあ、いくらも献金出来ないでしょう。」

澄子はセッセと雑誌をまとめに掛った。

やっと片づくと彼女は大きく伸びをして、欠伸をした。

「あーあ、やはり余り遅くまで起きてちゃ駄目ね。眠くてたまらないわ。」

「何時に寝たの？」

「一時かな？」

「まあ、ガリ勉ね。よしてよ。貴女がそんなに勉強したんじゃ、こっちは益々引離されて、八年間の友情にもヒビが入るわ。」

恵子は上目使いにメッと澄子を睨みつけた。

「アラ、勉強じゃないの。小説を読んでいたの。とても面白くて止められないから、つい遅くなっちゃった。」

「ヘエ？ どんな？ 文学少女の貴女をそんなに虜にした小説とは？『海軍』？ それとも『江田島』？」

「違うわ。それならもうとっくに読んだ。そんなまともなんじゃないの。実は敵性書物なのよ。アメリカの南北戦争の中から立上った一人の女……」

恵子は目をまん丸くして、信じられないという顔をした。

「貴女がそんな本を読むの？　貴女はお修身の優等生で、忠君愛国の精神に富んでいると思ってたのに……。もっとも、六年生の時、伊勢参宮の帰りに天孫降臨は嘘だなんていっていたけれど……。ハテナ、一体貴女は何者かな？　八年間一緒にいても解らなくなって来た。叱られるわよ。そんなことが遠山先生にでも知れたら……」

「私もそう思いながら恐いもの見たさで……。でも読み出したらとても面白くて、戦争下の心理状態なんか、百年前の米国娘でも私たちでも共通だなんて、身につまされるところもあって止められなくなっちゃったのよ。」

「ふーん、貴女をそんなに魅惑した小説、私も読んで見たいな。貸してくれない？」

「ええいいわよ。明日一巻を持って来て上げる。でも誰にも見せちゃ駄目よ。絶対に学校では開かないこと。兄貴のだから大切に見てね。」

「オーケー。」

　翌日澄子は、新聞紙に包んでこっそり第一巻を恵子に渡した。

　それから数日経った或る日、朝礼を終って教室に入ると、大島貞代がにわかに騒ぎ出した。

「変だわ。変よ。確かに鞄の中へ入れて置いた財布がない。授業料も入っていたのに、どうしよう。」

「確かに鞄の中だったの？　机の中や防空袋の中も調べて見なさいよ。」

　恵子は、いつも何かというと頓狂に騒ぎ出す貞代に腹を立てて、甲高い声で叫んだ。

「見たのよ、全部見たのよ。でも、どこにもないの。今日は田辺先生は工場で、一時間目は遠山先生でしょ。また叱られるわ、どうしよう。」

　貞代は本当に恐ろしくて、もう遠山先生に怒鳴られたように泣き声を上げた。

「落着いてよく考えるのよ。貴女、ポケットに入れて朝礼の時にでも落したんじゃない？」

　澄子は気の毒になって口を出した。貞代はどちらかというと鈍で、いつも遠山先生の槍玉に上げられる子だ。

「ううん、絶対にそうじゃないの。確かに鞄の中へ入れて置いたのよ。口を締めて置いたはずなのに、今見たら開いているのよ。盗られたのよ。盗られたんだわ。」

「ちょっと変なことというもんじゃないわ。誰が盗ったっていうのよ。」

恵子は益々腹を立てた。皆、貞代の周りに集ってわいわい騒ぎ出した。窓際の生徒がシーッと声を掛けた。慌てて口をつぐんだが間に合わない。遠山先生ががらりと戸を開けて入って来た。

「起立、礼。」

澄子は何くわぬ顔で号令を掛けた。先生はじろりと皆を見廻して、

「今、何を騒いでおった？　南条、いって見ろ。」

と澄子をねめ据えた。澄子は一瞬ひるんだ。ありのままをいえばめんどうなことになる。出来ることならこの先生には知られたくない。皆のお小遣いを借り集めれば、授業料ぐらい何とかなるだろう。後でゆっくり皆で探せばいい、きっとどこかに落ちているに違いない。

「何だ、答えられんのか、佐伯、どうだ。」

（いわないで、黙ってて、何とか誤魔化して。）

澄子は哀願するように百合子を見た。

「ハイ、大島さんの財布が無くなったんです。」

百合子は澄子の思慮などお構いなしに、ズバリと答えた。

「何ッ、財布が無くなった？　大島、それ本当か？　詳しく話して見ろ。」

貞代は恐ろしそうに目を白黒させて立上った。

「ハイ、鞄の中に入れて蓋を締めて朝礼に出ました。帰って来たら鞄の口が開いていて、財布がありません。授業料もその中に入っていたんです。」

「フム、すると朝礼に行っていた間に盗られたっていうんだな。朝礼前に一番後まで残っていた者は誰だ。」

誰も手を上げるはずがない。誰だってこんな事件に掛り合うのは厭に決っている。先生の顔が急に陰惨になり、目ばかり活き活きと光り出した。

「大島、財布はどんな型だ。」

「ハイ、赤い牛皮で、紐通しにおかめの根付けがつけてあります。」

皆がどっと笑った。

「コラッ、笑うな、不謹慎だぞ。よーし、皆席を立って廊下に整列、今から身体及び所持品検査だ。」

皆ぶうぶう不平そうに文句をいいながら、席を立った。先生は級の中に財布泥棒がいると頭から決めてかかっているのだ。でも先生に文句はいえないから、皆、問題を

起した貞代と、いらぬお喋りをした百合子に怨めしそうな白い目を向けた。

「何をぶつぶついっとるか。早く並べ。」

先生は口を歪めてにやりとした。軍隊時代よくこうして初年兵の身体検査をしたものだった。相手は女学生でも容赦はするものか、ふざけた真似をした奴は徹底的にやっつけてやる。この場合、先生の頭の中には盗難という不正な事件を訊すというよりも、軍隊時代の嗜虐趣味《サディズム》の方が明らかに優勢な座を占めていた。先生は一々生徒のポケットを改めさせた後、

「週番、二名出ろ。」

といった。澄子と恵子はしぶしぶ前に出た。先生は教室に入り、二人に手伝わせて片っ端から、机の中、鞄の中まで所持品検査を始めた。澄子はこの時になって「しまった」と思ったがもう遅い。彼女の鞄の中には今朝恵子から返して貰った『風と共に去りぬ』の第一巻が入っていたのだ。今さら隠すことも出来ない。澄子は怨めしそうに恵子を見た。選りに選ってこんな日に……。恵子もそれに気付いたらしい。済まなそうな顔をして目を伏せた。遠山先生は一々丹念に検査をして行ったが、仲々目的の財布が姿を現さないのでじれて来た。そのうちに澄子の鞄の中から別な獲物を発見して、急に険しい目付になり、すぐににやりと凄い笑いを浮べた。財布はとうとう出て来なかった。最後の席を調べ終った時ベルが鳴った。

「よーし、今日はこれで終りだ。川村、皆の授業料を集めて持って来い。南条、ちょっと来い。」

遠山先生は、澄子の本を平手でバタンバタンと叩きながら、悠々と教室を出て行った。澄子は級一同の懐疑の目と、恵子の謝罪の瞳を背に受けて黙って先生の後に従った。二人の姿が見えなくなると、教室中が急にがやがやと騒々しくなった。

「ちょっとちょっと、犯人は南条さん？」

「まさか、あの人が……」

「人は見かけによらないものよ。」

「あの人がねえ……」

佐伯百合子はさも心得顔にあたりを見廻した。

百合子を囲んだ級友は信じられないというように溜息をついた。恵子は血相変えて話の中へ飛び込んだ。

「何いってんのよ。澄子がそんなことするはずがないじ

ゃないの。」

今にも殴り掛らんばかりの勢いで、恵子は百合子の前に立ちふさがった。

「じゃ何よ。何だってあの人、先生に連れて行かれたのよ。」

百合子は、いかにも小馬鹿にしたように顎を突き出し、大柄な肩をそびやかして詰め寄った。恵子は言葉に窮してたじたじとなった。口惜しそうに唇を噛んだ。

「それ御覧なさい。何もいえないくせに、解りもしないくせに人の話に割込まないでよ。」

恵子は目の玉が飛出しそうな勢いで百合子を睨みつけた。

「貴女こそ解りもしないくせに、いい加減な口をきかないでよ。澄子の呼ばれたのはね、外のことよ。盗難事件とは全く別よ。あの人のこと変な目で見たら、私が承知しないから。」

「フン、大した御友情ね。それほどあの人がいいんなら、貴女も行ってビンタの一つも頂戴して来たらいかが？」

恵子は急にしゅんとした。本当にそうすべきかも知れない。恵子は済まなさで胸が一杯になった。急いで澄子の後を追おうとした。

「アラッ、川村さん、どこへ行くの？」

「週番さん、早く授業料を集めて頂戴よ。でないと、また無くなっても知らないわよ。」

恵子は舌打ちして仕方なしに教壇へ上った。

地歴教室に入ると、遠山先生は椅子にそり返ってパラパラと本のページをくった。

「南条、俺はお前を見損っていたようだな。どうしてこんな敵性書物を持っている。ん？　いって見ろ。」

澄子は唇を噛んだ。友だちに貸しましたといえば、誰に貸したと聞かれるに決っている。被害者は自分一人で沢山だと思った。

「答えられないか。答えられまい。国を挙げての大戦争の真最中に、敵国の、しかも敗戦の弁の小説を読むとは何事だ。そんな腐った根性で、特攻隊の勇士や、動員に出ている上級生に顔向けが出来ると思うのか。ん？　何とかいって見ろ、何とか。」

澄子は先生がいきり立てば立つほど答えられなくなって唇を噛むばかりだった。

申し訳ありません、私が間違っておりました、今後決してこのような物は読みません。そういえばいいことは解っていた。でも、そうはいい切れない何物かが心の底にわだかまっていた。たとえ敵国のものであろうと、こんないい小説をどうして読んではいけないのでしょう。私をこんなに魅惑し夢中にしたこの本を……。

遠山先生は、澄子がいつまでも黙っているので益々腹を立てた。徹底的に調べた積りなのに財布が出て来なかったいまいましさも手伝って、爆発的な怒りがこみ上げて来た。

「返事が出来なきゃ出来るようにしてやる。お前の根性を叩き直してやる。」

いきなり激しい平手打ちが頬に飛んだ。澄子は不意打ちをくらってよろよろとよろけた。二発目が飛びそうになった時、境のドアが開いて村岡先生が飛び込んで来た。遠山先生が振り上げた腕を宙でがっちりと受け止めると、

「止め給え、ここは軍隊じゃない。」

と、低いが激しい語調でいった。遠山先生は思い掛けない侵入者に一瞬ひるんだが、相手が日ごろ面白くないと思っている村岡先生と解ると、なおさらいきり立った。

「引込んでいて貰いましょう。私は私の教育方針でやる。」

憎々しげに相手を睨みつけた。

「いいや、そうはいきません。この生徒がどんなことをしたか知らないが、ここは女学校です。やたらに暴力を振うのを黙って許す訳には行きません。」

遠山先生は目をむいた。

「許す訳には行かないだと？ 偉そうな口はきかんで貰いましょう。大体あんたは生徒に甘過ぎる。だからこういう生意気な奴が出来るんだ。僕がこれを殴るには殴るだけの理由があるからだ。この非常時に敵国の小説を学校へ持込むとは何事だ。実にけしからん。英語も止め、ポスターも壁新聞になった時代に。」

村岡先生は机の上に放り出された本を手にとった。

「風と共に去りぬ、か……。これは仲々面白い、読み出したら止められないだろう。」

「何だと……。君までそんな……。大体君は……」

遠山先生は興奮の余り言葉も途切れ途切れになった。湯気が立ちそうに真赤な顔をしていた。

「まあまあ。」

村岡先生は片手を上げて軽く遠山先生を押え、

「南条君、君はもう帰りなさい。君の話はもう済んだ。後は僕と遠山君の教育論争だ。」

と優しくいった。

「いいや、まだ済んではいない。こいつはまだ一言の釈明もしておらん。」

遠山先生は意地悪く澄子を睨んだ。

「いいじゃないですか。貴方の一発でこの子は震え上っていますよ。もう何もいわせることはありますまい。ま、生徒を帰して、ゆっくりとお互の教育論を闘わそうじゃありませんか。さ、君は帰りなさい。次の授業に遅れるよ。」

澄子は黙って一礼すると、力ない足どりで入口に向って歩き出した。廊下に出た時、後から遠山先生の怒りに震える声を聞いた。

「君はなっとらん。生徒を甘やかして人気をとることばかり考えとる。君のような腐った根性の教師は、一度軍隊の飯を食って出直して来るといいんだ。憲兵にいって君を軍隊に叩き込んでやる。」

澄子は唇を噛んで教室へ急いだ。左頬がひりひりと傷む。教室へ入ると貞代が済まなそうに寄って来た。

「御免ね。財布、やはり朝礼の時持って出て落したらしいの。今一年生が拾って届けてくれた。」

「そう、よかったわね。」

澄子は腑抜けたような声でいって、どしんと自分の席へ腰を下した。恵子は一目で澄子の上に何が起ったか解ると、

「バッカ、御免で済むと思ってるの、この鈍感の慌て者。人騒がせったらありゃしない。」

かんかんになって貞代に喰って掛った。

「百合子も百合子よ。澄子を疑ったりして、これで澄子の潔白が解ったでしょう。大体、あんたは出しゃ張り過ぎるのよ。盗んだ者がないくらい、始めっから解ってるじゃないの。お喋り。何とか胡魔化しとけばよかったのに。澄子を御覧なさい。可哀想に、とんだとばっちりよ。」

「でも一体澄子は何で叱られたの？　いつも澄子は遠山先生にミコがよかったんじゃない。」

百合子は意地悪くしきりに澄子が殴られた訳を聞きたがった。

「あんたなんか知る必要はないわよ。」

恵子はプンプン当り散らすと、心配そうに澄子の側へ寄って顔をのぞき込んだ。澄子の白い頬には明らかに大きな指の跡がついて赤く腫れている。

「とうとうやったのね、あいつ、癪だったらありゃしない。ねえ、澄子、冷した方がいいんじゃない。」

澄子は黙って首を振った。遠山先生の最後の言葉が気になって、誰とも口をきく気になれなかったのだ。

放課後、帰り仕度をしていると、

「南条さん、村岡先生がお呼びよ。すぐに地歴教室へいらっしゃいって。」

他級の生徒が入口から顔を出して大声で呼んだ。澄子は、黙って教室を出た。恵子はその後姿を心配そうに見送った。

地歴教室の前まで来て、ドアをノックしようとした澄子は、一瞬ためらった。また、村岡先生と遠山先生が衝突するんじゃないかしら。恐る恐るノックすると、中から村岡先生の張りのある明かるい返事が聞えた。そろそろとガラス戸を開けて中を見廻すと、ガランとした広い教室に暖かい午後の日が一杯に差し込んで、村岡先生が一人、机の前に腰を下していた。

「お呼びでしょうか。」

「ああ君、まあこっちへ来給え。」

先生はにこっと優しい微笑を浮べて手招きした。

「先刻はとんだ災難だったな。さ、これを返して貰ったよ。持って行きなさい。」

先生は机の上の本を手にとってパラパラとめくった。

「よろしいんでしょうか。」

先生は明かるく笑った。

「構わんよ。まあこれから学校へは持って来ないようにするんだな。家で読むんなら一向差しつかえない。どんどん読みなさい。学問や文学に国境はないはずだからな。敵といえども大いに知るべしだ。大体、軍や政府の指導者が余りにも排他的で相手を知らな過ぎるから、こんな馬鹿げた戦争をおっぱじめることになってしまったんだ。全く下らん話だ。」

先生はおしまいの方を吐き捨てるようにいった。澄子はびっくりして先生の横顔を穴のあくほど見詰めた。聖戦とか大御戦《おおみいくさ》とかいう言葉は聞いていたが、この戦争を馬鹿げた下らん戦争だと聞いたのは生れて初めてだった。昨日までの澄子だったら、これが誰の口から出た言葉にせよ、決して許しはしなかったに違いない。

　馬鹿げた下らん戦争に大勢の兵隊さんは命をかけて戦っているのですか。戦死した雅彦さんのお父さんや井口さんは、馬鹿げた下らんことのために命を落したとおっしゃるのですか。雅彦さんのお母さんや、井口さんのお父さんや、そして可哀想な初枝姉さんは、馬鹿げた下らんことのために、愛する人を失った悲しみに耐えて行かなければならないのですか。そしてそして、芙次子姉さんは……。

　しかし、今日の澄子は今までの澄子とは少し違っていた。遠山先生のビンタを喰って、少々頭の廻転が鈍くなったのかも知れない。村岡先生にそういわれて見ると、何となくこの戦争の大義名分が色褪せて来るような気がした。しかし、先生は澄子の気持の変化などお構いなしに、にこにこしながら、

「この本は君のかね。」

　と、煙草をふかしながら、ゆったりとした口調で話しかけた。

「いいえ、兄のですわ。」

「ほう成程、兄さんは今何をしているの？」

「学徒出陣で満州に行っています。」

「そうか、皆大変なんだな……。兄さんはこういう本を沢山持っているのかい。」

「ええ、専門のむつかしい本のことは解りませんけれど、文学全集だの翻訳書だの一杯ありますわ。」

「そうか、それでは君は幸せだ。今ではいい本は仲々手に入らないからな。どしどし読みなさい。戦時色の濃い国定教科書なんか勉強するより、その方がどれだけ将来のためになるか解らないよ。近い将来、君たちも動員ということになるだろうが、読書だけは忘れちゃあいけない。立派な文学の中には、どんな歪んだ時代にも左右されない、人間の不滅の真実があるからな。今日のことは忘れるんだ。元気を出して頑張るんだよ。」

　最後の言葉で澄子は思わずほろりとした。いつもこの先生に対する時感じる温かいもの、人間味溢れる何かがじかに心に触れて来るような気がした。こんないい先生にいつまでも教えて頂きたい。でも……。

「先生、遠山先生が、先生を軍隊に叩き込んでやるなんておっしゃってましたけど……」

澄子の唇がわなわなと震えた。怒りとも恐れともつか

ない激しい感情が胸元につき上げて来た。

「大丈夫だよ。遠山君がいくら偉い在郷軍人でも、赤紙の配給まで自由になりはしないさ。安心し給え。」

村岡先生は、真白い歯を見せて、アハハと屈託なさそうに笑った。その笑いはいかにも明かるく朗らかで、澄子はほっと安心したが、先生と別れて部屋を出るとまた、黒雲のように暗い不安が広がり始めた。

澄子は一人、ポプラ並木の下の枯葉を踏みしめて校門をくぐりながら、村岡先生のことを思っていた。

「軍隊に叩き込んでやる。」

遠山先生の言葉が耳元でがんがん響いていた。澄子はボロボロの兵隊服を着た村岡先生を想像した。村岡先生がビンタを喰い、使役にこづき廻され、強行軍に喘ぎ、やがては戦場の露と消える。それを見て遠山先生は、勝ち誇ったように大口をあいて冷笑するのであろうか。澄子は身震いした。

それにしても軍隊とは、懲罰的に人を叩き込むところであろうか。憎しみのために人を陥れる場所であろうか。絶対にそうであってはならないと澄子は思った。一国の国防の任を負う軍隊は、もっと神聖で純粋なものでなければならないはずだ。

草も木も枯れ落ちて寒々とした田圃の中の一本道を、澄子は厳しい表情で一人黙々と歩き続けた。

十五

昭和二十年の春が明けた。

家々の軒先には新しい年を迎えて、日章旗が鳴りはためいていたが、何かそこには暗い陰のようなものが感じられる、今までとは違った年の始めの姿だった。B29は暮も正月もなく本土の空をわが物顔に飛び廻り、主要都市や軍需工場に鉄の雨を降らして悠々と飛び去った。こういう空の下で、華やかな晴れ着もなく、のどかな羽根つきの音も聞えない佗しいお正月を澄子たちの若さがカバーした。

拝賀式がすんだ後、澄子はグループの四人を誘って家に帰り、日当りのよい二階の勉強部屋でかるた会を始めた。

「じゃんけんで負けた人が読み手になりましょう。」

負けて肩をすくめたのは恵子。

「仕方がない。いいこと、読むわよ。」

いにしえの　奈良の都の　八重桜
　今日九重に　匂いぬるかな

「ハイ。」

久方の　光のどけき　……

「ハイ。」

「駄目だわ。皆澄子に取られてしまう。澄子読み手になりなさいよ。読みながらとるくらいでちょうどいいわ。」

「そうよそうよ。」

澄子は笑顔で恵子と交替したが、読み札を手にとりながら、ふと淋しさがつき上げて来た。毎年お正月には、昭や芙次子やその友だちが集って、いつも楽しいかるた会があった。小学生だった澄子も仲間に入れて貰って、お陰でいつの間にか自然にこんなに上手になったのだが……。今はもうその昭も芙次子もいない。

「どうしたの?」

「早く読んで。」

澄子は気を取直して美しい声で読み始めた。

　これやこの　行くも帰るも　別れては
　　知るも知らぬも　おうさかのせき

「ハーイ。」

恵子が勢い余って札を散らした。

「今度は愛国百人一首をしましょうよ。これなら私も初めてだから。」

澄子は新しい箱から札を出してパラパラと畳の上に散らした。薄っぺらな、粗末な札だった。紙の生産もろくに出来ないのだ。でもその中には、万葉以来の日本人の烈々たる愛国の至情がのべられていた。

「いいこと。」

　御民我れ　生けるしるしあり　天地の
　　栄ゆる時に　あえらく思えば

「次は防人の歌よ。」

　今日よりは　かえりみなくて　大君の
　　醜の御楯と　いで立つ我は

「いいわねえ、何べん聞いても感激だわ。」

正子はうっとりと歌の文句に聞き惚れている。

「感心してちゃ駄目よ、取らなくちゃ。」

恵子が正子の肩をつっついた。皆、その和歌の一つ一つに感動の涙を浮べて取った。澄子や恵子は兄たちを、みどりは父を戦場に送り、秋子は父を、正子は兄を戦場で失った。彼女らの愛する父や兄は、皆、唯一筋に防人の心で戦の庭にのぞんだのであろう。

「私の戦死した兄がそういっていたわ。僕がもし防人の歌を詠むならば、

　今日よりは　かえりみなくて　同胞《はらから》の
　　醜の御楯と　いで立つ我は

と詠むって。兄は、私や、お母さんや、その他、日本中の弱い女や子供を守るためには、進んで征かなければならないんだっていっていたわ。」

皆、かるたを取るのを止めてしまった。そして澄子の持っている読み札に顔を集め、口を揃えて一句一句、胸に刻み込むように読み始めた。皆、それぞれの胸の中に

懐かしい父や兄の姿を思い浮べながら……。

　君が為　何か惜しまん　若桜
　　散って甲斐ある　命なりせば
　　　　　九軍神　古野少佐の歌

柔らかい初春の日差しが、乙女たちの艶やかな髪を照らしていた。階下の台所で、初枝が昼食の仕度を始めたらしい。お餅を焼く芳しい香りが、細めに開けた窓から流れて来た。

「もうお昼ね、待ってて、今仕度して来るから。といっても、お蜜柑と安倍川餅くらいしかないけれど……」

澄子は立ち上って、階下に下りると、やがて銘々皿に、柔らかくふくれた温かいお餅をのせて運んで来た。

「美味しい。頬ッペが落ちそうだわ。」

恵子は、食べながら何気なく側にあった新聞を広げて、

「うっ。」

と危うくお餅を喉に詰らせそうになった。

「どうしたの？」

「何よ……、余り慌てて頬張るからよ、貴女こそクインシンボ。」

正子が恵子の背中を叩きながら笑った。恵子は目を白黒させてやっと喉につかえたお餅を呑み込むと、

「違う違う。これを見てごらんなさいよ、まあ、何て憎らしいんでしょう。」

怒りに身を震わせて叫んだ。

「どれどれ？」

少女たちは顔をぶっつけ合うようにして紙面を見詰めた。そこには、

「鬼畜米英撃滅」

「断じて許すまじ醜の仇」

という大見出しで、米国の或る有名雑誌に載ったという写真がでかでかと掲載されていた。それは日本兵の髑《どく》髏《ろ》を前に、戦場の恋人にお礼の手紙を書くアメリカ娘の写真だった。髑髏は虚ろな眼でその美しいヤンキー娘を見上げていた。皆は驚きと悲しみと怒りで真青になった。しばらくは声も出ない。ややあって正子が悲鳴のような叫び声を上げた。

「まさか……、まさか、うちの兄のじゃないでしょうね、この髑髏《しゃれこうべ》。」

「大丈夫、貴女のお兄さんはビルマで戦死なさったんでしょ。ビルマは英領よ、アメリカじゃないわ。」

澄子が何ともいえぬ暗い表情で、しかし優しく正子を慰めた。

「ああ、何てひどいことを……」

　秋子が身を震わせて絶叫した。戦死した敵兵の髑髏を故郷の恋人に送るアメリカ兵の心理はどうしても理解出来なかったし、それを受取って机の上にのせ、お礼の手紙を書く少女の気持は、なおさら不可解であった。

「本当にこんな写真がアメリカの雑誌に載ったのかしら。」

　余りにも信じられないこの恐ろしい写真に、皆、目を背け、唇を震わせた。こんなことをされたら、兵隊さんも浮かばれないだろう。

「私も嘘だと思いたいわ。この兵隊さんが余りにも可哀想ですもの。それに、いくら鬼畜米英だって、人間なんですもの、死者に対する礼くらい、心得ていていいはずだわ。」

　澄子は涙ぐんで髑髏に向って手を合せた。

「でも、この新聞は日本一流の新聞ですもの、嘘を載せることは絶対にない。とすると、やはりこれは本当なのね。」

「ああ私、信じられない。本当にこれ日本の兵隊さんの髑髏なのかしら、造り物であって欲しい。それにしても、よくこんな物を前に置いて手紙を書けるわね。人間性に対する冒瀆だわ。」

「ヤンキーなんてそんなものよ。私たちと同じくらいの女の子でさえこの通りですもの。人間の心なんてありはしないのよ。本当に鬼だわ。」

「私にはとっても出来ない。これが敵兵のだろうと味方のだろうと、たとえ石膏の造り物だろうと、こんな物を前に愛する人に手紙を書くくらいなら、死んだ方がましだわ。」

　皆、口々に怒りに震える声で叫んだ。口惜しかった。悲しかった。名誉の戦死といわれながら、自分たちの肉親が、その骨まで敵国人にこんな恥かしめを受けているのかと思うと、たまらなかった。少女たちは歯がみをし、身を震わせて、ヤンキー美人を睨みつけた。その写真をズタズタに引裂き、丸めて地面に叩きつけてやりたい衝動をじっとこらえて、髑髏に向って合掌した。

　新学期が始って間もない或る日、澄子が例の通り集団登校で校門をくぐると、大玄関正面の掲示板が目に飛び込んで来た。

「村岡先生御応召」

大きな白墨の字が激しく澄子の胸を射竦めた。恐れていたことがやって来た。しかもこんなに早く。授業など全々頭に入らない。放課後になると一目散に地歴教室へとんで行った。遠山先生もいるかも知れないが、そんなこと構っていられない。しかし遠山先生はいなかった。村岡先生が一人机の引出しの整理をしていた。

「先生、すみません。私のためにとうとう……」

後は言葉にならなかった。村岡先生は澄子の思い詰めた表情を見ると優しく笑って、

「なあに、偶然だよ。気にするな、いずれはこうなるんだ。今まで来なかったのが不思議なくらいだよ。」

立ち上って静かに澄子の肩に手を置いた。温かく力強い大きな手だった。

「それより一生懸命勉強するんだぞ。この間も僕がいったように、これからはいわゆる勉強は出来ないだろう。動員もあるし、空襲もあるしな。しかし、読書だけは忘れちゃあいかん。学問と芸術だけはどんな時にも忘れてはならん。もし、どんなみじめな時代が来ても、人間らしい心と、若い希望を捨てては駄目だぞ。これが僕が君に贈る最後の教えだ。」

澄子の頬が苦痛に歪んだ。先生は死を覚悟していらっしゃるのだ。

「最後だなんて。先生に教えて頂きたいことは一杯あるんです。それがこの間初めて解って、これから教えて頂こうと思ったのに、行ってしまいになるなんて……」

澄子は涙をポロポロこぼした。行かせたくない。行かないで下さい。私は先生に教えて頂きたいことが沢山沢山ある。ああ、でも、どうしても行かなくてはならないのですね。

村岡先生はどかりと椅子に腰を下して腕組みをした。

「僕も君たちに教えたいことは山ほどあるよ。考えて見れば、僕が本当に君たちに教えたいと思ったことは何一つ教えることが出来なかった。時勢に逆らうだけの勇気がなかったんだな。恥かしいと思うよ……。君は、民主主義という言葉を知っているかい？」

澄子は上目使いになって、しばらく考えてから黙って首を振った。出来る限りの自分の過去に得た知識を振返って見ても、そんな言葉は思い当らなかった。

「君はいつ小学校に上ったの？」

「昭和十二年です。」

「なるほど、するとシナ事変が始った年だな。生粋の戦争ッ子って訳だ。それでは君の教科書にも、先生の言葉にも、この言葉がある訳がないな。」

「ミンシュシュギって何です？　先生。」

　澄子は無邪気に甘えた声で聞いた。いつの間にか進や昭と話をしているような気持になっていた。そんな澄子を先生はいとしそうに見詰めながらいった。

「天は人の上に人を造らず、人の下に人を造らず。解るか？」

　澄子は白い首を左右に振った。長いふさふさとしたお下げ髪がゆっくりと揺れた。

「まあ、そこへ掛け給え。」

　先生は澄子に椅子を勧めると、優しく諭すような口調でいった。

「つまり、人間の上に人間はなく、人間の下にも人間はない。人間は貴賤貧富、性別人種の差別なく、すべて平等だということだ。敵も味方もない。今のように相手を憎むことばかり教え込む教育は本当ではない。僕の教えたかったのはこの民主主義の教育だよ。」

「教えて下さい先生、今からでも。」

　澄子は身を乗り出して机の角につかまった。

「教えてやりたい。ことに君のようないい生徒にはね。しかし今はもうその時間はない。もし無事に生きて帰ることが出来たとしたら、その時こそ迷うことなく僕の信念を貫く積りだよ。」

「先生、きっと帰って来て下さい。そうしてもう一度、私たちに本当のことを教えて下さい。」

　澄子の大きな瞳が真正面から先生を見詰めてキラキラ光った。何という美しい眼だ。村岡先生は改めて澄子の瞳の美しさに心を奪われた。この穢れのない清らかな瞳を、決して決して暗いみじめな戦争の渦の中に曇らせてはならないと思った。澄子は窓の外の空に流れる白い雲に目をやって夢見るようにいった。

「先生は敵を憎むことは一つもお教えになりませんでしたわ。いつも、戦争の終った後のユートピアの話をして下さいましたわね。世界中が一つになって仲良く文化の交流をする。航空が発達してヨーロッパへも一っ飛び、軍備に莫大なお金をかける必要もなくなるから、平和産業が発達して、立派な高速道路も出来、自動車も自由自在に走り廻れるようになる。テレビジョンも月ロケットも夢ではなくなるっておっしゃいましたわ。私、忘れません。たとえそれが夢であっても、私たち、そういうお話を伺っていると、温かい血が通って、力み返ったお説教を聞くより身にしみて、どんな苦しみにも耐えて生きよう、少しでも向上しようって、ファイトが湧きましたわ。」

澄子の瞳は、今は希むことの許されない明かるい未来を夢見て燃え上った。それを見る村岡先生の瞳も生き生きと輝いた。

「来るよ、きっとそういう未来が……。決して夢じゃない。戦争さえ終らせることが出来れば必ず来る。ただそれまで、君や僕が生きていられるか、それが問題だ。南条君、どんな苦しい時代が来ても決して死に急いではいけないよ。あらん限りの力を尽して生き抜くんだ。僕だって同じだ。この世に仕残した仕事は山ほどある。まだ何一つしてはいない。素晴らしい未来が待っているのに、死んでたまるか、死ぬものか。」

先生は立上って拳を握りしめ足を踏み鳴らして激しく叫んだ。こんな先生を見たことはなかった。村岡先生はいつも静かで落着いていた。その先生が何ものか、自分を死に追いやるものに対して憤りに燃えているのだ。

村岡先生は澄子の手を痛いほど握りしめていった。

「南条君、いいか。よーく僕のいうことを聞いてくれ。もし、本土決戦という最悪の事態になったとしても、決して死に急いではいかん。サイパンでは女子供まで軍と運命を共にしたと聞いたが……。しかし、君たちはあくまでも非戦闘員なんだ。そんなことをする必要はない。命は大切なものだ。命を惜しめ、命を守るんだぞ。」

澄子は目を閉じた。退避訓練や防空壕掘りは命を惜しみ守る具体的な教育かも知れない。でも今まで読んだどの教科書、どの先生の言葉にも、潔く散れ、名を惜しめとは教えられたが、命を惜しめと諭されたのは初めてだった。

「僕もそうしよう。帰って来るよ、きっとな。そうしてもう一度一緒に勉強しよう。今度こそ真理を求めて出直すんだ。」

先生は優しく微笑した。

「きっと、きっとですよ、先生。」

澄子は真剣に先生を見上げた。

「ああ、どうしても帰って来にゃならんな、君とこうして約束したんだから。」

「げんまんしましょう。」

澄子は可愛い小指を差出した。先生の大きな指がしっかりとからんだ。

「今から郷里の信州へ帰って松本に入隊だ。君とはこれでさよならだ。元気で頑張るんだよ。」

「先生もどうぞお元気で……」

涙がまたこみ上げて来た。

「ああ、僕は大丈夫、山で鍛えた体だ。滅多なことでへばりはしないよ。」

先生は明かるく笑った。山男が、山登りに行く時のような、さわやかな気軽さで、先生は手を上げた。しかし澄子は笑えなかった。

「それでは御機嫌よう。」

溢れ出そうになる涙をかくすように、丁寧に頭を下げて廊下に出た。長い廊下はしんと静まり返って、窓の外のポプラの枯枝が、風に吹かれて寒そうに震えていた。

十六

食卓の上には功の鶏の生んだ卵焼きと、庭の菜園でとれたほうれん草のおひたしがのっていた。こんな粗末な食事でも、このごろとしては御馳走である。今日は昭の誕生日であった。表座敷の床の間に進と昭と二つ並べた陰膳にも、オムレツとほうれん草が供えてあった。功が今日のために、十日も前から毎日貯め込んだ貴重な卵である。

「昭兄さん、お誕生日おめでとう。頂きまーす。」

功が元気に箸をとった。

「満州はまだ寒いでしょうねえ。」

初枝が鉄瓶から急須に熱いお湯を注ぎながら淋しそうにいった。主のない誕生祝は彼女に井口のことを思い出させるのだ。澄子は毛皮のついた防寒服を着て、耳までかくれる厚い防寒帽をかぶって、満州の曠野で将校になる訓練を受けている昭のことを思った。百キロもある砲身を担いで山を駆け上るといつかの手紙に書いてあった。

いくらお兄さんがスポーツマンでも、超人的だ。あの防寒服だけでも重たいだろうに……。」

「昭兄さんもどうせ将校になるんなら、大学なんか行かずに始めから士官学校へ行けばよかったのに……。」

功は大きなオムレツにかぶりつきながら、

「ねえ、直明君の兄さん、陸士に受かったんだってさ。」

と目を輝かした。澄子の胸がときめいた。澄子の瞼の中で、昭の士官姿が雅彦のそれと変り、頬が紅潮した。

「そう、よかったわね。じゃあ、お父様のおあとを継いで軍人さんになるのね。」

しずは大豆粕と甘藷の混ったご飯をお給仕しながら、一瞬暗い表情になったが、静かに相槌を打った。

「だけどあの兄さん変ってるんだ。陸軍大将にも大臣になるのも望みじゃないんだって。どういうんだろ？ 僕だって直明君だって、断然陸軍大将になってやるんだがな。」

このころの少年にとって、陸軍大将は最高の夢であり憧れの的であった。それなのに軍人を志しながら、大将を希まない雅彦の心は、功にはどうしても理解出来なかったのだ。

「何かきっと深いお考えがあるんでしょうね。」

しずはちょっと考えた末にいった。澄子は二人の話を黙って聞いていたが、彼が立身出世を希まない気持が解るような気がした。

「なぜ雅彦さんが大臣も大将も希まないか、私には解るような気がするわ。」

澄子が不意に思い詰めたような声で口を出したので、功はびっくりして目をまんまるくした。

「へえー、男の僕にも解んないのに、よくお姉ちゃんにそんなことが解るな。」

澄子は箸を置いてきちんと坐り直し、真剣な表情で、

「功ちゃん。功ちゃんだって、この話を聞けば雅彦さんの気持がきっと解ると思うわ。私のお友だちの松崎歌子さんのお兄さんがね、海軍兵学校に受かったので、親戚の人が大勢集って壮行会をしたんですって。歌ちゃんのお兄さんは優秀だから『これで松崎の一族から海軍大将が出る。親戚一同鼻が高い』っておじさんやおばさんが大喜びでほめそやしたら、お兄さんは決然としておじさんたちを睨んで こういったんですって。『僕が立身出世のために海軍軍人を選んだと思う人があったら、たった

今出て行って下さい。僕たち若者の気持は大人たちには解って貰えないんだ』って……。ね、功ちゃん、解る？ 陸士を出たって海兵を出たってすぐ大将になれる訳じゃない。大将や陸海軍大臣になるには、何十年もの軍人生活を必要とするのよ。でも、今、この大戦争の真最中に、非戦闘員の私たちでさえ明日の命も解らないのに、軍人を志す若い人たちがどうして三十年も先の大臣を夢見ることが出来るでしょう。人生五十年、但し軍人は半額だってよく功ちゃんもいっているじゃない。今の世の中に三十年の軍人生活を全うして大将、元帥になれる人は、よほど不死身で運の強い人か、そうでなければ弾丸の来るところへは絶対に出たがらない臆病者よ。」

「へえ、それじゃあ、お姉ちゃんは東条さんも山本元帥も臆病者だっていうの。」

功は口を尖らせて断然抗議を申込んだ。彼が神の如くに崇拝している東条首相や山本元帥を臆病者呼ばわりされては、たとえ大好きな姉の言葉でも、黙っている訳には行かないのだ。

「ううん、違うわ。今、大臣や大将になっている人のことじゃあないの。今、軍人を志す若い人たちのことをいっているのよ。あの人たちの前には、大人たちの考えているような、また、小さい子供たちの夢見ているような、立身出世や功名心や憧れは毛頭ないのよ。そういうものを一切超越して、ただただ、祖国を愛する止むに止まれない忠誠心が、あの人たちに軍人への道を選ばせたのだと思うわ。決して掛声だけに躍らされているんじゃない。純粋な尊い神の心よ。その精神が特攻精神に通ずるんだわ。」

「へーえ、じゃあ僕が大将を志しているのは間違いかしらん？ でもお姉ちゃんは女のくせによくそんなことが解るね。」

功は感心したように半分茶化したようにいう。しかし澄子は真剣だった。

「女のくせになんて失礼ね。解らないでどうするの。雅彦さんだって、生と死の問題に対決して立派に自分の進むべき道を見極めたんじゃない。私と机を並べて勉強した勝也さんだって、一見オッチョコチョイに見える勇ちゃんだって、皆今ごろは真剣にその問題と取組んでいるわ。」

澄子の胸は締めつけられるように切なくなった。雅彦さんは死を覚悟しているのだわ。澄子は高く潔い愛国の血潮に溢れる彼の顔を誇らかに瞼に描いた。

雅彦とは、道では何十回も会っているのに、もう二年近く一度も口をきいていない。街角で顔を合せても、お互に知らん顔をして通り過ぎる。或る時は学校の行き帰りに、鞄を肩に柔道着を担いだ彼と、また或る時はお使いの帰りに……。彼が工場へ動員になってからは、毎朝早く、動員学徒の腕章をつけた彼を、門の前を掃きながら見送ったものだった。いつも彼のそばには大勢の友だちがいた。彼はいつもそのリーダー格だった。澄子のそばにも大抵の時は友だちがいた。だから知らん顔をして通り過ぎる。大学生の兄と肩を並べて歩いたり、道で会って立話をしただけでも不良呼ばわりされる時代だった。それに好奇心の強い友だちに、やたらの噂は立てられたくなかった。雅彦に対する初い初いしい慕情は、一人胸の奥深くにしまって、大切に大切にしておきたかったのだ。

一対一で会う時もたまにはあった。それでも二人は黙礼するだけで、何気なく通り過ぎた。そのくせお互に曲り角で懐かしそうに振り返るのだった。

「今日《こんにち》は、お元気？」

「今日は学校でとても面白いことがあったのよ。貴方の方は如何？　工場って大変なの？　教えて頂戴。私ももうじき行くんだから。」

どうしてこんなふうに何気なくすらすらと行かないのだろう。

その彼はもうじき士官学校へ行ってしまう。そして亡き父の後を継いで立派な軍人になるために必死の訓練を続けるだろう。そしてその後には死が待っている。私ももうじき工場へ行かなければならない。空から落ちて来る爆弾は、軍需工場も学校も民家も差別はないが、やはり工場地帯は何といっても危険率が高い。私たちはこれでさようならしなければならないのだわ。幼な馴染の甘く楽しい思い出もこれで終ってしまう。それなのに今までなぜもっと明かるく伸び伸びと遊んだり話したりしておかなかったのだろう。彼に話したいことは山ほどあった。そして彼から聞きたいことは、それよりもっともっと沢山あるように思えるのに……。

いよいよ彼が明日出発という日の夕暮れ、澄子はお使いの帰りに、僅かばかりの配給の野菜の入った軽い篭をぶら下げて、たとえようもなくわびしい気持で濠端を歩いていた。道に行き交う人たちは皆、防空頭巾を肩から下げて、陰気な顔でそそくさと通り過ぎて行く。兵隊もいる。工場帰りの学生の一団が、すすけた身なりのくたびれた姿の割に活発な冗談を飛ばしながら、笑いさざめいてすれ違った。澄子はいつもそういう学生の群れの中に無意識のうちに雅彦の姿を探すのだった。そして、大勢の仲間の中からさりげなく彼の視線が澄子の上に投げられる時の、初い初いしい胸のときめき。でも瞳と瞳がかちりと宙に結ぶとき、彼女は慌てて長いまつげの下に目を伏せて、頬を染めて通り過ぎてしまう。そんなはかない出会いでも、彼女にとっては深い喜びなのであった。

　でも今日の学生たちの群れの中に彼の姿があるはずはない。

　澄子はそっと濠の石垣に目を移し、土手の松林を仰ぎながらゆっくりと力なく歩いて行った。陽はすでに西の山にかくれて、先刻まで鮮かな紅色に染っていた雲もいつの間にか淡紫にぼかされて、土手の松の緑も次第に黒さを増し、灯火管制の暗い夜、空襲に怯える恐ろしい夜が近づいていた。早春の日暮れの風が切るように肌をさした。澄子はそそくさと足を早めた。

　橋の袂まで来た時、じっとこっちに注いでいる視線を感じて、ふと前の白い欄干の方に目を移すと、淡い紫の富士を背景にして凛々しく逞しい彼の姿があった。夕暮れの乳色の光の中に、二人は言葉もなく向い合った。初恋というにもまだ幼い、しかし、明日の別れを前にして、やるせなく慕わしいお互の胸のうちを、言葉に表すすべも知らずに、二人はただじっと見詰め合った。だが、やがて雅彦は、心持こわばった顔をほころばせると、

「明日発ちます。今日君に会えて本当によかった。」

　と精一杯にいってにっこり笑った。夕闇の中で、濃い眉と白い歯がいかにも清潔であった。澄子の胸が感動に震えた。この一言だけで泣き出したいようになった。でも彼女は気を取り直し、つとめて明かるい声でいった。

「陸士へいらっしゃるのね、おめでとうございます。」

　首を傾げてにっこりと小腰をかがめた仕草がいかにも愛らしい。

「有難う。君も元気でね。」

　それきり二人共黙ってしまった。彼は夕闇の中にほの白く浮き上る白百合の花のような澄子の愛らしい顔をじ

っと見詰めていた。いつもは生き生きと命そのものが息づいているような張りつめた美しさを持っている澄子の顔が、今日はどことなく悲しげだった。

澄子の、深く澄んだ大きな瞳が、訴えるように彼の顔をふり仰いでいた。

二人共、いいたいことは胸元まで溢れているようなのに、何にも口から出ては来なかった。二人はどちらからともなく無言で肩を並べて歩き出した。夕闇はいよいよ濃くあたりを包み、アスファルトの道だけが白く真直ぐに続いていた。澄子は雅彦と並んで歩くこの道が永遠に続いてくれたらと思った。でもじきに澄子の家の白い御影石の門柱がすぐそこに見えて来た。澄子は門の手前でつと立止った。雅彦がくるりと向き直った。人っ子一人通らない灯火管制の闇の中に、二人は息をつめて向い合った。

「これでお別れなのね。」

澄子のふるえる声が沈黙を破った。涙が溢れそうになった。

「そう。もう二度と会えないかも知れない。」

二人は闇の中で必死に見詰め合った。

「でも君のことは決して忘れないよ。僕はこの二年間、君と顔を合せても挨拶さえしなかったけれど、いつも君のことを思っていた。士官学校へ行っても戦地へ行ってもきっと同じだろう。ハガキ一枚送れないだろうけれど、僕は君のことは忘れない。母と君とこの故郷は僕の生命と同じなんだ。まだ小学校のころ、僕の家へ来て、僕の前にチョコンとお行儀よく坐っていた君の可愛らしい姿や、いつも健康ではち切れるように美しく、生き生きと輝いている君の瞳を、僕は死の瞬間まで忘れないだろう。生きて帰れるとは思っていない。しかし、命のある限り母と君とこの故郷に誓って誠実に生きたいと思うよ。」

澄子は泣くまいとしながらポロポロ涙をこぼしていた。

(厭ッ、厭、死なないで、帰って来て。)

叫び出したくなるのを必死にこらえたが、溢れて来る涙だけはどうすることも出来なかった。

「私も貴方のことは忘れないわ。いつも武運長久を祈っています。どうぞお元気でね。」

涙声でいう澄子を雅彦は思わず抱きしめてやりたくなった。少年の胸は熱い血潮に燃え立った。だが彼はさりげなく一歩下って澄子の通り道をあけた。

「さ、お別れだ。余り遅くなるとお母さんが心配なさるだろう。」

　澄子はだだっ子のようにいやいやをして見せた。長いお下げ髪が星あかりの中で、ゆらゆらと大きくゆれた。

「私、明日お見送り出来ないから、今日お見送りさせて。貴方が闇に消えるまで、私ここに立っています。お願い。さようならはいわないで。戦争が永久に続くなんてことはあり得ないわ。いつかまたきっとお会い出来る日が来るって私は信じていたいの。女々しい子だって笑わないでね。これが私の本当の気持なの。どんな惨めな時代が来ても私は勇気を出して生き抜くわ。だから貴方もきっときっと帰って来て頂戴。命を大切にして。軍神なんかにならなくてもいい。帰って来て下さりさえすれば。」

　彼は息を詰めて暗がりの中の、澄子の必死の表情を見守った。澄子がこんなにまで自分のことを思っていてくれるとは知らなかった。彼は躍り上って走り廻りたいような激しいよろこびに、思わず澄子の柔らかい手を握りしめた。

「有難う澄子さん。君がそんなに僕のことを思ってくれているとは知らなかった。君と僕とのことは僕一人の思い過しだと思っていたのに。僕は嬉しいよ。泉のようにこんこんと勇気が湧いて来るような気がする。頑張るよ。きっと命は捨てないよ。いつかまたここでもっと大きく美しくなった君と会おう。さようならはいわない。でも君から先に家へ入りなさい。君をこんな暗い夜道に一秒でも一人で立たせておくわけには行かないからね。」

　澄子はこっくりと素直に頷いた。小門の鈴がチリチリと鳴った。澄子の可憐な姿が門の中の闇に消えた。しかし澄子は門の内側で立止ると、じっと耳をすました。雅彦のいかにも彼らしい規則正しい足音が今日は心なしか乱れて、静かに遠ざかって行った。

　昭和二十年三月一日。

　二年生の澄子たちにも、いよいよ上級生の後を追って軍需工場に動員命令が下った。最年少の動員学徒である。

　壮行会に、送る者はとうとう一年生だけになってしまった。動員学徒の腕章と、日の丸に神風と染め抜いた手拭を渡され、それを鉢巻にしてお下げ髪の上からきりりと結ぶと、身も心も一層引締り、少女たちはブルルと武者振いした。

校長先生は演壇に立って、

「貴女方のようにまだ若い、というより幼い女の子を、空襲下の工場へ送り込むことは本当に可哀想だ。」

と、思わず声を詰らせた。

「しかし、お国は一機でも多くの飛行機、一発でも多くの弾丸を必要としています。どうぞ皆さんも、戦場におられるお父さん、お兄さんに飛行機を送る積りで頑張って下さい。」

と悲壮に叫ばれた。女の先生方は感激の余りすすり上げた。

しかし、送られる生徒たちは誰一人として泣きはしなかった。

皆、戦場で死物狂いで戦っているのだ。お父さんもお兄さんも……。戦争に反対していた村岡先生さえ征かれたではないか。上級生のお姉さんたちも深夜業までして頑張っている。私たちと同じ年ごろの男の子たちは、皆、特攻機に乗る日を待っている。それなのに私たちだけがどうして安閑と勉強していられよう。私たちの体の中には戦場に行った父や兄と同じ愛国の血潮がたぎり立っているのだ。行くのは当り前じゃないか、行って勝利の日まで力の限り頑張ろう。

父母や先生方から見ればまだほんの子供にしか見えない彼女たちだったが、本人たちはもう立派に一人前の大和撫子だと信じていた。そして自分たちもこの決戦に直接参加出来ることを誇りとした。

花も蕾の若桜
五尺の命引っ下げて
国の大事に殉ずるは
我等学徒の本分ぞ
あゝ紅《くれない》の血は燃ゆる

一年生の歌う学徒動員の歌「あゝ紅の血は燃ゆる」と拍手に送られて、澄子たちは勇ましく学窓を後にした。

特攻隊の若人の至誠、そしてそれに比べれば小さいながらも、自分たちの祖国を愛する真心が、お国を勝利に導かぬはずはないと信じて……。

十七

パチパチと鈍い算盤の音が茶の間から響いて来た。スタンドに覆いをかけて、薄暗い部屋の障子にしずの影がぼーっと大きくうつっていた。

（お母さんはまだお仕事だわ。）

澄子は読書で疲れた目をこすりこすり障子を開けた。

「お母さん、遅くまで大変なのね。少しお手伝いしましょうか。」

しずは算盤を置いて振返った。

「十円だけどうしても合わなくってね。計算は間違いないから、どれかに現金を入れ違えたのね。」

机の上にはハトロン封筒が山と積まれてあった。しずは帳簿を伏せて弱々しく溜息をついた。

「生徒を教える方には或る程度自信があっても、こういうお仕事にはまるでいくじがないのよ。」

澄子は鉄瓶をとって母のために熱いお茶を入れた。しずは疲れた顔を上げて澄子の手先を見守っていた。美しい指先であった。急須から湯呑にお茶を注ぎ入れる仕草にも、いつの間にか娘らしい柔らかさが感じられた。しずは末娘に労られるほどに老い込んだ自分を忘れて、近ごろ急に背丈も伸び丸味を帯びて、心身共に大人に近づきつつある娘の成長を、目を細めて見守っていた。

「ハイ、お母さん。」

澄子は優しい労りを篭めて母の前にお茶を差出した。

「無理なさっては駄目よ、お母さん。一人で全校生徒の報酬計算なんて大変過ぎるわ。どなたか他の先生に手伝って頂いたら……」

澄子は疲れ切った母の姿を眺めて、痛々しそうに切れ長の美しい眉をひそめた。

「どなたも皆、お忙しいのよ。昼夜交代で工場監督ですものね。私はこんな体になって、工場の方は無理だから、せめてこれが精一杯のお手伝いと思ってね。」

しずは痛む足をさすりさすり淋しく微笑んだ。彼女はこの冬ずっと若い先生方に混って工場監督をやっていた。しかし、何といっても六十歳に近い彼女に深夜の作業監督は無理であった。底冷えのするコンクリートの床に長い間立ち尽して見廻りをしたのが悪かったのか、持病の神経痛が出て足腰が不自由になった上に、ふとした風邪をこじらせて、どっと床に就き、枕も上らぬ状態になったが、最近やっと不自由ながらもどうにか歩けるようになると、自宅へ帳簿や現金を持ち込んで、動員に出ている先生方や生徒の報酬計算を一手に引受けたのである。

工場から受ける報酬は、半額を積立金とし、半額を本人渡しとした。実働日数もまちまちで仲々めんどうな仕事だったが、これがせめてもの協力と、不自由な体に鞭打って頑張り続けていた。

「表の計と中身が合っていればいいのね。私もお手伝いするわ。」

　澄子は海綿で指を濡らし濡らし一生懸命小さなお札を勘定した。靖国神社の鳥居のついた五十銭札、玩具のような十銭札、五銭札。

「これも合ってるわ、これも間違いなし、おかしいわねえ。」

　夜も更けて、雨戸を叩く風の音が激しくなった。

　柱時計が疲れたようにボーンボーンと十二時を告げた。調べ終った封筒が山と積まれ、まだ中身を改めてない分は残り少なくなった。

「澄子、もう遅いわ。貴女は明日も早いんだからもうお寝みなさい。」

　疲れた母に労られて澄子の胸は痛んだ。

「大丈夫よ、お母さん。それよりお母さんこそ早くお寝みにならなければいけないわ。」

　澄子は、病気をしてから急に老け込んだ母を痛々しそうに見詰めた。暗い電灯の光で見るせいか、艶やかに豊かだった黒髪も色褪せて、きちんと束ねた束髪にも白髪が目出った。

「まだ終らないの。」

　風邪気味で宵から床に入っていた初枝が、寝巻に銘仙の羽織を引掛けて入って来た。初枝もすっかり老けて青白い顔をし、娘らしい水々しさを失いかけていた。連日の不眠や、買出し、隣組の仕事など、ただでさえ余り丈夫でない初枝を半病人のようにするに充分な過労だったが、しかし、彼女の若さを奪ったのは、そういう外部からの重圧ではなく、彼女の内部に根差す底知れぬ悲しみが、彼女をすっかり老け込ませてしまったのであった。

「もうじきよ。あと十円だけ出れば……。ひいふうみい、アッ、お母さんあったわ、これ、これよ。十円多いのは……。ホラ、二十三円五十銭なのに三十三円五十銭入っているわ、ああよかった。お姉さん、もうお寝みになって。私が片づけるわ。」

　元気なのは澄子だけであった。顔中に喜びを漲らせて歓声を上げた。しずもほっと胸を撫で下した。封筒を一級ずつまとめてしばって、大きなリュックに詰め込んだ。空襲の時、何より先に持出すのがこのリュックサックだ。大切な学校からの預り金である。たとえ、家財道具は一物も残らず灰にしても、この金だけは焼いてはならなかった。体の弱った母に変って、このリュックの夜の管理は澄子に任されていた。しずが公金を預るようになってから澄子は階下の居間に母と枕を並べて寝ることにしていた。大きなリュックサックを枕元に置いてうとうととまどろんだ時、表の戸を激しく叩く音がした。

（風が強くなったのだわ。）

しかし、ドンドンドンと続けざまに大門が叩かれた。

「南条さん、電報ですよ。南条さーん。」

澄子ははじかれたように跳ね起きて、玄関へ急いだ。

「澄子、気をつけなさい。門を開けてはいけませんよ。本当に電報だったら郵便受に入れて貰いなさい。」

母の声を背に受けて澄子は身震いした。悪い予感が背筋を走った。

今ごろ何の知らせだろうか。もし強盗だったら……。いや、そんなはずはない。強盗だったら、塀を乗り越えて来るだろう。もしかしたら、お兄さんたちの身に何か間違いでも……。そうだ、進兄さんの戦死の知らせかも……。澄子は暗い式台の上に立竦んだ。目の前が真暗になった。

「南条さん、起きて下さい、電報ですよ。」

外の呼び声が一段と高くなった。

思い切って玄関のガラス戸を開けると、生暖かい夜風がさーっと吹込んで来た。雨が寝巻の上にバラバラと降りかかった。

「マツキトク、スグコラレタシ。」

暗い電灯の下で母娘三人は、この文字通り寝耳に水の知らせに茫然として、驚きの顔を見合せたが、

「私が行くわ。」

澄子が咄嗟にいった。当然しずが駈けつけるべきだが、彼女の体はとても旅行どころではなかった。

「私が行くわ。」

初枝が低い震え声でいった。

「お母さんは御病気だし、澄ちゃんは工場がある。やはり私が行くべきよ。」

澄子は初枝の痩せて疲れた姿を見て、それは無理だと思った。しかし、初枝は以外にてきぱきと身仕度をして、

まだ小雨の残る夜明前の街を、大きなリュックを背負って駅へ向った。

澄子は重い心を引摺るようにして工場へ急いだ。昨夜は一睡も出来なかった。

(お姉さんはうまく切符が手に入っただろうか。途中何事もなければいいが……。お祖母さんはどうなさったのだろう、御病気ということも聞いていなかったのに……)

澄子は、気丈で頑固な年寄りではあったが、孫には優しかった祖母を懐かしんで、歩きながら涙ぐんでいた。

(私もお姉さんと一緒に行けばよかったわ。)

電車の踏切を越え、鉄道を渡ると、工場の古めかしい三角形の赤煉瓦の建物が見えて来た。

本工場は戦争が始ってから厖大な敷地に新しく建設されたものだが、澄子たちが配置された第四機械工場は、古い紡績工場を改造した陰気な暗ぼったい作業場で、じめじめした冷たいコンクリートの上に、何百台もの機械が立ち並び、その中で女子工員と女子学徒ばかりが、戦闘帽の上から神風鉢巻をして、真剣に機械と取組んでいた。

最初の一週間は、工場長や軍監督官の激励の言葉、機械や作業についての技師の講義、工場見学などで過ぎた。本工場もその人数の大半は男女学徒で占められていて、少数の技術者や工員たちがその指導に当っていた。丸腰の兵隊さんもいた。

試運転工場では、零戦《ゼロセン》や隼の発動機が凄まじい唸りを上げて廻転していた。それを動かすのは技師だが、下で働いているのは殆んどが男子学徒だった。

いよいよ澄子たちも機械の前に立つ時が来た。すでに何カ月も前から働いている上級生の旋盤は、実にすらすらと気持よく動くのに、いざ自分がやって見ると仲々機械は思うように動いてくれない。懸命に取組んでも、最初のうちはオシャカ(不合格品)ばかりだ。僅かな休憩時間の外は一日立ち通しで、ただでさえ栄養失調でむくみがちな足は、丸太棒のようになった。小さな旋盤であったが、まだ体の出来きっていない少女たちにとっては、重労働であった。しかし、澄子はどんなに疲れても苦しくても、決して不平はいわなかった。真心篭めて作業に励み、仕事も誰よりも早く覚えた。彼女の作業態度は真剣そのものだった。自分が作り出すこの小さな金色の部品が、複雑な発動機のどの部分につくのか見当もつかなかったけれども、これをつけた飛行機がやがて神風特別攻撃隊の若桜を乗せて南の空に飛び立つのだと思えば、どうして不平などいっていられよう。

　最初に澄子が旋盤を握った日、工場監督で見廻りに来た田辺先生は、澄子の三ツ編にした長いお下げ髪に目を止めた。一年生の三学期にこれを結った時には、チョンと雀のシッポみたいだった貧弱なお下げも、今では艶やかな黒髪がふさふさと伸びて、誰にも羨まれるほど美しい髪が肩先に垂れ下っていた。

「南条さん、貴女のその髪は本当に切ってしまうには惜しいけれど、仕方がありません。帽子にかくれてしまうくらい小さなお下げになさい。機械に巻き込まれると大変なことになりますからね。」

　澄子はハッとして顔を上げた。上級生からいつか、髪が機械に挟まれてベルトに巻き込まれ、無惨な死を遂げた女子学徒の話を聞いたことがある。

「こっちへいらっしゃい。私が切って上げます。」

　田辺先生は班長の男子工員に断って、先生方の控室になっている事務所へ澄子を連れて行った。

先生は懐中から取出した櫛で念入りに澄子の髪を梳き直しながら、

「本当に何て綺麗な髪でしょう。これこそ日本の女性の象徴ですね。でも、切らなければなりませんねえ。昔、お侍の奥方は、御主人が亡くなられると、みどりの黒髪を根本から切落してその貞節を現したそうですが……。貴女はお国にこの髪を捧げるのですね。」

　そういいながら先生は鞄の中から手馴れた裁ち鋏を取出した。それはいつもお裁縫の時間に田辺先生の傍らにあって、モンペの型紙を切り、袷羽織の裁ち端を切り揃えた、澄子にとっても懐かしい鋏であった。澄子は母校の日当りのよい裁縫室を懐かしく思い浮べた。それは、つい数日前に別れて来たばかりなのに、そして行こうと思えば終業後にでも行けるところにあるのに、何かひどく遠く離れて来てしまったような気がして悲しかった。

　田辺先生は澄子の髪をやっと束ねられるだけの長さを残して、眼を閉じるようにしてふっつりと切落した。

　澄子は瞼の底に鮮かに浮んで来た懐かしいものを振り払うように、二、三回強く首を振った。学校のことは考えまい。勝利の日、再びあの懐かしい校舎へ帰れる日まで、私の髪が切落されたように、学校に対する耐え難い愛着も今ここでふっつり切落そう。でも、なぜこんなに学校が恋いしいのだろう、毎日通っていたころには、それほど楽しいところとも思えなかったのに……。

「先生、有難うございました。お陰で何だか頭が軽くなったような気がしますわ。」

　澄子はそういってわざとおどけたようにぴょこんと頭を下げたが、何だかひどく悲しかった。

　あれから一カ月になる。仕事には大分馴れたが、なぜか心は虚ろであった。勉強したいと切実に思った。学校を離れてからまだ一カ月しか経っていないのに、頭の中が伽藍堂になったような気がした。澄子はいつの間にか、旋盤の手元を止めてぼんやり高窓の上の大空を見上げた。暖かく明かるい春の日差しが鋸形の屋根から差込んで、すすけた梁を照らしていた。だが、その光は澄子たちのいるコンクリートの床までは届かなかった。暗ぼったい作業場には、胸がむかつくように強い油の匂いと埃と騒音が充満していた。澄子は両腕を一杯伸ばして屋根の上の暖かく輝かしい光と新鮮な空気を胸一杯に吸い込みたいと思った。学校の広々とした校庭を思い出した。緑の芝生の上ではね廻り、四つ葉のクローバーを摘んだ一年生のころが懐かしく思い出された。澄子は目を閉じて、ポプラ並木を渡るそよ風の音を聞うとした。その時、彼女の目の前の通路を組立てられた発動機がガーッと凄まじい音を立てて運ばれて来た。澄子はハッとしてまた旋盤を握った。物凄い機械の唸りの中で、彼女は、進や昭や雅彦や村岡先生のことを思った。

「私だって頑張るわ、私だって……」

　澄子の柔らかい掌が力強くハンドルを握った。金色の小判形の部品が製品箱に見る間に山になった。

　岐阜へ行った初枝からは何の音沙汰もなかった。一日、二日、三日……。その間にも毎日毎日空襲があった。しずも澄子もいてもたってもいられないほど不安になった。

「お母さん、私、行って様子を見て来るわ。お祖母さんも心配だけど、もしお姉さんが途中で空襲にあって怪我でもしていたら……」

「止めておくれ。」

　しずは激しく身震いした。

「お前までどうかしたら、お母さん、悔んでも悔み切れない。いいえ、大丈夫、お姉さんはきっと無事に帰って来ますよ。もう一日待って見ましょう。」

一週間目の宵に、初枝が見るも無惨に疲れ果てて家にたどり着いた。

「お祖母さんお亡くなりになったのよ。」

彼女は泥と煤煙で真黒になった旅装のまま、仏壇の前に泣き伏した。しずも澄子も功も愕然としてうなだれた。予期しないことではなかったが、現実に祖母の死を知らされることは余りにも切なかった。

初枝が途切れ途切れに語ったところによると、まつは電報の来る半月ほど前から具合が悪くなったが、医者も大したことはないというので知らせもしなかった。急に容態が悪くなって慌てた時にはもう手遅れだった。老衰による心臓衰弱で、彼女はあっけなくこの世を去った。

「私は思い掛けない切符が手に入ったお陰でようやく御臨終に間に合ったの。お祖母さんは最期まで割合意識がはっきりしていらして、私がお母さんが来れない訳を話しておわびしたら、私の手をとって、『初枝か、よう遠いとこを来ておくれた、有難う。帰ったらおしずさによう伝えておくれ、えらいお世話になりました。おしずさの親切は死んでもよう忘れえせん。茂と一緒に草葉のかげからおしずさや孫たちを守ります』っておっしゃって……。私、お葬式もすませて来たの。ハガキも、速達も出したのに、何にも着いていないなんて……」

「きっと郵便車が空襲でやられたんだよ。」

功が叫んだ。澄子はゾーッと背筋が寒くなった。空襲を受けたのが郵便車でよかった。もしこれが反対に初枝の乗った列車だったら……。

初枝は着替えをして遅い食卓に就くと、熱いすいとんの汁を美味しそうに一口すすってから、ふっと溜息をついて、

「家があるって本当に有難いことねえ。」

と、しみじみいった。

彼女は前日の朝早く岐阜駅に出て、長いこと切符を買う行列についた後、やっと満員のすし詰列車に揺られて名古屋駅近くまで来た時、列車が突然急停止した。車内は上を下への大騒ぎになった。人に揉まれて危うく窒息しそうになりながら車外に押出されると、あたりはもう一面火の海であった。彼女は幸い、線路わきの壕に身をかくして、かすり傷一つ負わずにすんだが、この空襲で

汽車は不通になり、線路伝いに七キロの道を歩いて、名古屋駅にたどり着いた時には、すでに日没のころであった。炎々と燃えさかる名古屋の街を眺めながら、彼女は列車の開通する翌朝までの一夜を、駅の構内で過さなければならなくなった。構内は待合室といわず通路といわず、人、人、人で足の踏み場もないほどである。そして夜が更けるに従って、人の数は益々ふえる一方であった。始め初枝は、この人々は皆、明日の一番列車を待つ旅行者ばかりと思っていたが、だんだんそうばかりでないことが解って来た。勿論、初枝のように、不通になった列車に乗っていて足止めされた人々もいたが、大部分が連日の空襲で戦災に会って家を失くした人々で、昼間は焼け跡の整理をしたり、軍需工場へ働きに出て僅かばかりの賃金を得て、夜になるとねぐらを求めてこの駅に集って来るのである。若い男の姿はなく、年寄りや、女、子供が、春とはいえ夜になるとまだ冷え込みの強いコンクリートの上に荒莚や毛布を敷いて、身を寄せ合うようにして屯していた。人々の衣服は埃と垢で汚れ放題、人いきれと糞尿の悪臭で思わず嘔吐をもよおすような構内で、初枝はやっと荷物を膝にのせて腰を下せるだけのすき間を見つけ、冷たい人造石の壁に寄り掛った。

周りの人々の姿はまともには見るにしのびないほど、みじめであった。彼女の隣にはボロボロに裂けたお召の着物式の防空服を着て、赤ん坊を抱いた女の人がいた。赤ん坊のおくるみは白羽二重だが、泥とすすとで真黒に汚れていた。彼女のそばに一年生ぐらいの男の子と三つぐらいの女の子がいた。二人共、上等の毛織の上衣、でも今は色褪せてほころびた服を着て、男の子は女物の擦り切れた赤い草履をはき、女の子はだぶだぶのズック靴をはいていたが、母子共どことなく気品のある顔立ちで、戦災前は相当の暮しをしていた人であることが一目で解った。二人の子供は弱々しい声で絶えず母に訴えていた。

「お腹が空いたよう、ママ。」

「何か頂戴、何にも食べなきゃ死んじゃうよう。」

でも、母親は子供の要求を満してやる何物も持たなかった。

初枝はハッとして膝の上のリュックサックの口を開いた。彼女も今朝から何にも食べていなかったのだ。

叔父の家を出たのは朝の六時、切符を買うために長い長い時間を待たされて、満員列車に詰め込まれ、食事をする暇もなくあの空襲であった。彼女のリュックサックの中には、叔母の心づくしのおにぎりが手もつけずに残っていた。初枝はリュックの中を手探りでごそごそやっておにぎりの包を取出した。子供と母親に一つずつ持たせると、子供は有難うも忘れて大きなおにぎりに武者振りついた。母親は、

「御親切に……」

と涙をこぼした。初枝が残りの一つを口に持って行きかけた時、いつの間にか目の前に、わかめのようにボロボロになった洋服とも着物ともつかないものをまとって、裸足で立っている二人の男の子に気付いてギョッとした。二人は、食い入るように初枝の手元と口元を見詰めているのだ。ゴクリと生唾を飲み込む音さえ聞える。初枝は黙っておにぎりを二つに割った。真黒い細い手がニュッニュッと伸びて、白いおにぎりは風のように彼女の手から消えた。子供たちは猿のように素早く人混みの中に姿を消した。

（戦災孤児だろうか……）

功と同い年ぐらいの二人の後姿を目で追いながら、初枝の胸は痛んだ。隣の赤ん坊が火のつくように泣き出した。

「すみません、お喧しくって……」

奥さんが初枝に気兼してむずかる子に乳房をあてがいながら涙ぐんだ。肌は白く美しいが、三十歳そこそこの女性とは思えないほどその乳房はしなびていた。赤ん坊はしばらく小さな乳房に吸いついていたが、じきに乳首を放すと、また弱々しく泣き出した。

「可哀想に……坊や……、おっぱいもないし、替えるおむつもないし、勘忍して頂戴。」

初枝は、またリュックサックの中へ手を入れた。寝巻の浴衣を取出すと手早く袖付の糸を切った。

「こんな洗い晒しで失礼ですけれど、よろしかったらどうぞおむつにして上げて下さいな。」

奥さんはびっくりしたように、慌てて首を振った。

「とんでもございませんわ、そんな……。見ず知らずのお方にお弁当を頂いただけでも申訳ありませんのに、こんな貴重品まで……」

純綿の浴衣はたとえ戦災者でなくても全く貴重品であった。惜しげもなく膝の上で浴衣をほどこうとする初枝を奥さんは手で押し止めた。

「よろしいんですのよ。私の家はまだ焼けておりませんもの。どうぞ御遠慮なくお使い下さいな。赤ちゃんがお可哀想ですわ。本当は消毒して差上げなければいけないでしょうけれど、今はそうもしていられませんし、汚れたままのおむつよりはましでしょう。よろしかったらどうぞお替えになって。」

「もったいない。」

奥さんは初枝の乱菊模様の浴衣を推戴いた。膝の上でおむつを取替えてやると、赤ん坊は気持よさそうに寝入ってしまった。二人の子供もそのそばでうとうととまどろみ始めた。女の子の頰におにぎりの御飯が一粒残っているのもあどけない。奥さんは子供たちの無心な寝顔を眺めながら、涙ながら身の上話を始めた。

「主人は昨年南方で戦死しました。東京にいては危険だとは知りながら、主人と暮した思い出の家を立ち去りかねて、疎開もせずに僅かばかりの遺産を頼りに子供たちと暮しておりましたが、三月十日の大空襲で焼け出されて、親戚を頼ってこの名古屋へ来ましたけれど、また先刻の空襲で焼け出されてしまいまして……。先のことを考えますと、母子四人無一物でこれから先、どうして生きて行ったらいいか……。こうして度々の空襲にも命だけは無事なのが却ってうらめしいほどですわ。いっそ一思いに爆弾に当ってしまったら主人のそばへ行けるのにって思ったりしましたけれど……。でもこうして子供たちの無心の寝顔を見ていますと、どんなことがあっても生き抜かなければ、育て上げなければと思いますわ。」

奥さんの話を聞いていて初枝も胸がじーんと熱くなった。この人の身の上が、他人事ではないような気がして来た。

自分がもし井口とすでに結婚していたとしたら……、そして子供もあって、こうしてあちこちを焼け出されて歩かなければならないとしたら……。それを思えば、彼女自身はまだ幸せといわねばならない。彼女は愛する人は失ったけれど、彼女の家はまだ無事だったし、養わなければならない子供もなかった。

ふと見ると、奥さんは抱いた赤ん坊に頰擦りするようにして眠っていた。がっくりと垂れた首すじに、埃にまみれて乱れた髪がかかっていた。しかし彼女の顔は不思議に幸せそうであった。彼女の両側に男の子と女の子が寄りかかるようにして寝入っていた。いかにも母親に頼り切って安心したような寝顔であった。初枝は、じっと母と子の寝顔に見入っているうちに、急にこの母親が羨ましくなった。

(この人は何も彼も失くしてしまった。でもこの人には愛する人の遺児《かたみ》がある。この可愛い子供たちがこの人に生きる勇気と希望を与えている。それなのに……私には、あの人の残してくれたものは何にもない。)

初枝が母子を起さないようにそっと壁際を離れて待合室を出ると、ちょうど朝日が上るところであった。荒涼とした焼け野が原の向うに、青い伊勢湾が手にとるように見渡せた。

十八

作業中に空襲警報が鳴ると、緊急の場合は五分ほど走って田圃を隔てた向うの山の傾斜を利用した横穴式の防空壕へ入る。来襲までに時間がありそうな時は家まで帰る。家へ帰り着くか着かないかに、すぐ警報が解除になって、またぞろ四キロの道を重い足を引摺って工場まで引返さなければならないことも度々であった。

学制が改革になって、中等教育は一年短縮され、五年生と四年生が同時に工場内で卒業式を行い、そのまま挺身隊として工場に残った。勿論春休みも返上である。徴兵検査の年齢も一年早くなって、満十九歳で兵役に服することになった。

四月の末になった。若葉のそよぎにも何となく初夏の香りの感じられるころ、平和な時ならばそろそろ家々の軒先に矢車が勢いよく風に鳴り、鯉幟が薫風をはらんで大空を泳ぐころであったが、美しい日本の空を仰ぐ人々の表情は鉛のように重苦しかった。

今日も午前中から空襲警報が鳴り渡った。山の壕へ駈け込むと間もなく、B29十機ずつの編隊が何十となく爆音を高らかに響かせて西南から東北を目指して頭上を通過して行った。

(また、東京へ行くんだわ。)

澄子は壕の入口に身をひそめて、何事もなく頭上を通過して行ってくれることを祈った。

およそ二百機と思われる編隊が通過した後も、仲々警報は解除にならなかった。一時間、二時間、そしてそろそろ正午と思われるころ、今度はまた反対に、東北の空から先刻のB29が、堂々と一糸乱れぬ編隊でやって来た。何の抵抗の跡もなく誠に悠々と……。東京はまた今ごろは火の海であろう。一体、友軍機は？　高射砲は何をしているのだろう。何事もなく意気揚々と頭上を通過して基地に帰る敵機を見ながら、澄子は口惜しさや恐ろしさを通り越して不思議でならなかった。

サイパンや小笠原は奪われたとはいえ、本土には強大な防衛軍が温存されていて、手ぐすね引いて敵の来襲に備えているはずであった。敵機は一機でもその翼を本土にのばせば、ただちに射ち落されるはずであった。しかし、山陰に姿をかくして一斉に火を噴くはずの高射砲も、群雀のように飛び立って敵機を迎え撃つはずの荒鷲もひっそりと鳴りをひそめて、ただ敵機の跳梁に任せているのはなぜだろう。

この時すでに日本の海軍も空軍も壊滅的大打撃を受けて、全く手も足も出なくなっていたことを澄子は少しも知らなかったのだ。澄子ばかりでなく国民の誰もが、祖国が敗れるなどとは夢にも思っていなかった。サイパンをとられ、沖縄に上陸され、日ごとに美しい国土を焦土と変えられつつあっても、皆、ただラジオや新聞で報道される景気のよい戦果ばかりを信じて祖国の敗北を疑って見ようともしなかったのだ。

最後の編隊が頭上を通過したと思うころ、ドドドドドドド、と物凄い大音響と共に、壕が潰れるのではないかと思うほど激しく揺れた。見透しのきく壕にいた中学生が叫んだ。

「本工場がやられたッ、全弾命中だ。」

「畜生、B29の奴め、覚えてやがれッ。」

本工場はもうもうたる黒煙に包まれてその影も見えなかった。消防車が気違いじみた唸りを上げて突走る。

それにしても何という簡単なことだろう。

全くあっという間の出来事であった。敵機は始めからこの工場に目をつけていたのではあるまい。ただ、東京空襲で余った爆弾を基地まで持帰るのがめんどう臭くて、ひょいと放り出して行ったというような無造作なやり方で、後も見ずに飛び去って行ったが、工場内は、この数秒の置土産で修羅場のような大混乱になった。

敵機の姿が点のようになって南の空に消え去ると、工員も学徒もまっしぐらに山を駆け下りて、本工場目指して殺倒したが、もうもうと天を焦がす黒煙と、無気味な唸りを上げて火を噴き、見る見るうちに崩れ落ちる激しい火勢に、素手では立ち向うすべもない。

退避が行き届いて一人の怪我人もなかったことだけがせめてもの幸せであった。半日燃え続けてやっと煙が晴れた後には、直径十メートル余りの大穴が無数に口を開き、爆風で吹き飛ばされた発動機の残骸が見るも無惨に散らばっていた。

翌日から、本工場の整理が澄子たちの仕事になった。泥にまみれ焼けただれた発動機や旋盤を洗い、土に埋れた部品を掘り返し、それを皆、罹災を免れた第四機械工場へ運び込んだ。初夏とはいえ、屋根も木陰もない焼跡で強い日差しを浴び、埃まみれ泥まみれの作業は全くつらい苦しい重労働であったが、誰もが黙々として不平一ついわず、休む暇もなく働き続けた。もう不平や不満をいうだけの余裕もなかったのだ。不平や不満をいえるのは事態にまだゆとりのある時、心に甘えのある時である。

今はただ、労働のつらさより、破壊された口惜しさの方が先に立って、男の子たちは眦を決して復讐を誓い、女の子たちは涙を浮べて、手塩にかけた製品や旋盤の残骸を真心篭めて清掃した。

長い長い労働の一日を終えて、終業点呼が終ると、張り詰めていた気持が一時に弛み、澄子と恵子はくたびれた足を引摺るようにして、ふらふらと工場の門を出た。疲れ果てて、若者らしくサッサッと歩く体力も気力も失せてしまったのだ。

「ああ、これでまた今夜も空襲警報で眠る間もないのねえ。」

恵子は擦りへった運動靴の踵をことさらに地面に擦りつけて砂利道に白い埃を無闇に立てながら、全くやり切れないというふうに、やけ気味な溜息をついた。

「ほんと。このごろは決って三回、寝入りばなと、真夜中と、明け方と警報が出て、眠った気もしないうちにもう夜が明けてしまうのね。いっそのこと、もう警報が出ても知らん顔して、フテ寝を決め込んでやろうかと思うけど、やはりそうも行かないし……。それどころか、私がいつも家中で一番先に警報に気がつくの。寝ていても神経がピリピリに緊張しちゃっているのね。完全に敵の神経戦に引掛っちゃったのよ、口惜しいわ。でも、ここはまだいいけど、そのたびに東京は猛爆を受けているのね。どんなでしょうね、東京の人たち。」

澄子は油と泥でべとべとになった顔ににじむ汗を拭いながら、この先一体どんなになるのかとただただ不安であった。

「私ね、小学校のころお父さんに東京へ連れて行って貰って、動物園やデパートを方々廻って歩いたの。何も彼もキラキラ輝いていて、欲しい物が何でも一杯あって、東京って何て素敵な所だろう。一生に一度でいいから、こんな素晴らしい所に住んで見たいなあって思ったけれど、今になって見ると、本当に東京にいなくてよかったと思うわ。たまらないでしょうねえ、東京の人たち。」

恵子が言い終るか終らないかにまた、ウー、ウー、ウーと警戒警報が鳴り渡った。

「まただわ。今日は馬鹿に早いのね。せめて、定期便だけで勘忍して貰いたいのに……」

二人はのろのろしていた足を急に早めた。電車通りへ出た時、今度は空襲警報が不気味に鳴り渡った。それと殆んど同時に南の海岸の方角から、ズズーン、ズズーンと物凄い地響、ドカーン、ドカーンと大地を揺がす爆発音が規則正しい間隔を置いて響き始めた。

「何よ、あれ？」

恵子が怯えた声で叫んだ。二人は一目散に走って、ちょうど目の前に停った電車に飛び乗った。なぜ電車に乗ってしまったのか解らない。退避信号が鳴れば電車は停るに決っているのに、一刻も早く、一秒も早く安全地帯へ逃げのびたいという心理が、のろい自分の足に頼り切れなくなって、電車に乗せてしまったに違いない。電車は満員のお客を乗せてのろのろ走り始めたが、案の定、

「退避ッ、退避ッ。」

という声と一緒に路面の真中にピタリと止ってしまった。

「皆さん、車内は危険です。車から降りて退避して下さい。」

高等小学を出たばかりの少年車掌が、金切声を上げた。二人も押し合い揉み合い先を争って降りる乗客の群れに混って押出されると、丸くなって走り出した。南方洋上からごうごうと大気を揺がせて恐ろしい爆音が響いて来る。大編隊だ。

「退避、退避ッ。」

と叫んで走る警防団員の声もかき消されそうだ。

早く行かなければ、早く安全地帯へ。でも安全地帯とは一体どこにあるのだろう。二人はやっと道端に通行人のために作られた粗末な壕のあるのを見付けて、地獄に仏といきなり飛込んだ。

「ア、イテテテ。誰だ、いきなり飛込んで来やがって。」

壕の中には先客がいたらしい。外の明かるさに馴れた目にはどこも真暗だったが、どうやら十数人の中学生が犇めいているようだ。

「チキショ、いきなり足を踏んづけやがって、ここはもう満員だ、出て行け出て行け。」

二人は闇の中で顔を見合せた。出ようとした時、少し離れた方角で、バババーン、バリバリバリッと耳をつんざくような銃声が起った。

「艦載機だ。」

「機銃掃射だ。」

中学生が口々に叫んだ。もう出るに出られない。

「入れてやれよ。満員で入り切らなきゃ、おめえが出て情況偵察だ。」

奥の方の誰かが太い声で怒鳴った。

「馬鹿野郎。今ごろうろうろ出てって見ろ、たちまち射撃目標でおさらばだ。」

「いいじゃあねえか。命惜しまん若桜だ。」

「何をいやあがる。人のことだと思っていい気になってよ。敵の空母と心中なら命も惜しくはないけどよ、こんな所で蜂の巣にされるのは御免だぜ。」

「チェッ、仕様がねえ、詰めてやれ詰めてやれ。」

中学生たちは押しくら饅頭のようにギュウギュウ詰めて、やっと二人分の場所を空けてくれた。

「アリガト、御免なさい。」

二人はやっと安心して頭を下げた。

「有難く思えよ。我ら駿中特攻隊若桜隊の仲間に入れてやったんだからな。」

入口の中学生がいった。この言葉を聞いて二人は思わずギョッとして顔を見合せた。市内の私立中学で、予科練志望の連中が神風特攻隊の真似をして隊を組織し、蛮名を馳せていると聞いてはいたが……。この連中はその中でも特に猛者揃いらしく、年齢は恐らく澄子たちより一つか二つ多いだけらしいが、体格はもう立派に大人並みで、暗がりに馴れた目で透かして見ると、いずれ劣らぬ面魂の持主ばかりである。何とまあ選りに選って大変な所へ飛込んで来てしまったものだ。出ようか？　と二人の目がいった時、今度は頭の上にヒューンと無気味な音がして、ババババーンと激しい銃声が壕の蓋を掠めて飛んで行った。

　それからはもうひっきりなしに、あっちでもこっちでも艦載機の掃射が荒れ狂い、艦砲は釣瓶撃ちに大地を揺がせ、澄子も恵子も壕に踞まったまま、顔も上げられずに震えていた。

「チッキショウ。人を馬鹿にしてやがる。俺に今、飛行機があったらな。ドカーンと一つ体当りを喰らわしてやるのにな。」

「ヤンキー共、ふざけてやがる。今に見ろ。」

　そのうちにも銃撃の音は激しく、ドドドドドーンという物凄い音を共に、壕の周りの土がザザザザザーッと崩れ落ちて来た。

「爆撃まで始めやがったな。今のは大分近いぞ。」

　誰かが震え声でいった。

「バッキャロー。これぐらいでビクつくやつがあるか。それにしても畜生、敵の奴が空の上で暴れ廻ってるってのによ、俺達ちゃ穴の中でもぐらよろしく縮こまっていなけりゃならねえとは、何とも情けねえ話だなあ。」

「一つ、空の敵機をブッ飛ばすようなでっかい声で軍歌でも歌ってやろうじゃないか。」

　一人がいうと、皆、気違いじみた蛮声を張り上げて、自棄《やけ》ッパチに歌い出した。

　若い血潮の予科練の
　七つボタンは桜に錨
　今日も飛ぶ飛ぶ霞ケ浦にゃ
　でっかい希望の雲が湧く

澄子は壕の入口に縮こまって、この馬鹿げた虚勢の歌声や話振りに呆れていた。この人たちは、澄子が親しかったかつての中学生、兄たちや雅彦たちとは大分質が違っているようだ。彼らは一しきりやたらに軍歌を並べ立てていたが、それでも上空の血の饗宴が止まないのでますますじれて来た。

「おい、そこの女学生。お前たちも黙っていないで何か歌えよ。壕へ入れてやったお礼にな。」

　誰かがいった。

「そうだそうだ、やれやれッ。」

他の連中が囃し立てる。恵子は恐怖で顔色をなくして澄子の腕にすがった。うつむいていた澄子が顔を上げた。

「歌って上げるわ。だから静かにして。」

その声が案外落着いてしっかりしていたので、かえって中学生たちもびっくりした。こんなしっかりした声が出たのは澄子自身にも不思議なくらいだった。一瞬しんとなった壕の中に、また、激しい艦砲の砲声が轟いて来た。

ねんねんおころりおころりよ
坊やはよい子だねんねしな

それを聞くや否や、せっかく静かになった中学生がまた口々にわめき出した。

「馬鹿野郎、空襲の真最中に子守歌なんか歌う奴があるか。」

「お前の友だち、これじゃないか。」

一人が暗がりの中で恵子に向って頭の上に渦巻きを作って見せた。

「アラ、そんなことないわよ。この人、いつも学年の首席よ。」

恵子が必死にいった。

「へーえ、お前の学校は静岡一の女学校でございますってな面して、えらく気取ってやがるけどよ、こんなのが首席じゃあ大したことはないなあ。ふざけてやがる。それともおめえも左巻きか。」

澄子は構わず歌い続けた。

坊やのお守りは何処へ行った
あの山越えて里へ行った

「いい加減にしろ。」

「軍歌をやれ、軍歌を。」

その時、一番奥で今まで黙っていた一番強そうなのが、

「黙って聞いてろ。俺たちがいよいよ突撃する時にゃ、案外軍歌よりこんな歌の方が耳に残るかも知れないぜ。」

といった。皆、その一声で黙ってしまった。

里の土産に何もろた
でんでん太鼓に笙の笛

上空に艦砲と爆弾と機銃掃射が荒れ狂い、壕は今にも潰れそうに揺れ動く中に、澄子の銀鈴を振るような優しく美しい歌声が流れた。中学生たちは急におとなしくなり、互に顔を見合せ、やがて立てた両膝の中に頭を埋めるようにして動かなくなった。

二時間余り経ったろうか。艦載機は引揚げ、爆撃も終り、艦砲も遠退いて、警報が解除になると、皆は救われたように晴れ晴れとした表情で次々に壕を出て外の新鮮な大気を胸一杯に吸い込んだ。中学生たちのどの顔にも、殺気立った気配は影をひそめていた。一番後から出て来た隊長格の中学生は、少年というには余りに頑丈で、太い眉の下から覗くギョロリとした目は、眩しい夕陽の光とは対照的に陰惨で、顎にはもうチラチラと無精髭さえ覗いているようであった。その鋭い眼光がピタリと澄子の上に据えられると、彼女はたちまち震え上った。暗がりだったから出来たようなものの、よくまあこんなおっかない人の前で子守歌なんか歌えたものだ。

「俺は駿中若桜隊隊長の松永秀則、お前の名は？。」

いかにもぶった言葉使いだったが、声は意外に静かだった。

「名前を聞いてどうするんだよう。お前のスケにする積りかよ。」

入口にいたと思われる中学生が口を歪めてひやかした。他の連中も皆にやにやして、二人を遠巻きに取巻いた。恵子はその間に立って、どうにもならずにブルブル震えていた。松永は凄い目で皆を睨み廻して、

「喧しいやい、黙れ。」

と怒鳴りつけた。

澄子は気を取直して、背筋をシャンと立てると、

「名前なんか聞いて、どうするの？」

と、はっきり聞き返した。相手の目に驚きと称讃の色が現れた。

「この娘、優しい顔をしているくせに大した度胸だぜ。松永に物をいわれりゃ、大抵の女は震え上っちまうのにな。」

周りの連中が頷き合った。松永は真直ぐに澄子を見下して、

「誰でもいざ戦死する時にゃ、おふくろの名を呼ぶもんだそうだけどよ、俺のおふくろはとうに死んじまった。俺が敵艦に体当りする時にゃ、空襲の真最中におふくろの代りに子守歌を歌ってくれた変てこりんな女学生の名でも呼んでやろうと思ってよ。」

そういう彼の目にキラリと光るものが宿ったのを見ると、澄子の心に大らかな温かい母性の灯がともった。

「私の名は南条澄子。」

優しい声が悪びれずにいった。

「南条澄子か……。いい名だな。」

彼はもう一度澄子の潔らかな瞳を見詰めると、

「アバヨ。俺が敵艦に当体りしたら、線香でも上げてくれよ。」

クルリと向きを変えて皆を引連れて行ってしまった。

澄子はやり切れない悲しみが込み上げてくるのをじっとこらえて、その後姿をいつまでも見送っていた。

「ああ驚いた。艦砲射撃よりあの連中の方がずっと恐いくらいよ。」

恵子は蒸し暑い壕の中の人いきれと緊張で滝のように流れる汗を拭き拭き、がくんと肩で息をした。

「それにしても、びっくりするじゃないの、いきなり子守歌なんか歌い出したりしてさ。どういう積りだったのよ。あの人たちじゃないけど、本当に私も貴女が頭に来たんじゃないかと思ったわ。」

恵子は、いかにも呆れ果てたというように澄子を見やった。澄子は苦笑して歩き出した。

「どういう積りかって聞かれても困るけど、あの人たち、あんなに野蛮に振舞って大威張りでいても、本当は私たちと同じように恐くて仕方がないんじゃないかと思ったの。でも、男だから私たちみたいに正直に震えている訳には行かないでしょう。だから大声で怒鳴ったり歌ったりしていたんだと思うわ。私はその間お母さんのことを考えていたの。私が今ここでこうして震えている時に、お母さんは不自由な体で家の壕に入って私のことを心配してくれているでしょう。もしかしたらお母さんはもう、一発の爆弾で死んでいるかも知れない。そう思うとたまらなかったの。恐ろしくって悲しくって……。そうしたら考える暇もなくあんな歌が口から出てしまったの。でも歌っているうちにあの歌が、本当は今の場合に一番必要なんだっていう気がして来たの。だって、悲しい時、苦しい時、困った時、誰でも思うのはお母さんでしょ。それは女の子だって男の子だって同じだと思うの。だから、あの一番強そうな人まで黙って聞いてくれたんだと思うわ。」

「フーン、そういえばそうね。皆、静かになって、出て行く時には顔つきまで変っていたようだったわ。」

「それは空襲が終ってホッとしたせいもあったでしょ。」

「だけど……」

恵子はちょっと眉をひそめて、

「澄子、あんな人たちに名前まで喋っちゃって大丈夫？後でつけ廻されたらどうするのよ。」

恵子はそれが心配でたまらなかった。先刻も名前だけはいうのおよしなさいと止めたかったのだが、松永が恐くてとてもいい出す勇気が出て来なかったのである。別に恐れた様子もなくいってのけた澄子に、彼女は感嘆もし、また呆れもした。

「多分大丈夫だと思うわ。名前を聞いた時、あの人涙をためていたようだったもの。あの人、一番強そうに見えるけれど、本当の心の中は淋しくてたまらないのよ、きっと。」

「そうかしら……」

恵子は半信半疑で首を傾げた。

「それにしてもあの人たち、皆、特攻機に乗って死ぬことばかり考えていたようだったわね。」

澄子は考え考え一歩一歩うつむいて歩いていたが、やがて急にクルリと恵子の方に向き直ると、

「ねえ恵子。貴女もし男だったら、来年予科練に志願する？」

真剣な表情で聞いた。恵子はあいまいに首を振った。

「解らないわ……私は女だから……。外国には女兵ってのがあるそうだけれど、日本にはまだないしね。せいぜい特志看護婦に志願するくらいかな？ ……でもねえ、ああいう男の子の気持は解るような気がするわ。人間、いつか一度は死ぬんでしょ。どんな平和な時代に生れ合せたってよ。男でも女でも……。まして、こんな戦争中に男の子に残されている道は何があるの？ 戦って死ぬことだけじゃないの。どうせ死ぬのなら野たれ死や犬死しないうちに憎い敵艦の一隻や二隻やっつけて、華々しく死にたいと思うのが当り前じゃないかしら。」

澄子は深い溜息をついた。本当にそうかも知れない。私だって野たれ死するのと、華々しく死ぬのとどちらかを選ばなければならない、外に道がないとしたら、やはりあの人たちのように、爆雷を抱いて敵艦に飛び込む方を選ぶだろう。

「でもね……」

と澄子は、恵子にともなく自分にともなくいい聞かせるようにいった。

「村岡先生は、命は大切にしろ、二つと無いものだ、死

に急ぎするな、死ぬ気になって生きる可能性を考えろっておっしゃったわ。私、あの人たちにそれを教えて上げればよかった。」

　恵子は呆れたように首を振った。

「馬鹿ね、そんなことといってご覧なさい。それこそ袋叩きに合っちゃうから。村岡先生のおっしゃったことは本当かも知れないけど、今の若い男の人たちには絶対通用しない言葉よ。諦めなさい。」

「そうねえ。」

　澄子も淋しく頷くより他はなかった。

「今となっては、いかに有意義な死に場所を得るかということより他に道はないのかも知れないわねえ。」

　二人は山かげの公園を抜けて広い大通りへ出た。道の真中に大穴が明いていて人だかりがしていた。あたりの家は軒並みガラス戸が滅茶滅茶に壊れ、庇が傾いて、倒壊寸前の状態になっていた。

「爆撃の跡だわ。」

　二人は穴と家との間の狭い隙間を恐る恐る掘り返された土を踏んで通り抜けた。墓穴を見るような悲しさで穴の中をのぞく気にはなれなかった。

「私、思うのよ。」

　澄子はやっと人通りの少ない小路へ折れると、後から来る恵子を振返った。

「今もあの人がいったけれど、神風特別攻撃隊や、人間魚雷『回天』の人たちがいざ出撃して特攻に向う時には、案外、勇壮な軍歌や進軍ラッパは聞えなくて、爆音の中から、昔、お母さんに歌って寝かせて貰った優しい子守歌や童謡が聞えて来るんじゃないかしら。その中であの人たちは本当に無心の子供の心に返って敵艦に命中して行くんでしょう。雑念にとらわれない崇高な無心の境地でなければ、とてもとても自分の体ごとぶつかって行くなんてことは出来ないと思うわ。」

　恵子も黙って頷いた。二人は、そこここに掃射の跡の残るアスファルトの道へ、長い影を落しながら、何ともいえない悲しい気持で家路に向った。

　自分たちと一つか二つしか年の違わない男の子たちの心境を思うと、澄子の胸は締めつけられるように切なくなった。男の子たちは皆、死を目指して何の恐れげもなく突進している。雅彦のような秀才でも、松永のような不良少年でも、命一つを引っ下げて国に殉じる心構えは一つなのだ。

そして、澄子だって、やがて本土決戦ともなれば、女の子といえども同じ心境に立つ時が来るだろう。ああいって教えて下さった村岡先生だって、斬込隊に志願はしないとしても、今ごろどこかの戦場で、いよいよ死ななければならない土壇場に来れば、きっと勇敢に戦って死んで行かれるだろう。村岡先生の教えは尊いが、なんぴとといえどもこの戦に完全に生きて残れる可能性はない。一億総玉砕という言葉を、澄子は薄紫色の暮色の中で痛切に噛みしめていた。

「ただいま。」

と玄関を開けると、いきなり将校の長靴が澄子と功の目の中に飛び込んで来た。

「誰だろう、お兄さんの友だちかしら？」

二人がポーチに立ってちょっと首を傾げていると座敷から、

「そーら帰って来た。」

という夢にも忘れたことのない懐かしい声がした。

「昭兄さんだ！　でもどうして……」

襖が開いて日本刀を引っ下げた昭が出て来た。

「まあ、お兄さん。」

澄子は信じられないというように、リュックを背負ったままポーチに突立って目をこすった。

「満州にいるとばかり思っていたのに、いつ内地に帰ってらしたの？」

「つい二、三日前に。まあ上れよ。」

昭は二人の手を執って式台に引張り上げ、

「大変だったなあ、重かったろう。」

と二人のリュックを下してくれた。二人共買出しに行って重い薯をしこたま背負い、門をくぐった時にはもう一秒も耐えられないと思ったほどだったのに、思い掛けない昭の出現で、重い荷を背負っていることも忘れてしまっていたのである。

「いつ来たの？」

澄子は肩を二、三回上げ下げしながら嬉しそうに兄を見上げた。

「うん。一時間ばかり前……。これを取りに来たのさ。」

彼は持っていた日本刀を振っていった。

「ああ、お祖父さんのね。」

澄子は懐かしそうにその名刀を眺めた。

「吊って見せて頂戴よ。」

澄子は 昭が先祖伝来の名刀を つけ終ると、二、三歩下ってつくづくと兄を見上げ見下した。

「立派だわ。こんな立派な軍人さん、今まで一度も見たことない。」

功はもう片時も兄の側から離れず、軍服にさわり軍刀にさわって息も出来ないほど興奮していた。いよいよ自分の兄が将校になったのだ。憧れの少尉殿に……。そして僕だって今にこうなる。

「お祖父さんやお父さんに一目お見せしたかったわねえ、この姿を……。」

しずも頼もしそうに息子を見やった。

「今度はどこの部隊？　静岡なの？」

「いいや、違う。兵器輸送のための出張だ。今は清水の鉄舟寺にいる。数日したらまた満州へ帰らなければならない。」

澄子の顔にありありと失望の色が現れた。

「そうなの……。私はまた、内地勤務になったかと思ったのに……。」

澄子はがっかりしてしまった。

でも、ほんの束の間でもこうして会えるということは素晴らしいことだと思い直した。もう二度と会えないと思っていたのに……。

澄子は頼もしい兄の将校姿を嬉しそうにもう一度見直したが、ふっと、服装は立派でも、お兄さんは空腹なのかも知れないと思った。

「ちょっと待っててね、お兄さん。今、御飯を炊いて上げるから。功ちゃんのお陰で今日はお米まで沢山手に入ったのよ。」

澄子はリュックを引摺って台所へ行こうとした。しかし昭は急いで止めた。

「ああ澄子。僕らならいいんだ。腹はへっていない。それより少しでも沢山話をしようじゃないか。」

僕らという言葉を聞いて澄子は、初めてもう一足の長靴を思い出した。

「だーれ？　もう一人の軍人さん。」

「ああ、僕の戦友だ。二階へおいで、紹介しよう。」

功は表で直明の呼ぶ声がしたので飛んで行った。早速兄の自慢をする積りだろう。澄子は台所にいる母と初枝にリュックを渡すと、汗と埃で真黒になった顔や手足を洗い、さっぱりとした木綿の青いワンピースに着替えて、清々しい表情で二階の座敷に入って行った。

床の間を背にして、昭と向い合った男がにっこりと振向いた。兄と負けず劣らずの立派な体格をして、黒縁の眼鏡をかけた青年将校であった。

「戦友の町山少尉。町山、妹の澄子だ。」

昭に紹介されて澄子は淑やかに両手をついた。町山は坐ったままにこにこと挙手の礼をして、

「町山です。またの名は李鐘衛、朝鮮京城の産です、よろしく。」

と誇らしげにいった。澄子はちょっと戸惑ったように若者を見詰めた。李鐘衛、京城の産。彼は明らかに自分は朝鮮人だといっているのだ。澄子は首を傾げた。澄子の知っている限りの朝鮮人は、皆朝鮮人といわれることを極度に嫌っていた。悪童共が囃し立てたりすると、

「朝鮮人、朝鮮人とバカニスナ、朝鮮人ダッて、立派な日本人ゾ。」

と怒っているのを見かけたことがある。それなのにこの人は、日本名で紹介されたのに、わざわざ朝鮮名を、しかも誇らかに名乗ったのである。彼は比較的色白で、いかにもインテリらしかった。朝鮮人らしい所は少しもない。よくよく見ると少し出張った頬骨、尖ったおとがい等に韓民族特有の横顔がかすかに伺える程度であった。澄子はこの青年の態度を立派だと思った。人種の垣を越えて、初対面のこの青年に好感を覚えた。兄がただの同僚としてのみでなく、心の底からこの青年と深くつながり合っているであろうことを理解出来た。町山は人なつっこい微笑を浮べて、

「貴女のことはよく兄さんから聞いていますよ。今は動員で工場へ行っているんですってね。どうです？　貴女の工場にも朝鮮の人は来ていますか？」

と、しまいの方は何となく厳しい表情になった。

「さあ、解りません。でも余り見かけないようですわ。」

「そうですか。」

彼はちょっとほっとしたような顔をした。

「どうだ、元気でやっているか。仲々大変だろう。」

昭は妹の美しい瞳が僅かながらも窪んでいるのを見逃さずにいった。

「ええ、それが……」

澄子は口籠った。こんな話はしない方がいいのではないか。兄たちに銃後の心配はさせたくないと思った。だが、彼女はやはり日ごろ疑問に思っていることを口に出さずにはいられなかった。

澄子は小さい時から何でも昭に話して彼の意見を聞くことが習慣になっていた。

「忙しくてたまらないのだったらまだいいんですけれど……。本工場は四月にやられてしまったし、名古屋の親工場が空襲にあってからは全然材料も来なくなって、機械は三台に一台くらいしか動かせなくなってしまったの。だから私たち、半日くらいは機械の前に立ちん坊をしているんです。それで余り時間が勿体ないから、半数交代で学校へ帰って勉強させて貰いたいって先生にお願いしたんですけれど……」

そういって澄子は伏目になった。

本当に澄子は恵子と一緒にそのことを田辺先生にお願いして見たのだった。しかし先生は、

「私もそうして上げたいのは山々だけれど……」

といいながら、力なく首を振ったのである。

「そうしたら？」

昭が口籠っている澄子に先をうながした。

「駄目なんですって。これが戦争に勝ってめでたく帰校ということならいいけれど、一度動員したものを、戦争は益々激しくなるのに、材料不足で学校へ帰したとなったら、人心に与える影響も大きいし、防諜上も面白くないっていわれたの。」

田辺先生はいったのだった。

「私には貴女方の気持はよく解ります。でも、貴女方がこんな申出をしたと、遠山先生や軍の監督官に知れたら、貴女方はたちまち赤とか非国民とかいわれてひどい目に合いますよ。お気をつけなさい。」

二人の士官は互に顔を見合せて頷き合った。

「そんな欺瞞で戦争が出来るもんじゃない。」

昭が怒りに震える声でいった。

「どこもかしこも欺瞞ばかりだ。」

町山も憤慨に耐えない口振りでいった。

「本当に私たち、何をやっているんでしょう。戦争を始めたのは私たちじゃないのに……」

澄子は口惜しそうに唇を噛んだ。知識欲の旺盛な彼女にとって、ぼんやりと機械の前に立ちん坊をしているこ

とは全くやり切れない苦痛だった。せめて読書をと思っても、夜は夜で絶え間のない警報で電灯も満足につけられない。頭の中は今にがらんどうになってしまう。

「なあ、澄子。お前はこういうふうに考えないか。」

　昭は思慮深い顔をじっと澄子に向けた。

「確かに戦争は僕たち学生の責任じゃあない。戦争を始めた奴らは後方で威張って号令をかけているばかりだ。弾よけにされるのは僕たち若者だ。だがなあ澄子。もし家の屋根に火の粉が降り掛って来ても、お前は、私は知りませんと何にもせずに自分の家の焼けるのを眺めているかい。それがどういう火だろうと、必死になって消し止めようとするだろう。もし或る家に強盗が入ったとする。そうしたら、その家の少しでも力のある者は、夫は妻を守り、親は子を守り、若者は老人を守るために身を挺して闘うだろう。その気持だ。もう、国に火がついてしまったんだ。強盗は侵入している。われわれは戦わなければならない。国を護らなければならない。お前や功のような可愛い子供たちや、お母さんたちのためになら、いくらでも弾よけにでも何にでもなってやる。大手を広げて敵とお前たちの前に立ち塞がってやる。そんな気持だよ、今の僕らは。」

　澄子は深く頷いた。昭のいうことはよく解った。澄子もその積りで何の未練もなくペンを捨てて旋盤を握ったのであったが、今になって見ると、何となくその純粋な気持を裏切られたような気がするのだ。

　澄子はじめじめしていて薄暗い工場の中を思い出した。仕事に追われた最初のうちはまだよかった。祖国を護る増産に直接参加出来たという生甲斐のようなものもあった。工場が空襲を受けた直後は、憤怒に任せて夢中で働いたものだった。だが焼跡の整理も終り、殆んど生産不能になった工場のがらくたばかりの間に挟まれて、一日ぼんやりしていることにはもう耐えられなかった。澄子は暗い顔をしてうつ向いていた。昭に心配そうに顔を覗き込まれて、彼女はハッと気を取直した。

　お兄さんたちに、銃後の心配はさせまい。しかし、明かるい話題は浮んで来なかった。

「一体この先どうなるのかしら?」

　澄子は不安そうに、兄にともつかずにつぶやいた。

「貴女はまさか、神風や、奇蹟的な新兵器の出現を信じてはいらっしゃらないでしょうね。」

町山がいった。澄子は青褪めた顔で頷いた。この青年が何をいおうとしているのかは解らなかったが、何か口に出してはいうことの出来ない重大な事実、しかも最も恐るべき事実を澄子に解らせようとしているように思えて身内が震えた。

澄子は急いで話題を変えようと焦った。

「今でも新京にいらっしゃるの。」

彼女は兄に救いを求めるような視線を投げた。

「いいや、北満だ。黒竜江を隔てた対岸はシベリヤ、陣地からはソ連兵の歩硝が見える。」

「そお、でも満州だったら安心ね。ソ連とは不可侵条約がまだ有効だし、それにソ連は、独ソ戦でくたびれていて参戦しないでしょうし、空襲もないし……」

澄子はつとめて明かるい声でいった。事実彼女は、今の満州を羨ましいとさえ思っていたのだ。絶え間ない空襲と絶え間ない飢餓とに攻めつけられてあがいている内地に比べて、満州は何と豊かに落着いていることだろう。

町山と昭は澄子の言葉を聞くと無言で互に頷き合った。その目の色は澄子を怯えさせた。二人の顔は、恐ろしい救いようのない前途を暗示するような暗い表情であった。

しばらく沈黙が続いた。開け放してある窓から、先刻まで涼しい南風が入っていたが、夕方になるにつれて凪いでしまったのか、部屋の中は蒸し暑く、何となく重苦しい空気になった。澄子は階下にある扇風機を取って来ようと立ち上った。

「何処へ行く？」

昭がチラと腕時計を見て、襖に手をかけた澄子を呼び止めた。

「もう二、三十分で帰らなければならない。ちょっとここへ坐って兄さんの頼みを聞いてくれないか。」

そういう昭の顔には、今まで見たこともないほど深い悲しみが現れていた。澄子は黙って兄の前に膝をついた。

「澄子。兄さん、お前に頼みがある。」

昭は澄子が膝に置いた両手を上からしっかり握り締めて真剣な表情であった。

「今度、兄さん、思い掛けなく二度と踏むことが出来ないと思っていた内地の土を踏むことが出来、こうして皆にも会えたのは嬉しいが、今度帰って見て一つ非常にびっくりしたことがある。それは何だと思う？」

澄子は首を傾げて兄を見上げた。兄の気持をはかりかねた。

「内地が空襲でひどく荒れていたこと？」

昭は重苦しく首を振った。

「それもある。しかし、それだけじゃない。兄さんが一番びっくりもし、悲しくも思ったのは、お母さんと姉さんが急に老い込んで心身共に弱くなってしまわれたことだ。功はまだ小さい。頼りになるのはお前だけだ。三人のことを、よろしく頼むよ。」

昭の目にキラリと光るものがあった。澄子の目頭もじーんと熱くなった。昭は町山の方に向き直った。

「町山。お前の前だが……、俺はこのままここに残りたいと切実に思うよ。関東軍にとっては俺一人帰ろうと帰るまいと、大した痛痒は感じないだろうが、今の俺たち一家にとっては俺一人がどれだけ必要か……。町山、軍用列車が漢江を渡りかけた時、このまま汽車から飛び降りて故郷の家族の所へ走って行きたいといったお前の気持が、今こそ俺にはよく解る。」

昭の喉仏がヒクヒクと鳴った。町山はそんな昭を理解を篭めた目でじっと見詰めていった。

「あの時お前は俺の帯剣をしっかり掴んでいったなあ。家族が本当に可愛いかったら脱走だけは思い止まれ。お前が射殺されるだけではすまない。両親や弟妹の長い一生を考えろって……。あの言葉をもう一度、今度は俺がお前にいわなければならんのか……。南条、自重しろよ。もう先は見えている。今少しの辛抱だ。」

「うむ。」

昭は深く頷いて唇を噛んだ。澄子は町山の最後の言葉が気に掛ったが、不安を払い落すようにシャンと首を立てて、

「お兄さん大丈夫よ。お母さんたちのことは引受けたわ。澄子、お兄さんの分まできっと頑張るわ。安心して。」

と、力強くいった。無闇に力んでいる積りはなかった。澄子はこの時初めて心の底から、しっかりしなければならないと、自覚を新たにしたのである。

十九

その夜は十時過ぎに警報が鳴った。福岡と豊橋が焼夷

爆撃を受けているとラジオが報じていた。最近では毎晩決って二、三の都市が一夜で焦土と化していた。どうぞ静岡は今夜も無事でありますように、澄子は完全な防空服姿で、群らがって来る蚊を追いながら、祈るような思いであった。

　縁先には疎開させる荷物がうずたかく積み上げられている。簞笥、茶戸棚、蒲団包み、行李、鍋釜から茶碗に至るまで、もし罹災しても一通りは生活に困らないようにと、苦心して造り上げた荷物だった。明日の朝、もとこの家の女中をしていたフユの弟が田舎から牛車でこの荷物も取りに来てくれることになっている。

(明日も晴れてくれればいいが……)

　澄子は庭の木立の上の黒い空を見上げた。ここ数日、梅雨が降り続いたが、梅雨《つゆ》の晴れ間か、今朝からはカラリと晴れ上って、一日中真夏のような太陽がカンカン照りつけ、日中はうだるような暑さだったが、今は黒い空に一点の雲もなく、星がすずしく瞬き、天の川が中天にかかっていた。

　茶の間の柱時計が十二時を打った。座敷の青い麻蚊帳の中で、功がフーッと欠伸をする声が聞えた。静かだ。

「警戒警報解除。」

　外の道路をメガホンの声が走って行った。

「今夜はこれで勘弁して貰いたいわね。」

　初枝が痩せた肩をつぼめて二階の寝室へ引揚げて行った。澄子も戸締りをし、武装をほどいて蚊帳を潜ろうとした。と、その時、ザーッという無気味な音と一緒に南の窓がパーッと明かるくなった。続いて、パンパンパンパン。激しい爆発音が四方八方から一斉に轟き始めた。

「これは大変、いよいよやられるわ。」

　澄子は無我夢中で蚊帳を叩き落し、走りながら上衣の手を通し、頭巾をかぶって庭に躍り出た。庭の外のあたり一面は火の海であった。その時になって空襲警報が奈落の底へ引摺り込むような無気味な音を立てて鳴り渡り、つけ放しにしてあるラジオが、早口にわめき出した。

「東海軍監区情報、敵B29数編隊が伊豆半島南端を西北進中、なお、後続編隊が南方洋上を。」

　プツリとラジオが切れた。

　澄子は縁側にあった行李を引っ担いで、夢中で壕に放り投げた。そうしている間にも石油臭い匂いがあたりに立ち篭めて来た。石油を撒いて焼き払うと聞いていたが……。油脂焼夷弾は四方八方に雨のように降り注いだ。澄子は脱兎のように家に躍り上ると、台所の水道の蛇口を一杯に開いて、ホースを表庭に引張り、羽目板に水を掛けて延焼に備えようとしたが、水圧はすでに雫に近い状態で、ちょろちょろと間だるい水は、五十センチも先へは届かなかった。彼女は怒りに任せてホースの先を防火用水の中に叩きつけ、今度は自分も全身濡鼠になりながら、バケツで用水の水を掬っては掬っては、羽目板に浴びせかけた。しかし、火はすでに東側数軒先の英和女学院を一気に包み、焔と煙を押立てて猛然と迫って来ていた。

「危いッ、澄子。壕に入りなさいッ。」

　母の声を遠い夢の中の呼び声のように聞いて、澄子はゴーゴーと燃えさかる火勢の中に、必死になってバケツを振りかざしていた。

　ゴゴーッ、ババババーン。

　今度は西隣の鈴木家の屋根に数十発の焼夷弾が一度に炸裂した。木造二階建の鈴木家は、一瞬にして巨大な火柱となり、ゴーッという凄まじい唸りと共に真赤な焔が怒濤のように澄子の家の屋根に襲いかかって来た。二階の軒が火を噴き始めた。と見る間に火焔はゴーゴーと渦を巻き、たちまちにして真赤な火柱が天に沖した。おびただしい火の粉が庭一面に降り注いだ。それは火の粉などという生易しいものではない。逆巻く火焔は庭の生木をたちまちにして火の柱に変え、魔物のように頭を揃え、焔を蹴立てて壕に迫った。爛れるような熱気が身を焼き、煙に巻かれてボロボロ涙をこぼし、ゴホンゴホンとむせ返りながら、澄子は庭を突切って壕の入口に転がり込んで叫んだ。

「逃げるのよッ、逃げるのよッ。ここにいたら蒸し焼きになるわ。」

　功が飛び出て来てたちまち煙にむせた。続いて初枝がしずの肩を支えて這うように壕の階段を上って来た。澄子は壕の入口に立って、そこにある用水の水を物もいわずに三人目がけて浴びせかけた。

　焔を噴き上げて崩れ落ちた板塀を踏み越えて前の道路へ出ると殆んど同時に、二階の骨組みがバリバリバリッと凄まじい音を立てて雪崩を打って壕の上に崩れ落ちた。

　道の行手は西も東も南も紅蓮の焔が猛り狂っていた。澄子は北の方が僅かながらも暗く影っているのを見てとると、初枝と功を黒い空間に向って突き飛ばし、自分はしずの手をとると、渾身の力を振り絞ってしずをおぶった。道路は火焔のトンネルであった。熱風が足をすくい、煙と焔が渦を巻いて迫って来た。

「田圃へ、とにかく、家のない方へ逃げるのよ。」

　澄子は前を走って行く功の背に向って声を振り絞った。とにかく田圃のある所まで無事に行き着けば、直撃弾に当らない限りは助かる可能性がある。しかし田圃までの道は遠い。最短距離を選べば徒歩で三十分くらいの道程だが、次々と焼夷弾で行手は塞がれ、こっちの路地からあちらの小路へ、こっちの辻から向うの道へと死物狂いで逃げ廻らなければならなかった。道路は家財道具を運ぶ者、頭から蒲団を引っかぶって逃げ惑う者、はぐれた肉親を求めて血眼の女、怯えて泣き叫ぶ子供の声で修羅場のようにごった返していた。やっと中学校の校庭まで来た時、

「そんな所を歩いていては危いッ。早く壕に入れッ。」

　と、警防団員が怒鳴った。四人はずり落ちるように校庭の蛸壺壕に身を沈めたが、このあたりはまだ周りに人家が一杯で危険区域であることを澄子は知っていた。彼女は穴から首を出してあたりの様子を伺った。中学校の建物は燃えさかる市街の焔に映えて一際《ひときわ》黒々と目の前に無気味なほどに静まり返っていた。広い校庭に続々と避難民が集りつつあった。周りには硝煙の匂いが立ち篭めていたが、とにかく、一応危険区域は脱したのだと悟ると、一度に疲労が出て、手も足も肩もがくがく、気が遠くなりそうになった。澄子は校庭の向うに赤々と燃えさかる人家を絵空事のように無表情に見詰めていた。これが現実とは思えなかった。澄子は昭が中学生のころ、ここに来て見た運動会の最後を飾る中学名物の城攻めの場面をありありと思い出していた。燃えさかる城門を前に、指揮刀を振りかざして突撃して行った昭の姿が今、目の前にあるような気がして来た。

　パーッと校庭に真赤な火の花が咲いた。ババババーン。目の前の校舎が一斉に火を吹き始めた。

　どうやって蛸壺から這い出たか……。どうして母を援け上げたか……。とにかく澄子は群らがる避難民に混って、母子四人がはぐれないようにとただそのことだけに気を配って、高等学校から北部の田圃へ向う道を泳ぐようにつんのめっていった。高等学校の校舎はすでに紅蓮

の焔を吹き上げていた。もう少し、もう少し、もう百メートルと思っても、普段なら手の届きそうなその場所も仲々手繰り寄せられては来ず、焦るばかりで矢鱈に一つ所を空廻りして一向に前へ進めなかった。

やっと人家を外れると、四人は道端の草むらにぶっ倒れるように身を投げ出して、もう一歩も動けそうもなかった。体全体が綿屑になったように疲れ果てていた。一応の安全地帯へ逃げおおせたという安心感が湧いた途端に、四人共ガタガタ震え始めた。

六月も半ば過ぎ、街は太陽を十も合せたと思うほどに燃え狂っているというのに、鳥肌の立つような悪寒が突如として襲い、いくら止めようとしても震えは止らず、歯がガチガチと音を立てた。澄子は震えを止めようと拳を握り締めて田圃の畦に立ち上り、今辿って来た道を振返った。

右手に紅蓮の炎を上げて燃え狂っているのは高等学校の校舎である。そして、田圃を隔てて左手に赤々と燃えさかるのは……。おお、と澄子は思わず呻いた。それは動員以来、片時も忘れたことのない懐かしい母校であった。芙次子が巣立ち、澄子が学んだあの教室、あの廊下も、一瞬のうちに業火の犠牲になってしまった。あの広広とした美しい校舎も、砂篭におが屑を詰めて火をつけたように、焔の舌が一舐め校舎の屋根を舐めたと見る間に、たちまち火焔が四方八方から吹き出し、高々とかちどきを上げて天を焦がし、一瞬のうちに黒い骨組みも真赤な火花を撒き散らしながら、もんどり打って崩れ落ちて行く。

見渡せば、市街はすでに焦熱地獄であった。その名の通り美しい緑の丘と清らかな水に囲まれた静かな文京都市は、紅蓮の炎に包まれ、渦巻き、もがき、猛り狂っていた。その上空をB29が何十機も銀色の翼を紅に輝かせながら狂ったように乱舞し、これでもかこれでもかと火の雨、弾の雨を降らせていた。

澄子は火焔の光で畦草の一本一本まで見分けがつくほど明かるく照らし出された田圃の中の小道にすっくと立って、喰い入るように市街を見詰めていた。その目は血走り憤怒に燃え、その胸は激情にたぎり立って早鐘のように乱打していた。

澄子が、自分の肌の一部とも思うほどに愛して来たこの街が、断末魔の唸りを上げてのたうち廻っているというのに、なぜ全能の八百万《やおよろず》の神々は、この地獄の業火を黙って見逃し給うのであろう。この世に神がおわすなら、今こそ、その全知全能を振って、黒雲を呼び、大海に竜巻を起し、灼熱の焔に怒濤のような雨を降り注ぐべき時ではないだろうか。

しかし澄子は慌てて首を振った。今さら神頼みはすまい。

（貴女は、まさか神風や、奇蹟的な新兵器の出現を信じてはいらっしゃらないでしょうね。）

李鐘衛の刺し通すような瞳が焔の中から澄子を見詰めているようであった。

突然、ガーッと凄まじい唸りが頭上を圧して響き、澄子は体の均衡を失って危くその場に引倒されそうになった。搭乗員の姿までありありと見分けがつくほど低空をB29の巨大な翼が火焔を煽るようにして飛んで来た。そして右手の臨済寺の裏山をかすめたと見る間に、真暗な山一面に焼夷弾が炸裂した。ババババーン。裏山は真昼のように明かるく、墓石の姿まで黒々と闇の中から押出されるようにくっきりと浮び上った。

（ああ、お父様。）

澄子は熱気に焼かれてヒリヒリと痛む頬に火焔の明かりをまともに受けながら、心の中で絶叫した。

（助けて下さい、お父様。たとえこの世に神風はなくても、お父様の魂だけは、私たちやこの街を守って下さるでしょう。お父様、私は昭兄さんにお母さんたちを守ると約束しました。どうか私に力を与えて下さい。お母さんやお姉さんや功ちゃんを守る力を授けて下さい。）

澄子は火焔が猛り狂い、雷鳴のように爆音が轟く中で、固く目を閉じ掌を合せて、必死に父の霊に念じた。

裏山にまた、一際明かるく火の花が咲いた。澄子はカッと目を見開いた。山は全山に仕掛けた花火が一度に開花したように、一種異様な美しさで燦然と輝いていた。

「まあ、綺麗。」

後で優しい鈴を振るような声がした。澄子はギョッとしてあたりを見廻した。足もとの草むらに母が放心したようにうずくまっていた。そのそばで功が小さい拳を固く握りしめ、大きな瞳をらんらんと輝かして、喰い入るように火焔の市街を見詰めていた。少し離れた草むらのあちこちに避難民の黒い姿がうごめいていた。

「臨済寺の花火ねえ。これを見るのは何年振りかしら。

戦争は終ったのね。もう灯火管制も、防空演習もなくなったのね。嬉しいわ。」

　澄子は息をのんで赤い焔の光の中に、一際白く光る姉の顔を見詰めて信じられないというように首を振った。初枝の顔からはすでに恐怖のかげは跡形もなく消え去っていた。透き通るように白い肌は焔に映えて桜色に輝き、口元には微笑さえ浮べていた。彼女は夢見るようにうっとりと真赤に燃える山の頂きを見詰めていた。澄子が頬を近づけて姉の顔を覗き込むと、彼女は白い歯を見せてにっと微笑んだ。その微笑みで澄子は火照った体に突然冷水を浴びせられたようにぞっとした。澄子自身が悪い夢を見ているのではないかと思った。数時間前から起ったことはすべて現実とは思えない。私は悪い夢を見続けている。夢だったら早く覚めて欲しい。お姉さんが、お姉さんが気が狂うなんて……、とても信じられない。

「戦争は終ったのよ。お祝の花火だわ。澄ちゃん、嬉しいと思わない？　進兄さんも昭も、もうじき凱旋して来るわ……。でも……」

　初枝は突然、自分の喉を両手で爪が喰い込むほどに掴むと、真赤な大空に向って絶叫した。

「あの人を返して！　あの人を！」

　血の出るような叫びであった。しかしその声さえも轟然と響く火焔の咆哮の中に空しくかき消されてしまった。功がはじかれたように姉のそばに飛んで来た。

「お姉さん、しっかりして、お姉さん。」

　澄子は泣きながら両手で姉の肩を砕けるほどに必死にゆすぶった。しかしすでに初枝の魂はこの世のものではなかった。彼女は澄子の手を振りほどくと、夢遊病者のようにふらふらと火焔に向って歩き始めた。いつそうなったのか、彼女は防空頭巾も脱ぎ捨て、裸足であった。乱れた髪が白いうなじにからみついて、赤い焔に異様に光っていた。草むらにうずくまっていたしずが、青褪めた顔でよろよろと立上った。澄子は急いで母の体を支えると、深い悲しみを篭めた目で頷き合った。

　ザーッ、無気味な落下音が頭の真上からのし掛るように響いて来た。しずも澄子も功も、思わず畦道に身を伏せた。

　ドドドド……ドーン。パンパンパン……パーン。

　澄子は爆風の衝撃で体中がグワーンと痺れてしまって、しばらく動くことが出来なかった。顔を上げた時には前の田圃一面は火の海であった。一杯に水を張った青田に油が流れ、焔が滑るように走り廻ったと見る間に真赤な火柱がかちどきを上げて一斉に吹き上った。焔は千丈の屏風のように田圃を覆い、つい今しがたまでそこにうごめいていた人影を見る間に呑み込んで、驚くばかりの速度で東へ東へと延びて行った。澄子は風下を逃げ惑う黒い人影を痴呆のようにぼんやりと見詰めていたが、何の恐怖も悲壮感もなかった。今の爆風ですべての感覚が麻痺してしまったのか、ただ体の中がグワーングワーンとこわれた鐘のように鳴っているだけだった。

　突然、傍らにいたしずが鋭い悲鳴を上げて立ち上り、何かを指さして必死に叫びながら火焔に向って二、三歩走りかけたと見る間に、たちまちつんのめってバッタリ倒れた。澄子は鉄槌でドヤされたように我に返った。黒い人影が髪を振り乱して、火焔に向ってつんのめるように走って行くのを一瞬に見てとると、彼女もまたその黒い人影に向って猟犬のように疾走し始めた。

「待って！　お姉さん。誰か止めて、あの人を止めて！」

　走りながら澄子は、田圃にうずくまっている人々に必死になって救いを求めた。

「何だ何だ。」

「気違いか。」

　周りの人々が総立ちになった。数人の男や女が澄子の後先きになって一緒に走り始めたが、熱気が身を焼き、黒煙が渦巻く危険区域になると、走っているのは初枝の黒い影と、それを追う澄子の必死の姿だけになった。

　初枝は焔に向って斜めに走っていた。田圃の泥に足を吸われ、つまずき、まろび、また起きては走り続けた。澄子は畦を突っ切って全速力で疾走していた。しかし、一見緩慢に見える初枝の足取りは以外に早く、仲々追いつけなかった。早く早く。澄子は焦った。

「お姉さん待って、お姉さーん。」

　後、百メートル、後、五十メートル。彼女は遂に姉のモンペの後紐をしっかりと掴んだ。

「お姉さん、お願い。行かないで。」

　初枝は身をもがいた。澄子の手を振りほどこうと必死に抵抗した。

「放して！　なぜ止めるの？　あそこにいるのよ、あの人が……井口さんが……」

　初枝の瞳が焔に燃えてギラギラ光った。彼女の指さす彼方、焔の進む方向に、数人の兵隊の姿があった。その中に、一際、丈高く、りりしい一人の士官が、ひるむ兵隊たちを指揮して火焔の延焼を喰い止めようと必死になっている姿が、神々しいほどに澄子の瞳に映じた。澄子の目から涙が滝のように吹き出した。

(ああ、お姉さんはあの人を井口さんと思って……)

一瞬、澄子の腕がゆるんだすきに、初枝はまた火焔の進む方向に向って走り始めた。

「待ってッ、お姉さん。助けて、助けて下さーい、兵隊さーん。」

「あああッ。」

兵隊たちがこっちへ振向いた。

士官が叫んだ。

「危いッ。伏せろッ。」

ザアアッ、落下音が頭上を圧した。巨大な火の玉が目前に大地をつん裂いて炸裂した。

グワーアン。

それ切りすべてが無になってしまった。

「澄子ォ、澄子ォ」

誰かが遠い所で呼んでいる。誰だろう? 男の声のようであった。お父様かしら、それともお祖父様かしら?

「澄子ォ、澄子ォ。」

皺枯れた女の声も雲の彼方から聞えて来るようであった。誰が呼んでいるのだろう。お祖母様かしら……。私は少し眠り過ぎたようだ。早く皆の呼ぶ方へ行きたい。誰が呼んでいるのか確かめたい。でも、もやがかかって何にも見えない。耳がガーンと鳴っている。声のする方角さえ見当もつかない。澄子は泳ぐようにして両手で目の前のもやを払い退けようとした。しかし白い霧は払っても払っても後から後から湧くように彼女の身を包んだ。澄子は真白い霧の中でもがき続けた。

「お姉ちゃーん、死んじゃ厭だよう。お姉ちゃんまで僕たちを置いて逝かないでよう。」

功の泣き声だ。私が死ぬ? そんな馬鹿なことが……。私はただ、少し疲れて眠っただけなのよ。功ちゃん、心配しないで。ぐっすり眠ったお陰でお姉ちゃんこんなに元気になったわ。澄子はポッカリと目を開けた。白い霧が晴れて太陽の光が眩しかった。澄子はまたうっすらと目を閉じた。眠い。引摺り込まれるように眠気が来た。

功ちゃん、お願い、もう少し眠らせて。

「澄子ッ、気が付いたか、僕だ、昭だ、解るか。」

(昭兄さん……)

眠っている澄子の口元に微かに微笑が湧いた。

「お母さん、もう大丈夫ですよ。澄子は助かりますよ。」

兄の声を遠い夢の中に聞いた。

「澄子ッ、澄子。気付いておくれ、お母さんですよ。澄子、目を開いておくれ。」

澄子は長い長い夢から覚めたように静かに目を開いた。

母の顔が目の前に覆いかぶさるようにあった。

ああお母さん。会いたかった……。でも、なぜお母さんはそんなに真黒いすすけた顔をしていらっしゃるの?

お母さんはいつも若々しくて綺麗だったのに……。

「お姉ちゃん、僕だよ。ボク、よかったなあ。お姉ちゃんが気がついた。」

功が大口を開いてわあわあ泣いていた。

功ちゃん、なぜそんなに大声で泣くの? おかしな子、

あらあら貴方も真黒い顔をして……。

昭兄さん、昨日のお兄さんはあんなに綺麗で立派だったのに、今のお兄さんはオンボロ兵隊さんとちっとも変らないわ。皆おかしいわ。一体どうしたというの?

澄子は身を起そうとして激しく呻いた。全身がボロ雑巾のように疲れ果て、骨の髄までずたずたになったように力が抜けてしまっていた。頭は鉛のように重かった。そして、体中の皮膚という皮膚が焼けつくように熱かった。

澄子は田圃道の草むらに横たわっていた。あたりには硝煙の匂いが立ち篭め、慌しい人の気配が感じられたが、目を見開くと、真直ぐ目の上の大空は晴れて、日の光が眩ゆかった。

私はなぜこんな地べたに眠っていたのだろう。澄子は事態を早く悟るためにあたりを見廻そうとしたが、頭は地面に釘づけにされたように動かず、脳の膜に霞がかかったように、すべての思考が痺れてしまって、つい数時間前のことさえ少しも思い出すことが出来なかった。澄子はまた目を閉じて、夢とも現ともつかぬ間をさまよい続けた。

乱れた軍靴の音が響いて頭の上で止った。

「南条少尉殿、妹さんはいかがでありますか。」

若い兵士の張りのある声が快く響いた。

「おう、有難う。お陰で助かりそうだ。俺の家族のことは構わんで、お前らはとにかくその辺の負傷者を一人でも多く助けてやってくれ。病院も大部分は壊滅だろうが、日赤だけはどうやら難を免れたようだ。遺体の取片づけはそれから後だ。俺は四十八時間外出許可を貰っている。これから妹の手当をし、姉の始末をしなければならない。本隊へ連絡に行った町山少尉が戻ったら、貴様らはその指揮下に入ってくれ、後は頼むぞ。」

「ハッ。」

軍靴の音は足早に遠ざかって行った。

負傷者……、遺体……。

そうだッ。澄子は渾身の力を振り絞って身を起した。

「お姉さんはどこッ。お姉さんはッ？」

「澄子。」

昭が澄子のふらふらの上半身を両手で支えた。

「ああお兄さん、お姉さんは？」

昭が、何かいおうとして言葉にならずに唇を震わせ、地面の一点を見詰めて、ゆっくりと首を左右に振った。兄の視線を辿って行くと、そこに軍隊毛布をかぶせた細長い一つの物体があった。それは明らかに人の形をしていた。しずと功の腸を抉られるような悲痛な泣声に澄子はすべてを悟った。

「俺は静岡空襲の報と同時に、町山と一個小隊を引連れて直ちに出動したが、あそこまで来て一歩も前へ進めなくなった。わが家の方角は勿論火の海だ。お母さんやお前たちがあの火の中を逃げ惑い、救いを求めながら身を焼かれているのだと思うと、自分の身を八つ裂きにされた方がまだましだと思って、適わぬことだとは解っていながら、夢中で火に立ち向っていたら、髪を振り乱した女の人が火に向って馳けて来た。姉さんだッ、と思った瞬間にはもう姉さんは火柱になっていた。後から追って来たお前には気がつかなかった。お前は爆風で吹き飛ばされて、田圃に半分埋まったようになったお陰で助かったんだ。」

昭に背負われて、畦草まで真黒になった田圃道を、市街の中心部にある日赤病院に向って歩きながら、澄子は初枝の死の模様を悪夢の一部のように聞いていたが、狂った姉の目に写った井口の姿の正体が兄だったと解ると、姉が哀れで哀れで気が狂いそうだった。しかし、澄子は誰にもそのことはいうまいと思った。それを知ったら、昭も母もどんなに悲しむことだろう。

昭は全身に火傷を負った澄子を背負って黙々と歩き続けた。夜はすっかり明けて、朝日の光は何事もなかったように照り輝いていたが、その下を行く人々は見るも無惨な姿だった。

悪夢のような一夜が明けると、田圃にうずくまっていた人々は、重い足を引摺って、わが家の方向の黒煙に向ってぞろぞろと引き返し始めた。誰も彼もが疲れ果てて、諦め切った表情だった。すすけたり、引っつれたりした醜い顔、焼け焦げた衣服、大八車に僅かな家財を積んだ人、ざんばら髪に目を血走らせた女、逃げる途中で親とはぐれてしまったのか、火のつくように泣きわめきながら親を求めて裸足で走り廻っている子供、魂が抜けたようにふらふらとあてどなくさまよう老人。そうした人々の間を縫うようにして、昭は一歩一歩焼け爛れた市街に近づいて行った。まだ熱いアスファルトの上には、自転車の残骸、焼けトタン、家具の金具や電柱のなくなった電線など、ありとあらゆるガラクタが放り出されて行く手を塞いでいた。昭は躓き、跨ぎ、乗り越えて夢中で歩き続けた。まだもうもうと黒煙を上げている市街の行手に、市役所の丸いドームが見えて来た。続いて警察署の望楼、そして県庁の赤い屋根には直撃弾の大穴がポッカリと口を開けていた。日赤はそれらの官庁街のとっつきにある。入口まで来て昭は茫然と立ち尽した。

病院は負傷者で足の踏み場もない。階段といわず廊下といわず、あらゆる空間に火傷を負った人々が折重なるようにして呻いていた。衣服の殆んどが焼け焦げ引裂かれて、裸体同様の男や、髪の毛に火がついて、ずべりと一皮剥げたように赤裸の頭を晒した女がうわ言をいいながらのたうっていた。医師や看護婦は家も家族も捨てて必死になって手当に当っているのだが、おびただしい負傷者の数はとうていさばき切れず、放置された人々は苦痛に耐えかねてわめき散らしていた。とうていここで澄子の番が来るまで待ってはいられない。昭は市役所に仮救護所の札の出ているのを見つけてやれ嬉しやと足を早めたが、役所の前に並んだ延々長蛇の列に二度びっくりした。それらは皆、罹災証明を貰う人々の行列であった。一体どれだけの人がこの空襲で焼け出されたのだろう。昭が澄子を背負ってごった返す役所の入口の階段を上って行くと、軍服に敬意を表してか、群衆が僅かながら道を開いてくれた。

医師は一応の手当をすませると（手当といっても、火傷の箇所に赤チンと白ペンキのような油薬を塗るだけだったが……）、

「御安心なさい。化膿さえしなければ皮膚は必ず元通りになりますよ。」

と保証してくれた。

昭は再び澄子を背負って焼け跡に来た。

澄子の家は二本の白い御影石の門柱と、応接室のモルタルの土台と、浴室のタイルを残して跡形もなく焼き払われていた。昭は焼け焦げて葉の縮れた楠木の大木の根本に澄子を下すと、しずや功が待っている田圃道へ引返して行った。

焼け跡に一人取り残された澄子は、変り果てたわが家の残骸をただ茫然と見詰めるばかりであった。これが昨日まで美しいすかし模様の板塀に囲まれ、緑の芝生と青青とした庭木の繁みの中に、木造の柔らかな色調と曲線を描いて、銀の甍を聳えさせていたわが家の跡だとはどうしても信じられなかった。

澄子はよろめく足を踏みしめて、まだ白い煙を上げている茶の間の跡とおぼしき所に立って、あたりを見廻した。マホガニーの食器棚の跡には、高熱で色の変った陶器のかけらが無数に散らばっていた。ガラス器がビードロという名をそのまま現すように、どろどろにとけて陶器にこびりついていた。澄子はそこにしゃがみこんで灰の中に金色に光るものを手にとった。

それは食器棚の把手にはめられていたウィルソン家の紋章であった。澄子はまだ熱い金具を手の平にのせてまじまじとそれに見入った。この食器戸棚は、まだ父の茂が存命中、高等学校の英語教授をしていた米国人のウィルソン氏が友情のしるしにと贈ってくれたものであった。アメリカ人が友情のしるしに残して行った記念の品を同じアメリカ人が、情け容赦もなく家ごと無惨に焼き払ったことに、澄子は激しい憤りと矛盾を感じて、口惜しさに歯噛みしてうらめしそうに空を見上げた。しかし、六月の空は昨夜の悪夢が信じられないほどに美しく晴れて、明かるい陽の光が輝いていた。

澄子は瓦礫の山を踏み越えて防空壕の跡に来た。裸足で熱い砂浜を歩くように擦りへったズック靴のゴム底を

通して足の裏が焼けつくように熱かった。壕は戸板を利用した扉から火が入って丸木の柱もすっかり焼けて崩れ落ちていた。壕の入口の用水槽に、澄子が昨日縁から運び出した行李の残骸が半分焼け焦げて首を突込むようにして放り込まれていた。澄子はコンクリートの水槽のはしにつかまって、疲れた身を支えながら、半焼けになって水に漬かっている衣類をつまみ上げて見た。

それは初枝の和服の一重ねであった。美しい牡丹を染め抜いた古代紫の友禅が、水に漬かって一際鮮かに浮き出ていた。青い空をうつして水に揺れる主のない花牡丹に見入るうちに、澄子の瞳から滝のように涙が溢れ落ちた。澄子は壕の入口に崩れるように突伏して号泣した。姉が哀れでならなかった。

泣いて泣いて泣き疲れて顔を上げると、あたりの煙が晴れて市街が一目に見渡せた。それは覚悟はしていたものの、とうてい信じられない光景だった。

昨日まで何万戸という建物がひしめき合っていた街は、一夜にして見渡す限り赤茶けた灰の原野に変っていた。目に写るものは、官庁街の僅かばかりの鉄筋コンクリートの建物と、草木も焼け焦げて、真黒な地肌を露出した濠の石垣、そして、何十分も歩かなければ行き着くことの出来ない安倍川の鉄橋が、手にとれそうにすぐ目の前に黒々と横たわっていた。

「お姉ちゃーん。」

後で功の呼ぶ声がした。振り向くと、功は道を廻らずに瓦礫の上を走り抜けて、真直ぐ澄子を目がけて駆けて来るところだった。その後から昭が毛布にくるんだ初枝の遺体を肩にして母を労りながら一歩一歩近づいて来た。

しずはわが家の焼け跡までたどりつくと、玄関のポーチの跡に崩れるように倒れ伏した。後から来た昭が初枝の遺体を母の側に横たえた。そのまま四人はわが家と初枝の変り果てた姿に無言で見入った。皆、一度口を開けば何をわめき出すか解らないほど心が乱れていた。このやり場のない怨み、悲しみを、一体どこへぶつけたらいいのだろう。どんなに泣き、わめき、呪詛したところで、失ったわが家を、そして初枝の魂を呼び戻せるものではない。

しばらくして澄子は、姉の遺体ににじり寄り、そっと毛布をのけて姉の顔を覗こうとした。澄子の震える手が毛布にかかると、昭が鋭い声を上げて澄子の火ぶくれになった手を押えた。

「見ない方がいい。これを見たらお前の胸は張り裂けてしまうよ。」

その言葉でしずはまたも耐え難い悲しみがこみ上げ、遺体にとりすがって激しくむせび泣いた。昭は母の肩を抱いて遺体から引き離しながら優しくいった。

「お母さん、名残りは尽きないでしょうが、我慢して下さい。今から僕は河原へ行って姉さんを荼毘に付して来ます。昨夜の空襲でどれだけの人が犠牲になったか解らないが、とにかく、とても火葬場でさばき切れる数ではありません。身元の解る者は家族が、そして不明の遺骸は市の方で河原へ運んでそれぞれ処理することになったようです。普通なら今夜一晩はお通夜をするのでしょうが、僕は明日の二十四時までには帰隊しなければなりませんので、そうもしておられません。すべて非常の時と思って我慢して下さい。明日になったら町山にも手伝って貰って、あの楠木を切り倒し、焼けトタンを張ってでも、とにかく、ここに雨露をしのげるだけの小屋を建てて上げましょう。さあ、姉さんとはこれでお別れです。お母さんたちはここで僕が帰るまで待っていて下さい。」

昭は姉の遺体の前にひざまずいて合掌し、堅く唇を噛んで必死に涙をこらえながら、すでに硬直した姉のなきがらを肩に担ぎ上げた。

「待っておくれ。」

しずは昭の膝にすがってむせぶようにいった。

「私も連れて行っておくれ。」

昭は深い理解を籠めて母を見下し、首を左右に振った。

「いらっしゃってはいけません。お母さんや澄子や功にこれ以上の悲しい目を見せたら気が狂ってしまうでしょう。それにそのお体ではとても無理です。夕方までには戻れるでしょう。ここで待っていて下さい。」

昭は母にいいきかせるようにいうと、つらい一歩を踏み出した。

「いいえ、私は大丈夫です。」

しずは一夜で真白になった髪を風になびかせながら、しゃんと立上った。

「私は初枝の母ですもの、初枝の最期を見守ってやりたい。澄子や功も同じでしょう。たとえお通夜どころかお線香一本上げることも出来なくても、せめて血を分けた親弟妹《きょうだい》が寄りそって、手厚く葬ってやりましょう。」

澄子も功も無言で昭に訴えた。皆の表情には何か侵し難い決意が漲っていた。昭は一人一人の顔を見詰めて黙って頷くと、ついて来るように合図して、硬直して重い姉の遺骸を担いで、河原を目指して一歩一歩焼け爛れたアスファルトを踏みしめて行った。功がそれに続いた。その後から、しずと澄子がよろめきながらついて行った。二人共こんな時でなかったら、とうにぶっ倒れてしまうほど、体が弱り切っていた。しずは病気上りであった。澄子は全身に火傷を負っていた。しかし、今はそれさえ忘れて必死に昭と功の後を追った。二人の体力はとうてい歩行に耐えられるものではなかったが、二人共気力だけで身を支えて歩き続けた。

濠端を抜け、かつての市のメインストリートを左手に見て真直ぐ安倍川橋に抜ける大通りを行くに従って、目を覆いたくなるような無惨な光景が、情け容赦もなく次次と繰り広げられた。広い市街は見渡す限り赤茶けた瓦礫の廃墟であった。立っているものは、地肌の露出した金庫や、屋根が抜けて空胴になった土蔵だけ。そういう物の上に焼けボックイで、

「全員無事、立退先、何町、何番地、何々方。」

とか、

「この下の壕に、大人二人、子供三人の焼死体あり、縁故者は引取られたし。」

などと書かれたのが目についた。

瓦礫の中から何か真黒い細長い物体が二、三人の男たちの手で引摺り出された。

「ひでえもんだ。男か女かさえまるで解らねえ。」

澄子はギクリとして立止った。それは人の形をした焼けボックイに似ていた。歯に当るところがキラリと強い陽の光に輝いた。金歯なのだろう。屍体は長いから恐らく男だろう。功が澄子の袖を引いた。

「お姉ちゃん、初枝姉さんもあんななんだ。」

功の喉がヒクヒクと動いた。大きな目に一杯涙をためて、功は懸命に嗚咽をこらえた。

なお行くと道端に一際大きなコンクリートの防火用水があった。澄子は何気なくそこを通り抜けようとして思わず鋭い悲鳴を上げた。用水の水はからからで、その代りに一つの死体がうずくまっていた。腰のあたりから上は真黒焦げで、下の方は僅かに焼け焦げて残るカーキ色の服で男らしいことが解った。猛火に囲まれたこの人は、

逃げ場を失ってこの水槽に飛び込んだに違いない。しかし、凄ましい火は彼を焼き、用水の水さえ蒸発させてしまったのだ。

　進むにつれてあたりの様子は益々凄まじく、道端にまだ引取り手のない黒焦げ死体がごろごろ転がっていた。その間を縫うようにして人々が右往左往して肉親を探し求めていた。どの顔も黒くすすけ、目は窪み、頬はこけ、火傷のあとが痛々しく、二目と見られぬ形相であった。

　河原に近い公園の横まで来た時、焼け焦げて骨ばかりになったリヤカーを引いた二人連れの女に出会った。一人はまだ三十そこそこであろうか、引裂けきた紺絣のモンペをはいて髪を振り乱し、一足歩くごとに激しくしゃくり上げながら、背をまるめてトボトボとリヤカーを引いていた。その後から、六十近くの上品な女の人が、目を真赤に泣きはらして、焼け爛れてデコボコのアスファルトの道を、ガラガラきしみながら行くリヤカーの後押しをして、澄子たちの一行の後になり先になりして河原を目指していた。リヤカーの上には焼けトタンがかぶせられ、車が揺れるたびにガタガタと大きな音を立てていた。弾痕の窪みに車輪が落ち込んでガタンと大きく車が揺れるとかぶせたトタンが摺り落ちて、三つの黒焦げ死体が強い太陽の光に晒された。二つは小さななきがらだった。その二つを抱くようにして比較的大きななきがらが、黒い瞳孔をポッカリ開け、天を怨むように見詰めていた。車からずり落ちた焼けトタンがガラガラと音を立ててしずの足元に転がった。後の女の人がそれを拾って顔を上げた。一瞬、二人は息をのんで棒立ちになった。

「織枝さん！」

「おしずさん！」

　後は身も世もなく、二人は抱き合って、このまま狂い死んでしまうのではないかと思われるほど激しく号泣した。

「米子が……米子が……」

「初枝が……あんなになって……」

　織枝ともう一人の女が涙にむせびながら語る米子の死の情況は次のようであった。

　そのころ松坂米子先生は四年生を受持っていた。放課後の蒸し暑い教室の中で、彼女は今日書かせた「お母さん」と題する作文に目を通していたが、その中の一つが特に米子の目を引いた。

「僕のお母さんは、お父さんが南方で戦死したので、工場へ働きに行っています。お母さんが昼勤の時には、僕と妹の佳子が学校から帰ってから二人で夕飯の仕度をします。夜勤の時には、僕たちを食べさせてくれて、『特攻隊にお父さんの仇を討って貰うように、お母さんは飛行機をうんと作って来るから、お前たちも淋しくても我慢して一生懸命勉強して、大人しく寝るんだよ。空襲警報が鳴ったら必ず防空壕へ入りなさい』といって出掛けます。僕は男だから淋しくはないけれど、妹はまだ一年生だから、空襲のある夜は恐がって泣きます。安西がやられた時もお母さんは夜勤でした。工場から空襲の中を駈け通し駈けて来てくれました。その時は本当に嬉しかった。お母さんは僕たちを抱いて『早く戦争が終ればいいねえ』といいました。僕も本当にそう思います。

四年　桜井　哲夫」

米子は終りの方は涙に霞んで見えなくなってしまった。

「早く戦争が終ればいいねえ。」

そう思っているのは桜井母子ばかりではない。米子は北支にいる進のことを思った。進は戦地に着くとすぐ婚約は解消してくれといって来た。だが、それが彼の本心でないことを米子はよく知っている。

（私はいつまでも待っています。どうぞ御無事で帰って来て下さい。）

彼女は毎日毎日北の空へ向ってそう祈り続けた。

「戦争さえ終ったら……」

米子は哲夫の作文を手にしたまま、晴れて進の凱旋を迎える日を胸に描いて、しばらく息詰まるような喜びに浸っていた。

桜井哲夫の家は米子の家の近くの表通りにあった。昔は大きな紙問屋をやっていたのだが、今は勿論、店を閉じている。先代の生きていたころは大勢の奉公人を使って手広く商いをしていたものだった。戦死した哲夫の父はそういう中で何不自由なく育てられ、そこに嫁いで来た哲夫の母も、この街では名の通った老舗の娘で、その婚礼の盛大さは、未だに近所の人々の噂話のたねになるほどであった。その彼女が女工に出る。昔だったら考えることさえ出来ないことだった。米子は仕事を終って帰る途中、この戦争によって否応なしに変えられた大勢の人々の様々な運命を思いながら、黄昏の街をゆっくりと歩いていた。せめてシナ事変だけでも終っていたら、私も今ごろは南条進の妻として、幸せな、満ち足りた人生を歩んでいたであろうのに……。

「先生、今お帰りですか。」

不意に声を掛けられて、米子はハッとして顔を上げた。哲夫の母だった。紺絣のモンペに黒い防空頭巾を肩から掛けて、急がしそうに歩いて来る。その姿には、かつての大問屋の花嫁御寮の面影はなく、疲れた生活の重みがありありと感じられた。

「夜勤ですか、御苦労様ですね。」

米子は哲夫の作文を思い出して、今ごろ、幼い兄妹が、灯火管制の下で額を寄せあって勉強している姿を思い浮べた。

「子供を置いて行きますからよろしくお願いします。」

そういって哲夫の母は、また急ぎ足で夕闇の中へ消えて行った。

それから数時間の後、警報が解除になってほっとしたのも束の間、ザーッという不気味な音と一緒に家の周りは一度に火の海になった。

「早く早く、河原へ……」

米子は織枝と手をとり合って火の粉を浴びながら、河原に向って百メートルばかり夢中で走った。その彼女の脳裡に、突然、先刻別れた哲夫の母の言葉が閃いた。

「子供を置いて行きますからよろしくお願いします。」

米子は焔の中にキッと哲夫の家の方角を見定めた。幼い二人は手を執り合って防空壕の中で震えながら、この間の空襲の時のように、母が戻って来てくれるのを待ちわびているに違いない。だが今日はこの前とは違う。四キロも離れた工場から火焔の中をくぐり抜けて来ることは不可能である。まだ火は廻っていない。今のうちなら助け出せるかも知れない。早くしないと蒸し焼きになってしまう。米子は母の手を振り切って、今来た道を一散に走り出した。

「米子、何処へ行くの、気でも狂ったのッ。」

母の絶叫がかすかに聞えた。

「子供を、子供を。」

彼女は走りながら叫び続けた。

これが米子と織枝の最後の別れとなった。

翌朝、紙問屋の焼け跡から三体の真黒い無惨な死体が運び出された。一体は比較的大きく、後の二体は小さかった。

「紙問屋もこれでとうとうおしまいだ。三人共、大旦那や若旦那の後を追って逝ってしまった。」

近所の人々はそっと焼けトタンをその三体にかぶせて合掌した。

その時、まだもうもうと立ちこめる白煙の中を、髪を振り乱して阿修羅のように駈けて来た一人の女が、気違いのように小さな死体に取りすがって泣き崩れた。周りの人々は茫然として幽霊を見たのではないかと自分の目を疑った。それは死んだとばかり思っていた紙問屋の若奥さんだったのである。

「一体、それではこの死体は誰だろう。」

しばらくして皆は大きい方の死体を調べて見たが、男か女かさえ解らなかった。

「奥さん、この人に心当りはありませんかね。この子供さんを抱くようにして死んでいたんで、わしらはてっきりあんただと思っていたが……」

号泣していた哲夫の母はギョッとして顔を上げた。しばらくしてその脳裡に昨夜出勤の途中で声をかけた米子先生の姿が鮮かに浮んで来た。

「もしや、松坂先生では……」

哲夫の母は、昨日の自分の言葉を思い出して身がすくんだ。

「子供を置いて行きますからよろしくお願いします。」

何気なく出た言葉だったが……。彼女は先生の家の焼け跡へ足も地につかず飛んで行った。そこに織枝が気違いのようになって泣きながら走り廻っていた。

「米子、米子ォ、何処へ行ったの。」

哲夫の母は織枝を自分の家の焼け跡まで引張って来た。

最初は織枝にも見分けがつかなかった。だが、子供たちをしっかりかき抱くようにしているその左手の指に、キラリと光るものがあった。それはかつて進が米子に贈ったエンゲージリングであった。

二十

ガラガラと大きな音を立てる焼けリヤカーに四つの悲しいなきがらを載せて、それを軍服姿の昭が引いて行った。その後を哲夫の母が押し、少し離れて功が澄子を、そして織枝がしずを肩で支えてよろめきながら進んで行った。

川の堤防の坂道を幾度かつまずきながらやっとの思いで上り切ると、一行は河原を見下して愕然として息をのんだ。

河原は目の届く限り遺体と避難民と重傷者で一杯であった。焼けつくような太陽に晒されて、うめきながらもがく重傷者の上に、蝿がわんわん飛び廻っていた。砂地に小さなテントが張ってあって、市の職員や保健所の係員らしい人が忙しく立ち廻り、重傷者の手当をし、行方不明者や遺体の処理についての質問に答えているのだが、その数が余りにおびただしいために、係員はてんてこ舞いでうろたえ、人々は殺気立って怒号や狂声が充満していた。

昭は土手の上に青々と繁る大きな柳の木の根本にリヤカーを置くと、一人テントの方に下りて行ったが、やがて、

「遺体を処理する油を何とか都合して来ます。これを食べて待っていて下さい。」

と将校鞄の中から乾パンを取り出し、水筒を置いて土手の小路を下って行った。

功はさすがに空腹をおぼえたのか、ボソボソと乾パンを噛り始めたが、女たちはせっかくの心尽しの食糧にも手をつけなかった。皆、昨夜から一物も食べてはいなかったが、空腹を感じるどころか何一つ喉を通らぬ思いであった。澄子は柳の木影に身を寄せて、この世のものとも思われぬ凄惨な光景をうつけのように見詰めていた。人間は余りにひどい場面ばかり見せつけられると、神経が麻痺してしまうのであろうか、いくら見詰めてもこれが現実とは信じられないのである。

織枝はしずにすがって哀願していた。

「おしずさん、お願いですから米子の骨は、南条家のお墓へ、南条家の嫁として、進さんの妻として埋めてやって下さいましね。あの子は進さんの還られる日をどんなに待っていたか知れませんのに……、こんなことになってしまって、可哀想で可哀想で……」

しずは織枝の手をとって泣きながら一々頷いていた。

「このことを進が聞いたらどんなに口惜しく思うことか……。あの子に知らせてやる方法もないのが却って幸せかも知れません。あの子も、もう一年余りも便りがあり

ませんもの……。きっと、南方へ送られたのですわ。もしかしたら、米子さんより一足先に……。そう思うと私は……、生きているそらもありません。六人の子のうち、三人までこの戦争にとられてしまって……、昭だって澄子だって功だって、この先どうなることか全く見当もつきません。私一人の身に代えて子供たちを助けられるものだったら、この身を八つ裂きにされても少しもいといはしませんのに……」

　しずの悲痛な声がひしひしと澄子の胸を打った。哲夫の母は元気な功を見て哲夫を思い出すのか、裂けた袖を目に当てて何度も涙を拭いていた。

　昭は仲々戻って来なかった。何時間経ったのだろうか。時計がないので、皆目見当もつかないが、とにかく、灼けつくような強い日差がいくらしか柔らぎ、柳の木影が少し長くなり、河原のあちこちから、遺体を焼く紫の煙が立ち始めるころ、カツカツと馬の蹄の音がして、鞍に石油罐をくくりつけた昭が現れた。

　四つの遺体に油が注がれ、昭がマッチを擦ると、火はたちまちオレンジ色の炎を上げて燃え上った。

　留めどなく嘔吐をもよおすような異臭が漂い始めたが、憤怒と絶望にうちひしがれた人々は、肉親の非業の最期を悲しむ余り、そうしたことも、ものの数ではなかった。

　澄子は石のごろごろする河原に立って、じっと姉の遺体を焼く青い炎を見詰めていたが、その頬に涙はなかった。今はもう、姉の身を焼く焔を目の前にしても涙さえ湧いては来なかった。人間が本当につきつめた絶望の淵に立たされた時には、泣くことさえ出来なくなるものだということを澄子は知った。

　夏至を控えた長い一日が終って、太陽が河原の向うの山の尾根にゆらめきながら姿を消すころ、初枝と米子と小さな二人の子供のなきがらは、一塊りの白い骨と灰に変っていた。河原を涼やかな風が渡るたび、骨はかさこそと悲しい音を立てた。それは、いつかは嫂と妹になるはずだった二人の薄幸な女性と、「欲しがりません勝つまでは」と我慢させられることと恐怖させられることばかり知って短い命を断たれた小さな魂が、互に慰めの言葉をささやき交しているようであった。

　河原の惨状を闇のベールが閉すと、土手下の田圃から蛙の合唱が湧き上った。

　澄子は昭と並んで土手の上の草むらの大きな切株に腰

を下していた。少し離れた柳の木の根本にしずと織枝が並んで青い月明かりに白々と光るわが娘の悲しいなきがらを見詰めながら、過ぎし日の思い出をたどって、心の痛手を慰め合っていた。哲夫の母のすすり泣きが、いつまでもいつまでも続いていた。

　夜は更けて、宵のうちは亡霊のようにうごめいていた避難民たちの人影も思い思いに河原の石を枕に眠りにつくころになると、昼のうちは炒るように熱かった砂地もすっかり冷たくなって、冷え冷えとした大気があたりをつつみ、引取手のない遺体を山と積み重ねた中洲のあたりに、青い火の玉《ひとだま》が長い尾を引いてゆらめき始めたが、よく見るとそれは蛍が群れて舞っているのであった。

　澄子は寒気とも霊気ともつかぬ一種異様な悪感に襲われて、わなわな震えながら、青い蛍の光を見詰めているうちに、自分がなぜこんな真夜中に土手の上の切株に腰を下して震えていなければならないのか解らなくなってしまった。

（早く家へ帰って温かい蒲団にくるまってぐっすり眠ろう。そうしたらこんな恐ろしいことも明日の朝になればすっかり忘れてしまえるだろう。）

　彼女はよろよろと立上って二、三歩歩くと、柔らかいものにつまずいた。それは彼女の足元にうずくまるようにして眠っていた功であった。澄子はそろそろとしゃがみ込んで功の顔を覗いた。功は堅い土手の土の上に防空頭巾を枕にしてぐっすりと寝込んでいた。紺の半ズボンも、青と白のチェックのシャツも泥だらけになっていたが、丸い顔もまだ短い手足も、昼間、川の水で洗ったせいか以外に清潔で、薄目を開けるようにして眠るくせも、いつもと少しも変っていなかった。彼は堅い土の上に眠っているにもかかわらず、夢の中では幸せなのか、心持ち口をほころばせて、うっすらと微笑さえ浮べているようであった。昭がそばへ寄って来て功の上に自分の上衣をかけてやった。そのまま二人は無口で功の寝顔に見入っていたが、澄子はふと、明日が功の第十二回目の誕生日であることを思い出すと、どっとわびしさ悲しさがこみ上げ、過ぎて来た幸せな日々が恋しくてたまらなくなった。澄子は切株に戻ってしくしく泣き始めた。功の生れたころのことがまざまざと思い出されて、涙が後から後から湧き出て頬を濡らした。

（あのころにはお祖母様もお父様もいらした。進兄さんも初枝姉さんも芙次子姉さんも……。お母さんは元気だったし、大きな家も、温かい夜具も、美味しい食べ物も何不自由なく揃っていた。それなのに今は……。功の誕生日が来ても、祝ってやる御馳走どころか、お米の一粒もなく、帰るべき家もない。)

澄子は肩を波打たせて幼児のようにすすり泣いた。

「澄子。」

昭の大きな手が泣きじゃくっている澄子の背に優しく置かれた。

「泣いては駄目だよ。さ、兄さんが番をしていてやるからお前も安心して眠りなさい。」

澄子はしゃくり上げながら訴えるように首を振った。

「とても眠れそうもないわ、お兄さん。私、今日一日で十も年をとってしまったように、体も心も疲れ果ててしまったわ。お家もない、食べる物もない。着物もない。空襲があっても身をかくす場所さえない。これで明日からどうやって生きて行ったらいいのかしら……」

澄子は肩を震わせて泣きじゃくった。

「無理もない。」

昭は澄子の背を撫でながら何度も頷いた。

「兄さんがずっと一緒にいてやれたらお前もお母さんも少しは心強いだろうに……。でも仕方がない。死んでしまった人たちのことを思えばせめて命があっただけでも幸せと思って、どんな困難に合っても、何とかして生きて行かなくては駄目だよ。だが、今、それを考えるのはおよし。今はとにかく、体を休めることの方が先だ。夜が明けたら姉さんの骨を拾って焼け跡に帰り、焼け残った立木を切り倒し、焼けトタンを張って、とにかく母子三人が住めるだけの小屋を建てよう。さあ、明日はまた忙しいぞ。さ、いい子だから、兄さんのいうことをよく聞いて、もう眠りなさい。」

昭はしまいの方は子供をあやすように優しくいうと、澄子を無理に土手の柔らかい草の上に横にならせた。

しかし澄子はどうしても眠られなかった。目を開けると頭の真上に月があった。月は周りに大きな輪を描いて朧であった。星が青く瞬いていた。澄子は身を起してそっとあたりを見廻した。土手の下に広がる街の跡には、燃え残りの火がそこかしこにチロチロとゆらめき、すでに灰となって消えてしまった街の灯を、いま一度蘇らせたかのように燃え残っていた。

柳の根本にもたれて母と織枝が眠っていた。その向うの草むらに哲夫の母がうつ伏せになってうずくまっていた。

切株に腰を下して煙草を吸っている昭の姿が影絵のようであった。澄子は立ち上り、足音をしのばせて兄に近づいた。昭が振り返って眉をひそめた。

「何だお前、また起きてしまったのか。眠らなきゃ駄目だぞ。疲れて病気にでもなったらそれこそみじめだ。」

しかし澄子は黙って兄のそばに身を寄せるようにして腰を下した。こうしている方が遥かに心が落ちつけた。薄いモンペを通して兄の軍袴から逞しい活力が伝わって来るようで勇気が湧いて来た。

二人は黙って、燃え尽きようとして鈍く光る故郷の街の火の手をじっと見詰めながら、それぞれの想いに耽った。静まり返った真夜中の河原に川音だけがさらさらと絶え間なく、ささやくように流れていた。土手の繁みの中に咲いた山梔子《くちなし》の白い花びらが、風もないのにほのかに揺れて、その甘い香りがふと二人に、やるせなく人恋しい思いをそそった。

「お兄さん、今、何を考えているの?」

澄子の低い淋しい声が沈黙を破った。西の方の闇の彼方を見詰めながら、昭はスーッと煙草を吸った。赤い蛍のように煙草の火が光った。

「当てて上げましょうか。敏子さんのことでしょう。」

昭は深い吐息と共に白い煙草の煙を吐きながら、

「姉さんがあんな悲しい姿になったというのに、今さら愛の恋のというのは申訳ないと思うが、やはり僕はあの人が忘れられない。無事でいてくれるといいが……。」

と、深い思いを篭めた口振りであった。澄子は無言で何度も頷いていた。兄の気持がそのままに理解出来た。

「豊川に行ったそうだが、この春からばったり便りがなくなってしまった。今度も、もし会うことが出来たらと秘かに期待して電報も打って見たが、駄目だった。あそこも春にひどい空襲を受けたそうだから、多分あの人もとうに初枝姉さんや米子さんと同じ運命なのだろう。」

昭の頬にキラリと光るものがあった。

「皆、別れ別れになってしまって……。」

澄子は目に涙を浮べて切なく雅彦のことを思った。

士官学校にも空襲があるだろうか。あるに決っている。田舎町の小学校や幼稚園でさえ何の差別もなく焼き払われるのに、大東京のど真中の、しかも国家の干城を養成する士官学校を、どうして敵が見逃すはずがあろう。

それとも、もう雅彦さんは戦場へ行ってしまったのかも知れない。歌子さんのお兄さんだって、兵学校在学のまま、実習という名目で南の決戦場へ向ったそうだもの……。澄子は涙に光る目を上げて空を見上げ、祈るように指を組んだ。

（ああ神様、どうぞ雅彦さんをお守り下さいませ。）

黒い大きな瞳が濡れて夜目にも美しく輝いた。昭はそんな澄子の顔を覗き込むようにして、

「澄子、お前にも恋人があるんだね。」

と、優しくいった。澄子は暗闇の中でぽっと頬を染めてうつ向いた。雅彦とのことはまだ恋とははっきりといえるかどうかも解らない、初々しく幼い慕情だった。しかし、遠く離れてその生死さえ解らない今となって、澄子は、彼とのことは、自分にとって、一生、ただ一つの、かけ替えのない大切な愛なのだとはっきり知ることが出来たような気がした。だが、自分たちの行手もまた、井口と初枝や、進と米子のように、もはや永遠に相逢うこともなく、遂には冷たいむくろとならなければならない運命なのだと思うと、無性に悲しかった。

しかし、昭は澄子の顔を楽しそうに見詰めて明かるい声でいった。

「お前の恋人ってどんな人なの？　きっといい奴なんだろうなあ。兄さん、何だかとても微笑ましくて嬉しいような気がするよ。お前が大きくなって、綺麗な花嫁さんになるところを見たいなあ……。でも……」

昭は急に口惜しそうに言葉を切った。

「俺たちに青春はない。いや、青春どころじゃあない。どんな人間にも平等に与えられているはずの生きる権利さえ今の俺たちにはないんだ。」

昭の言葉で堰を切ったように悲しみが溢れて来て、澄子は兄の膝にもたれて泣きじゃくりながら、怒りをぶちまけた。

「この戦争で数え切れないほど大勢の人が死んだわ。平和だった私たちの一家ももう滅茶滅茶よ。芙次子姉さんも初枝姉さんも死んでしまったわ。進兄さんだって恐らく今ごろはフィリッピンかビルマか、とにかく、一度、足を踏み入れたらもう絶対に生きて故国に帰ることの出来ない戦の泥沼を歩かされていることでしょう。でも、

もしどこかに生きていて、米子先生や初枝姉さんが亡くなったことを知ったら、どんなに悲しむことでしょう。軍人さんが戦争で死ぬのはいって見れば本望なのかも知れないわ。でも、あんな優しいお姉さんや何の罪もない子供たちまでこんな悲しい死に方をしなければならないなんて、余りにもむごすぎるわ。アメリカは本当に鬼畜よ。私は、昨日のB29には鬼が乗っているとしか思えなかったわ。たとえ目色、毛色は違っても、もしアメリカ人にも私たちと同じ人間の血が通っているのだったら、こんな非人道的な行為が出来るはずがないわ。一つの都市には病院だって学校だってあるのよ。身動きの出来ない老人だって、生れたばかりの赤ちゃんだっているのよ。それを承知で、情け容赦もなく焼き払ってしまうなんて……。余りひど過ぎるわ。あの人たちだって故郷はあるでしょうのに、愛する人もいるでしょうのに……。もし自分の故郷がこんなになったらと、考えて見ようともしなかったのかしら。」

　澄子は肩を震わせて泣き叫んだ。兄の膝を叩いて地団駄踏んだ。許すものか、許すものか。澄子は今こそ敵に対して気も狂わんばかりの憎悪に燃えた。しかし、昭はそんな澄子の怒りを当然だとは思いながらも、冷静に彼女をなだめるようにいった。

「これが戦争というものだ。一度戦争を始めた以上、食うか食われるか、自分の国の安全を保つためには、手段を選んではいられない。戦って戦って戦い抜くだけだ。そして遂には力の余ったものが勝ち、力尽きたものは一敗地にまみれるのだ。考えてごらん。もしこれが逆に、日本軍に連合軍と同じだけの武器と燃料と食糧があったなら、わが軍は今ごろ何をしていると思う？　今ごろはきっとハワイを陥れ、サンフランシスコに敵前上陸し、ワシントンやニューヨークに鉄と火の雨を降らせていることだろう。そうしてお前たちは安全な内地でぬくぬくと暮しながら、爆撃の知らせが入るたびに、それ大戦果だ、大勝利だと大喜びで、旗行列や提灯行列をして、その爆撃の下に起きている無辜の住民の悲惨などは、考えて見ようともしないんじゃないかな。」

　澄子は背筋が寒くなるほど、ぞっとした。

　本当だった。それが何より証拠には、澄子自身、南京攻略や、シンガポール陥落のころにはただ、勝った勝ったと嬉しいばかりで、自軍の将兵の労苦を想いやり、戦死した人々を悼みこそすれ、その勝利のかげに泣く、何十万という敵側の民衆の悲惨など、思って見ようともしなかったではないか。あのころはまだ子供だったからと、弁解する訳には行かなかった。大人たちだって誰だって日本国中が勝利の栄光に酔いしれて、夢中になっていたではないか。鬼畜とののしっていた敵も自分たちも、結局は同じなのだと思うと、澄子は人間の身勝手さに身震いのするほど嫌悪を感じた。しかしそれだからといって、自分たちとこの憎い敵とを同等の人間だと認める気にはどうしてもなれなかった。彼女は、元旦に見たあの新聞記事を思い出すと、

「米英はやはり鬼畜よ。」

とキッパリいった。

「私は見たんですもの。」

昭は驚いて身をのり出した。

「一体、何を見たんだね？」

「今年の元旦の新聞をお兄さんは見なかった？」

「ああ、残念ながら……。そのころ僕は新京から北満へ運ばれる軍用列車の中にいたからね。でも、その元旦の新聞がどうかしたの？」

澄子は叫ぶようにいった。

「私は見たのよ。美しいアメリカの少女が、戦場の恋人から送られて来た日本の兵隊さんの髑髏を前に、お礼の手紙を書いている写真がでかでかと掲載されていたの。アメリカの或る有名な雑誌に載っていたんですって……。私のお友だちは、その髑髏が戦死したお兄さんだったらどうしようって泣いたわ。お兄さん、もしお兄さんが白兵戦をやって敵の首級を上げたら、その髑髏を戦利品だといって敏子さんに送って来ることが出来て？　そうして、敏子さんはその髑髏を机の上に飾って、その前でお兄さんにお礼の手紙を書くことが出来るかしら？　ああ、こんなこと、口に出していうのも恐ろしい。思うだけでも気が狂いそうなのに、彼らはそれを平気でやってのけているのよ。お兄さん、それでも彼らは私たちと同じ人間なの？」

澄子はヒステリックと思えるほどに上ずった声で叫んだ。

断じて許せない。人道の名において断じて彼らを許すべきではない。澄子の胸は怒りに沸騰した。しかし、昭は冷静であった。澄子を哀れむように見下して淋しそう

な声でいった。

「しかし澄子、よく考えてごらん。それは果して事実の報道かな？　僕はその新聞も見ていないし、まして、アメリカへ行って確めて来た訳でもないから、真疑のほどは解らないが……。僕は恐らくそれは国民の敵愾心をそそるための偽りの宣伝ではないかと思うよ。」

「まあ。」

　澄子は憤然とした。

「お兄さん、それじゃあお兄さんは、日本の新聞が嘘を載せるとおっしゃるの？　家でとっている新聞は、日本でも第一流の新聞よ。私は、わが家があの新聞を創刊以来一日も欠かさずにとり続けて来たことを、いつも内心で誇りに思っていたわ。それなのに、その新聞が嘘を載せるなんて。いくらお兄さんの言葉でも、とても信じられないわ。」

　昭は闇の中で大きく頷いた。

「そうだ。お前の考えは正しいよ。新聞はいかなる国、いかなる時代にあっても、常にあくまでも真実だけを報道すべきものだ。しかし、新聞にしてもラジオにしても、今の日本の報道機関は、果して、お前たちのような純粋な愛読者の信頼に答え得るだけの価値があるかどうか、残念ながら怪しいものだと思うよ。国内のありとあらゆるものが戦争目的の貫遂のために動員されている中で、国民の目とも耳ともいうべき新聞やラジオだけが自由であり得るとは考えられない。むしろ、真先に弾圧を喰うのは言論だろう。今の報道機関はたとえそれが事実に反していると解っていても、政府や軍に命令されれば、どうしてもそれを報道しなければならないだろう。残念なことだが、それが今の報道機関の現状なのだ。お前の見た記事というのも、恐らくそういう類いのものだと思うよ。いくら敵国人だって、死者に対する礼くらい心得ているはずだ。」

　澄子は恐ろしさに愕然とした。お兄さんのいうことは本当だ。その証拠には、新聞やラジオの報道によって私たちはずっと勝っていると信じ込んで来た。それなのに、この現実はどうだろう。知らぬ間に、すでに敗北一歩手前まで追い詰められてしまっているではないか。本当に勝っているのならどうして駿河湾内にまで敵艦が入り込んで来よう、どうして敵機が本土の空をわが物顔に飛び廻るのを許して置くことが出来るだろう。

だが、澄子はそれでもまだ彼らを許す気にはなれなかった。たとえあの新聞記事が間違っていたにせよ、昨夜のあの残虐非道な空襲は事実なのだ。私はこの目で大勢の人々が火の海にのまれて倒れて行くのを見た。お姉さんは彼らに殺され、私自身もこんなに傷ついたではないか。河原に山と積み上げられたあの真黒い遺体こそ、彼らの非人道性を証明する何よりの証拠ではないか。澄子は決然としていった。

「それでも私は彼らを許すことは出来ないわ。お兄さんは初枝姉さんの仇を許すことが出来るの？　どうしてお兄さんはそんなに敵の肩を持つの？」

　昭は一瞬、険しい表情になった。だが、すぐ穏やかな諭すような口調でいった。

「澄子、誤解してくれては困る。僕は決して敵の肩を持っているんじゃない。初枝姉さんの死を悼む心もお前と少しも変りはない。美しく平和だった僕たちの街をこんな無惨な廃墟にされてしまったことを口惜しく思っていることも誰にも劣らないだろう。だが僕は、こうした事柄をすべて目前の敵だけのせいにして怒り狂う気にはなれないんだよ。方法は違うにしろ、これと同じような残虐なことを、日本軍だって過去に中国や南方でどれだけやって来たか知れやあしない。この大戦ばかりじゃない。過去のどんな戦だって同じなんだ。それが戦争というものなんだ。だがお互に殺戮し合い、怨み合い、憎しみ合っていてはいつ果てるとも知れない。僕は目前の敵のことよりももっと大きな大敵、つまり戦争そのものを憎んでいるんだ。国家間の紛争を武力をもって解決しようとするこの誤った考え方が世界にはびこっている限り、たとえこの大戦が終ったにもせよ、恐らく地球上に恒久の平和を呼ぶことは出来ないだろう。世界の国々がそれぞれの信ずる正義の旗印しのもとに、武器を貯え、勝利の栄光を徒《あだ》に夢見続けている限り、この悲惨は地球上から永久に消え去ることはない。それが僕には何よりも悲しいんだよ。」

（本当だわ。）

　澄子もやっと兄の深い心が理解出来たような気がした。

　しかし、だからといってどうすればいいのだろう。目前に敵は迫っている。私たちがもう戦争は止めた、と叫んだところで、どうにもなるものではない。それどころか、今夜は今のところ空襲がないにしろ、明日になったらまた、この身をかくす木陰さえない焼け跡に、艦載機の機銃の雨が降らないと誰が保証してくれるのだろう。

「ああ。」

澄子は絶望の溜息をついた。

「それでも私たちはやはり目前の敵に対しては死物狂いで戦わなければならないのだわ。」

「それはそうだ。」

昭も苦しそうに頷いた。

「やはり僕たちは戦わなければならない。この戦争は僕たちがまだ子供のころ、僕たちの預り知らぬ間にすでに用意されていたものだったが、しかしこうなった以上、やはり僕たちは戦わなければならないんだ。お前は昨日、満州は空襲もないし、ソ連は参戦しないからいいといったが、実は、ソ連の参戦も時間の問題なんだよ。最近、黒竜江の向う側には続々と兵器や兵員の輸送が続いているらしい。しかし、それに対するわが方はどうだ。兵員はどしどし南方へ送られるし、兵器はこうして本土決戦のために運び去られる。」

澄子はびっくりして思わず声を上げた。今の今まで、兄は国境に必要な兵器を内地へ取りに来たとばかり思っていたからだ。

「じゃあお兄さん、兄さんは兵器を取りに来たんじゃなくて、置きに来たの？」

「そうだよ。今、国境の向うを睨んでいるのは、本物の大砲ではなくて、木製の擬砲なんだ。それでどうして戦争が出来る？ 世界最強と豪語していた関東軍も、今や骨無しくらげに等しい状態なんだ。一度、赤軍が黒竜江を渡って押寄せて来れば、残念ながらわれわれは壊滅の他はない。僕の指揮する一個小隊には、少しばかりの小銃と手榴弾と、この祖先伝来の名刀があるだけなんだ。」

「まあ。」

澄子は血の凍る思いだった。南から攻めつけられても、北には逃げ道があると、ただ何となく信じて、それだけを頼みにして来たのに、それでは本当に挟み撃ちになって滅びるだけではないか。澄子は兄の膝にしがみついて、その体を必死にゆすぶりながら声を震わせた。

「お兄さん、行かないで。私、そんな所へお兄さんをやりたくないわ。ここにいても同じでしょうけれど、どうせ死ぬならせめて一緒に死にたいわ。」

昭は優しく澄子の背を撫でながら、

「僕だって出来ることならそうしたいよ。しかし、それはやはり出来ないことだ。行かなければ脱走の罪に問われて銃殺されるから行く。勿論それもあるけれど、それだけじゃあない。そこへ行くことはやはり死への旅だと解っていても行かなければならない。きっとそこが神宮競技場で踏んだぬかるみの道の果てなんだろう。そこには僕の指揮を受ける兵隊たちが僕を待っている。若い中学を出たばかりの少年もいる。僕の親父にしたいような老兵もいる。それが皆、僕の帰りを待ちわびているのだ。行かなければならない。僕だけじゃあない。あの李鐘衛だって行くんだよ。そして僕と同じように、赤軍戦車のキャタピラの下に消えるのだ。彼の気持は僕なんかよりもっともっと複雑だろう。彼は本当は日本人じゃない。それなのに、長い間、夢見続けて来た独立の日を手の届きそうな目前に控えながら、大日本帝国の軍人として死ななければならない彼の気持を思うと、僕らはまだまだ幸せだと思うよ。戦争というものは実に非情なものだ。巨大な戦車が真一文字に驀進するように、少数民族の、ましてや、個々の人間の血の叫びなんぞ、戦車のキャタピラの下敷きになった蟻の叫びとも解しないで、あらゆる人間性を踏みにじって突進して行くのだ。そして、その戦争そのものさえ、人間自身が引起したものだと思うと僕はたまらないよ。」

「……」

「しかし、僕らはやはり戦わなければならない。戦はもう既成事実なんだ。これが間違っていると知っていても、僕はやはり全力を尽して戦うだろう。それはなぜか解るかね。」

澄子は黙って首を振った。

「それはね、これなんだ。」

彼はそういって足下の一握りの砂を掬い上げた。

「それはこれだ。僕たちの国土だ。僕たちの街は遂に廃墟となってしまったが、たとえ国中が瓦礫の山となっても、それは僕たちが身を捧げて守り抜くに足りる愛する祖国なんだ。これを他民族に渡すことはどうしても出来ない。」

昭はそういって東の空の彼方を指示した。そこには見渡す限り真暗な夜のしじまが広がっているばかりだったが、やがて暁の光がさせば、黒々と横たわる山々の彼方に、雪を落した夏姿の富士が、気高く美しく輝き出すはずであった。

「あそこをご覧、あそこには富士山がある。あの富士山の頂上に外国の国旗がひらめくのを許すことが出来るかね。それは僕たちのように岳南に生れて岳南に育ち、朝夕、富士を眺めて大きくなった者でなくても、たとえ、最果ての北海道や、遠い南の島、沖縄に住んで、生れてから一度も富士山を見たことのない者でも、日本人なら必ずそれを許すことは出来ないはずだ。何にも知らずに、ただ屠殺場へ引かれる小羊のように、戦場に駆り出されて弾よけにされた者もいただろうが、僕なんぞよりもっともっと高い学識を持ち、戦争の無益さを知り尽した例えば井口さんのような人でさえ潔く死んで行けるのは、やはり愛する国土と同胞を他国の支配に委ねたくないためなんだろう。その気持はどんな人間でも同じなんだ。これが愛国心と呼ばれるものなんだろう。特攻隊が爆雷を抱いて基地を飛び立つのも、学生の僕やお前が、戦場に増産に、ペンを捨てて励むのも、老兵も若者も、皆、すべてを捨てて戦場へ旅立つのも、ただ駆り出されて行くばかりではなくて、皆、この本当の意味の愛国心を持っているからなんだろう。僕は、自分の国を自分たちの手で護り得ない民族の悲劇を満州や朝鮮を歩いてこの目で見て来た。彼らの国土は、日本が支配したことによって開発され、一見、生活その他も文化的になったかに見えるが、彼らに本当の自由はないんだ。僕は僕の祖国や同胞を彼らと同じような目に合せたくない。そのためなら、身を捨てても少しも惜しくはないと思うんだよ。」

「しかし、僕らがどんなに頑張って見たところで、戦の大勢はもう覆すことは出来ないだろう。連合軍の勝ち誇った高らかな軍靴の音がすぐそこまで聞えて来るようだ。祖国は破れ、大日本帝国の栄光は、この荒れ果てた国土と同じに、空しく灰燼にまみれる時がもうすぐ来る。」

澄子は絶望のためにしばらくは口をきくことも出来なかった。昭のいうことはすべてが否定することの出来ない、余りにも厳しい現実であった。でも、彼女はどうしてもそれを承服することは出来なかった。それでは余りにもひど過ぎる。彼女は絶望に打ちひしがれながらもなお、眉を引吊らせて口走った。

「それでは余りだわ、日本が戦争に敗けるなんてそんなことはあり得ない。嘘よ、嘘よ、嘘よ。どんなにひどい目に合ったって日本人は決して屈服しはしないわ。もし、本当に戦争に敗けるとしたら……。私たちの今までして来た努力はすべて無駄になるというの？　私たちは、欲しがりません勝つまでは、とあらゆる困苦欠乏に耐え、ひもじさを我慢し、重労働に耐え、不眠不休にも甘んじて、頑張り続けて来た積りだわ。でも、私の苦労はまだまだ足りなかったのかも知れない。だけど、お母さんはどうなの？　女手一つで手塩にかけた子供たちを次々とお国に捧げ、自分自身も精根尽きてあんな弱いお体になっても、まだ何とかしてお国のお役に立ちたいと願っていらっしゃるのに……。わが家ばかりじゃあないわ。日本国中の人が、皆同じ気持なのよ。この戦争で、どれだけの人が祖国のために尊い命を捧げたことでしょう。大陸の曠野に屍を晒した人、南海の孤島に散って行った人、敵の空母にわれとわが身を打ちつけて行った人、そして、今、ここにお姉さんたちと同じように、内地の空襲で非命に倒れた人たちも、皆、皆、お国の最後の勝利をただ一筋に信じていればこそ、黙って死んで行ったのに……、そうしたものの一切合切が、すべて灰のように消え去ってしまうなんて、あんまり、あんまりひど過ぎるわ。」

　澄子はわあわあ声を上げて泣いた。

　そんなことがあり得べきではない。特攻隊の至誠一つだけでも、お国に最後の勝利を導かぬはずはないではないか。しかし現実は厳しかった。

　敗北は目に見えていた。ああ、なぜこうなってしまったのだろう。澄子はがっくり肩を落した。

「すべてが無駄な努力だったわ。可哀想なお姉さん、可哀想な兵隊さんたち、貴方方は永久に浮ばれないわ。そして私たちも遅かれ早かれそのお仲間入りをするのよ。ああ、それですべてが終りになるのだわ。この世の終りが来るのだわ。」

　しかし、昭は失神したようになって倒れかかる澄子をしっかりと抱き止めていった。

「果してそうだろうかな？　確かに祖国が敗れることは悲しい。だが、それですべてが終りになると考えるのはまだ早過ぎると思うよ。たとえ武力の戦には敗れても、日本人がすべて滅び去ってしまう訳ではない。武器は捨てても日本民族の生きる道は他に必ずあるはずだ。長い人類の歴史の中で、この戦争もいつかは時の流れに浄化されて、本当の正しい評価をされる時が来るだろう。そういう時、われわれの死が、必ずしも無駄ではなかったと人々が思う時がきっと来るに違いない。

もし、世界屈指の戦闘的な民族が、この戦争を経験したことによって世界で一番、自由と平和を愛好する民族に生れ変ることが出来たとしたら……。そしてその精神を世界に広め、地球上に恒久の平和をもたらすことが出来たとしたら……。われわれの死も様々な犠牲も、大きな意味からいって決して無駄ではなかったと悟れる日も来るだろう。だが死んでしまった者にはそれを確めることは出来ないだけだ。

澄子、お前だけは生きてくれ。どんなことがあってもお前は死んではいけない。お母さんや功を守って、最後まで生き抜いておくれ。もうこの戦争が終るのもそう遠いことではあるまい。それまで何としても頑張っておくれ、そうして、やがて訪れるであろう新しい世に、精一杯生きて、われわれの血であがなったものが何であったか確めておくれ。お前が大人になったら、もう二度とこんな悲劇を繰返すことのないように、平和な社会を築いておくれ。戦争は天災と違って人為的なものである以上、世界中の皆が、その気になれば必ず人間の力で回避出来るはずなんだ。どんな理由があろうとも、戦争だけはすべきじゃない。僕は姉さんが目の前で火だるまになるのを見て、心の底からそう思った。この気持を永久に世界に伝えて欲しい。お前は死んではいけないよ。お前の命には、進兄さんや初枝姉さんや、芙次子や僕の、生きようとして生きることを許されなかった青春の夢が篭められているんだ。

お気の毒なお母さんのために、どうか兄さんや姉さんの分まで親孝行を頼むよ。そしていつか本当に平和な時代が来たら、どうか皆の分まで幸せになっておくれ。兄さんはお前が幸福な花嫁さんになるところを、北の空からじっと見守っているよ。」

澄子は兄の膝に突伏して泣きながら、一言一句聞きもらすまいと耳を傾け、兄の尊い言葉を心に刻みつけていた。清らかな涙が後から後から湧き出て頬を濡らした。自分の生命を引替えてでも何とかして妹を生き延びさせたい、幸せにしてやりたいと願う兄の深く温かい愛情が、氷りつきそうだった澄子の心を温かくとかした。澄子の熱い涙が、汚れた軍袴を通して昭の肌にしみた。昭は泣いている澄子をそっと抱き起すと、星明かりにすかして腕時計を見た。針はきっちり午前三時を示していた。

「さあ澄子、お前はどうしても眠らなければいけないよ。寝ろ寝ろといいながら、とうとうお前をこんなに起しておいて悪かったが、お前と話して兄さんも、何だが気持がさっぱりした。さあ、せめて夜明けまであと一時間でも、何も彼も忘れてぐっすりとお眠り。そうしたらきっとまた新しい元気が湧いて来るよ。さ、兄さんの膝を枕にして、安心してお寝み。」

　昭は切株から立上って、澄子のために柔らかい草の寝床を探してやろうとした。

　その時、東の方の遥か彼方から、真暗な大気を震わせて馬の蹄の音が微かに響いて来た。そして、それはやがて早駈けの激しい馬蹄の音と変り、夜目にも白く灰燼を蹴立てて一頭の馬が、焼け跡を真一文字に河原を目指して駈け抜けて来た。土手下に繋がれていた昭の馬が蹄の音を聞きつけて一声高くいなないた。馬上の人は走りながら声高く叫んだ。

「北部隊の南条少尉ッ。南条少尉はおらんかッ。」

　その声は明らかに町山少尉こと李鐘衛であった。

「おおッ。ここだぞーッ。」

　昭が切株の上に立って、拳を高く差上げた。何事だろう？　澄子もしずも功も織枝も、一瞬はじかれたように立ち上った。

　土手下で急停止した町山の馬は、勇ましくいなないて前足を宙にあがいた。町山は鞍からひらりと飛び下りると、手綱を昭の馬と同じ松の木に素早くくくりつけ、とっとっとっと土手を駈け上って昭の前に立った。

「南条少尉、気の毒だが……」

　町山の表情は、私情を許さない厳しさと、深い友情が籠められて複雑であった。

「命令が変更になった。」

　彼は低い声でそういうと、きっと直立不動の姿勢をとり、白い手袋の右手を上げてさっと挙手の礼をし、高い早口で、

「ただ今から変更命令を伝達する。命令ッ。北部隊特務中隊は、内地出張のすべての業務を滞りなく完了し、本暁四時三十分、原隊に向けて出発する。南条少尉に対する外泊許可は三時三十分をもって打切りとする。直ちに帰隊、出発の準備をせよ。」

　昭はチラと時計を見た。三時十五分であった。軍命は至上である。一秒の余裕も許されなかった。

「お母さん、澄子、功、これでお別れだ。」

彼は初枝の遺骨のある河原に向って合掌すると、澄子の差出す上衣をとり、軍帽を目深にかぶり直して、母の皺枯れた手をしっかり握り締めた。

「御無事で長生きして下さい。澄子、功、元気で頑張るんだよ。」

そして彼は後をも見ずに土手をまっしぐらに駈け下りて行った。

「お気の毒です。」

町山もさっと挙手の礼をすると昭の後を追った。

澄子たちは土手の上に釘づけにされたように棒立ちになって、二人の走り去る姿を見逃すまいと、闇の中に瞳をこらした。眼下に広がる焼け跡は、宵のうちちろちろと燃え点っていた残り火も今や消え、月もすでに賤機山の彼方に沈み、星明りだけがかすかにきらめく中を二頭の馬は、蹄の音だけを高らかに闇に残して、一直線に東を目指して遠ざかって行った。

澄子は拳を固め、唇を血の出るほど噛みしめて、溢れる涙を拭おうともせずに、じっと兄の去った後の闇を見詰めて突立っていた。

余りにも非情な別れであった。今の今まで身を寄せて語り合っていたあの優しい兄が、一陣の風のように後をも見ずに走り去ってしまった。しかも、もう永久に会うことの出来ない死の闇の彼方へ……。

澄子は一瞬、また、気が遠くなるのではないかと思った。

しかし、次の瞬間に、彼女は土手の急傾斜をまっしぐらに駈け下りて、二頭の馬蹄の音を追って死物狂いで走り始めていた。土手下の田圃を渡り、焼け跡の瓦礫の山を踏み越えて、駈けて駈けて駈け続けて、遂に力尽きて彼女は焼け跡の灰の中にばったり倒れて動哭した。

あたりは一面の闇であった。人っ子一人いない焼け跡のしじまに、焼け焦げた鉄筋コンクリートの残骸や、枯れた立木が黒々と、ボロ屑のように倒れている澄子を見下していた。

しかしやがて澄子はむっくりと起き上った。そして、しっかりと大地に足を踏みしめて立つと、兄の去った東の空に向ってじっと目をこらした。

あたりはまだ暗かった。だが、そこ、空と海と焼け跡の大地との交わるところに、ほのかなばら色の光が差して来た。

澄子は、瞳をこらしてじっと夜明けを待った。地球上のすべてを明かるく照らす、ただ一つの太陽を……。

やがてばら色の光は次第に明るさを増し、深紅に燃える夏の太陽が揚々と差し上って四界を明かるく照らし出した。黒々と死の荒廃に眠っていた焼け跡の木立が生き物のように頭をもたげ、静岡平野を覆う三方の山々が明かるく輝き出し、その彼方にばら色に山肌をそめた富士の優麗な姿が現れた。澄子は焼け跡の大地に一人佇んで、しばしこの大自然のくり広げる壮麗な美しさに見とれていた。緑の山々は朝日に映えて金色に輝き、その下の方、朝もやの彼方に焼け残った家々の小さな家波が黒々と昔変らぬ静かなたたずまいを見せている。それを見詰めていると、ずたずたに引裂かれ、傷ついた澄子の心もかすかに和んで来るのであった。

澄子は横倒しになった焼けボックイに腰を下して足下の白い灰を両手にすくってさらさらとこぼしながら富士を仰ぎ緑に息づく山々や山の麓に点在する農家の藁ぶき屋根に強く光る夏の日差しを眺めているうちに、いつの間にか体の中に脈々と力強い勇気があふれてくるのを感じた。たとえ日本国中の都市という都市すべてが灰となったとしても、この緑の山々のある限り、この力強い大地のある限り、そして、踏まれても倒されても必ず立ち上る勇気のある一億の国民のいる限り、日本は決して決して滅びはしない。澄子は拳を固め、ブルンと身をふるわせ体をシャンと立て直した。すべての悲しみをのり越えて雄々しく立ち上ろうとする勇気が体一杯に漲って来た。そうだ、私も早く自分の家の焼け跡に帰ってあの大楠木を切り倒し、焼けトタンで屋根をふいて小さな丸木小屋をこしらえよう。

私たちにだってきっと出来る。死んだ気になってやれば、どんなことだって出来る。

キリスト様は馬小屋で生れた。リンカーン氏は丸木小屋で生れた。澄子はそう思った。この廃墟となった静岡市も澄子たちの丸木小屋から再び新しい都市として生れ変わることが出来るかも知れない。澄子は、また足下の灰をすくった。この白い灰もやがて風に吹かれ雨に打たれて、ふるさとの土にしみ入り、やがて更に肥沃な大地となって草木も枯れ果てたこの街に再び青々とした緑を繁らせてくれるであろう。

澄子は若かった。余りにも若かった。敗戦の後に来る暗いみじめな生活は彼女の脳裡を悩ますことはなかった。彼女はただひたすらに郷土の再建を夢見、未来のユートピアを夢見た。彼女はモンペのポケットから、昨日川水で洗って乾かしておいた神風鉢巻を取り出してキリリと頭にしばりつけると、すっくと立ち上り、しっかりした足取りで河原に向って歩いて行った。

（さあお母さんや功ちゃんを連れて早く焼跡へ帰ろう。）

二十一

初枝と米子の亡骸を、父の眠る丘の上の墓地に埋めると、澄子は功に手伝わせて早速仕事に掛った。

まず焼け跡を見渡して、大工道具の入っていたと思われるあたりを焼けボックイで掘り起すと、鋸や、金槌やなたなどが次々に現れた。釘ときたら、建物のあらゆる部分から焼け落ちていて、当分不自由しそうもなかった。

彼女は早速勢いこんで鋸を大楠木の根本に当ててみたが、たちまちそれは不可能であることが解った。二かかえもある大木が、何で家庭大工の鋸だけ、しかも焼けただれてなまくらになった鋸などで切り倒されよう。最初の難関にぶち当って彼女はがっかりした。楠木をあてにすることは断念しなければならない。しかし彼女は葉も小枝も焼け落ちて丸坊主になった庭木に目をつけると、生き生きと目を輝かした。しかし直径十センチほどの木を切り倒すのさえ容易なことではない。太陽は情け容赦なくじりじりと照りつけ、疲労と空腹と火傷の痛みで、今にも倒れそうになったころ、やっと最初の一本が音を立てて横倒しになった。

その夜は、崩れ落ちた防空壕を修理して、ようやく母子三人が身をかくすだけの空間を作って、その中で一夜を明かした。壕の中にしまっておいた僅かな保存食が何よりの頼りであったが、それさえも三日ともたないであろう。配給など全くない。澄子は丸木小屋作りを一時中止して、翌日早速食糧探しに出なければならなかった。だが着たきり雀の焼け出されには、食糧を得るためになくてはならない物々交換の衣類さえもない。一日足を棒にして歩いて、手に入れたのは僅かな馬鈴薯、茄子と胡瓜だけだった。三人は壕のわきにコンクリートの土台石を利用して小さなかまどを作り、焼け跡から掘り出した瀬戸引鍋で薯を煮て、ガラスのとけて固った茶碗に竹の小板をけずって作った箸で食事をした。

　夕暮になると壕の中はうなりを生じて群がる蚊の大軍で一杯になった。蒸し暑く寝苦しい夜は、莚の上にうずくまって眠る三人に楽しく平和だった昔を思わせ、今は亡き人々の思い出を、そして音信不通の二人の兄を偲ばせた。

　しかし、幸か不幸か夜の警報にはもう不感症でいられた。爆弾の直撃が落ちない限り、もう何も恐れるものはない。しかし、昼の空襲は恐ろしい。身を寄せる陰もない焼け跡に機銃掃射がしつように繰返された。しかし、そうした中でも人間の生活力は素晴らしく、焼け跡のあちこちにポツリポツリと赤茶けたトタン小屋が建ち始め、澄子たちの小屋も三週間ほどでどうやら小屋らしい形を整えてきた。

　そんな或る日、焼け跡へ遠山先生が佐伯百合子とその取巻きを従えてやって来た。百合子の家はこの間の大空襲にも焼け残って、彼女は相変らず軍需工場を経営している父親のお陰でひもじい思いもせず、着る物にも恵まれて裕福そうだった。砂と灰にまみれたボロ服をまとって懸命に働いている澄子と、犬小屋ともいえないような丸木に焼けトタンを張った小屋を見て、彼女は不遠慮に冷笑した。

「南条、今日は何日だと思っとる。」

　小屋の前に金槌を持って立った澄子に近づくと、遠山先生はふんぞり返って大声で怒鳴った。一行は焼け出されて途方にくれたり、再建に忙しくてまだ空襲以来工場へ顔を出していない学徒たちを駈り出しに来たのだ。

　澄子は愕然とした。動員学徒の本分を忘れたわけではなかったが、彼女は余りにも忙し過ぎた。数千人の徴用工と動員学徒をかかえた大工場は澄子一人をそれほど必要とはしないだろうが、南条家にとって、しずと功にとって、今はもう澄子一人が大黒柱なのである。

「貴様は動員学徒の本分を忘れたのか。戦場で散った特攻隊員に恥かしいとは思わないのか。何日工場をサボるつもりだ。この非国民め。」

　澄子は思わず手に持った金槌を強く握り締めた。確かに工場へ出なかったのは彼女の落度である。だが非国民といわれては憤然とせざる得ない。私は非国民ではありません。私の体の中にたぎるこの愛国の血潮を先生にお見せ出来ないのが残念です。先生は、澄子の汗と汚れで縞になった頬にビンタの雨を降らせようと一歩近づいたが、その異様に輝く黒い大きな瞳と、小さな手に握り締められたハンマーを見ると、拳を固めてビンタだけは思い止まった。

「今からすぐに工場へ行け。幸い、わが第四機械工場はこの間の大空襲でも焼失を免れたが、今夜にもまた爆弾の雨が降らないとは限らない。機械、工具、製品は、用宗の弾丸列車用のトンネルの中へ運び込んで作業を続行する。一刻も早く一人でも多くの手を必要とするのだ。」

澄子は唇をかんだ。行かなければならない。たとえしばらくでも職場を離れたことは、やはり私の落度だった。兵隊さんは敗け戦を頑張っているのに……。沖縄では動員中の女学生まで玉砕したというのに……。澄子はハンマーを投げ出し、壕舎の中の母に声を掛けると、工場の高い煙突を目指して黙々と歩き出した。

工場はごった返していた。しかし、半数以上が新しい地下工場へ移動してしまったのと、荷物を運び出すトラックの不足のために移転作業は遅々として進まず、来る日も来る日も荷造りに追われて、とうとう七月も過ぎ、八月六日の朝が来た。この日、史上初の原爆が広島に投下され、続いて九日にはきのこ雲が聖地長崎の空を覆った。

そして澄子の恐れていた日が遂にやって来た。ソ連の参戦である。

軍も工場側も不利な戦況は必死になって押しかくしてはいるが、悪いうわさはいち早く工場中に流れ、焼け跡で新聞もラジオもなく、原始さながらの生活をしている人々にさえ、敗色の濃さは覆うべくもなかった。

八月十四日の朝、澄子は汚れた防空服を身にまとい、空腹をこらえて今日もまた工場目指して急いでいた。父祖代々の名刀を振りかざして赤軍の戦車目掛けて突撃して行く兄昭の面影が、払っても払っても瞼に浮んで来る。澄子は唇をかみ、溢れ出そうになる涙を懸命にこらえながら足を早めた。国道を越えてもう少しで工場の門が見えようとするころ、後から友だちの呼ぶ声がした。振り向くと、恵子を先頭に、秋子、正子、みどり等が息せき切って駈けて来る。その顔つきがただごとではない。

「何よ？」

澄子は悪い予感がして眉をひそめた。少女たちは工場に近い人家の陰に彼女を誘うと、恵子が深刻な顔で二枚の紙切れを澄子に渡した。それを見た澄子は思わずハッと息を呑んだ。それは明らかに敵機からバラまかれた宣伝ビラである。

「こんなものいけないわ。」

澄子は思わずそのビラを読みもせずに破り捨てようとした。敵機からまかれたビラを読むことは堅く禁じられていた。しかし恵子は澄子の腕を強く押えた。

「見てごらん。これ、本当だと思う？」

澄子は恐い物見たさの好奇心で、そっと車座になった友だちの陰でそれを開いて、思わずアッと声を上げた。

それは紛れもなく焼けただれた静岡市街を上空からとった写真であった。上部に長くうねうねと白く光っているのは安倍川の流れ、僅かに残る官庁街、そして大通りから細い小路まで一目でそれと解る静岡市の今の姿であった。そして裏を返すとそこには表とうって変って、美しい花園で明かるい笑顔で楽しそうに憩っている日本人の女や子供の写真があった。そして、

「連合軍占領下のサイパンの日本人はこんなに明かるく楽しい生活を送っている。内地の人々も軍閥に躍らされることなく、一日も早く降伏して平和を取戻すように。」

という意味の事柄がでかでかと書かれてあった。澄子は自分の目を疑った。サイパンでは戦える者は最後の一兵まで戦い、戦闘に加われない婦女子は幼な子を抱いて島の最南端の崖から身を投げ、全員玉砕したと伝えられていた。

それなのにこの写真は何だろう。椰子の葉の繁っているいかにも南国らしい風景は偽りの写真とも思われないが……。やはり昭兄さんがいっていた通り、今の日本の報道は嘘なのだろうか。玉砕玉砕というが、サイパンはともかく、何十万人の日本人が生活していたはずの沖縄で、その人々が本当に一人残らずこの地球上から消え去ったとは信じられないし……。澄子は半信半疑でその明かるい笑顔の女や子供にみとれて茫然としていた。恵子はもどかしそうに上の一枚を引ったくった。その下のビラの文字が澄子の日に躍り込むと、彼女は体中の血が一度に凍りついてしまったように真青になった。

「日本、無条件降伏、ポツダム宣言受諾。」

「本当かしら？」

『まさか……」

不安そうな友の顔がすがりつくように澄子に注がれた。

「そんな馬鹿な。」

澄子はつぶやきながらフラフラと友の群れを抜けて、ビラを両手で広げたまま歩き出そうとした。少女たちの背後に監督官の村瀬中尉と遠山先生の険しい目が監視しているとは少しも知らずに。余りにも激しいショックのために、自分が何を持っているかも忘れて、ただ心の中で叫んでいた。

「そんな馬鹿な、そんな馬鹿な、無条件降伏なんて。」

彼女も敗戦を予想しないではなかった。しかし本土決戦も待たずに無条件で連合軍の軍門に降るとは夢にも思っていなかったのである。今になって無条件降伏をするくらいなら、せめて原爆が落されない前に、ソ連が参戦しない前に、なぜもっと早く手を挙げなかったのだろう。負けることが決っていたなら、なぜ沖縄やサイパンや多くの島々で、大勢の人々を玉砕させてしまったのだろう。いいえ、それより何より、こんなむごい無益な戦をなぜ始めてしまったのだろう。話合いの道はなかったのだろうか。何も彼もでたらめだ。敵も味方も信じられない。軍隊なんて、戦争なんてなけりゃいいんだ。澄子は怒りをこめてビラを引き裂こうとした。その時、ビラは大きな黒い手で引ったくられた。もう一つの黒い手が風を切って澄子の頬に激しい音を立てた。

「この売国奴。貴様、まさかこれが何か知らないはずはなかろう。ビラ読みが営倉に値いすることを忘れたはずはないだろう。」

村瀬中尉の怒号が工場の門内に集合しかけていた学徒や工員のところまで響き渡った。中尉はビラをバラバラに引き千切って澄子の顔に叩きつけると、

「こっちへ来い。」

と大股に工場の門をくぐった。遠山先生も五人の少女を追い立てるようにして門内に入った。

点呼をしようと事務所から出て来た田辺先生は、この有様を見てびっくりして駈け寄って来た。

「この子たちが何をしたのです、遠山先生、教えて下さい。」

田辺先生は小柄な体で大きく手を広げて可愛い生徒たちをかばうようにしながら、監督官と遠山先生の間に立った。

「また、南条とその一味だ。」

遠山先生ははき出すようにいった。

「宣伝ビラを読んでいたんですよ。しかも、こそこそかくれて読むならまだしも、工場の門前で堂々と……。弁解の余地はありますまい。大体こいつらは村岡の思想にかぶれて真赤な色つきと来てやがるから処置なしだ。」

田辺先生は信じられないというように首を振った。

「いいえ、この子たちはそんな子じゃありません。何かの間違いですわ、ね、南条さん。」

田辺先生の慈愛に満ちた瞳に見詰められて、澄子は不覚にも涙をこぼしそうになった。

「お優しい先生様にお答え申し上げろよ、俺たちの目がふし穴かどうか。」

村瀬中尉が皮肉たっぷりにいった。澄子の唇がふるえた。

「申し訳ありません、先生。」

「矢張り……」

先生の目に涙がにじんだ。

五人は大勢の工員や学徒の前でさんざん罵倒されたあげく、罰として本工場の試運転室から大型の発動機を第四機械工場の修理室まで運ぶ作業を言い渡された。試運転工場は広い本工場の最も奥にあって、第四機械工場まではたっぷり二キロの道程があった。

炎天下の難業苦業が始った。空威張りしたいばかりの憲兵伍長の広野が、かよわい五人の少女たちのはかどらぬ作業に腹を立てて、一足ごとに怒鳴り散らしながら早く早くとせき立てた。そのくせ自分は、少女たちの優に二倍は力が出せるのに、後押し一つ手伝おうとはしないのだ。堅い地面にさえくい込みそうな重い発動機を台座に乗せて、一々太い丸太のコロと鉄棒のテコを使って運搬する原始的な作業は、まだ体の整っていない少女たちにとっては残酷な処罰であった。全道程の半分も来ないうちに日は高く上って頭上に照りつけ、咽喉がカラカラに乾き、一つ丸太をころがすたびに少女たちの喝いた唇から苦しいうめきがもれた。

澄子は今朝から何も食べてはいなかった。連日の作業に追われて買い出しに行く暇もなかったのである。次第に目がかすみ、明かるいはずの四辺が急に暗くなったり、もやがかかったように目の前の友の顔さえおぼろになってくることもあった。だが空腹と疲労は彼女ばかりではない。他の四人もみな一様に最初のうちは真赤にほてっていた頬も青ざめ、滝のように流れ出ていた汗も乾いてへとへとになって、ただただ無言で倒れ込むように大きな発動機と取り組んでいた。しかし、押しても押しても発動機は意地悪く少女たちの前に立ちふさがり、とうとう本工場と第四機械工場との間の田圃の中の一本道のど真中で、でんと腰を据えたきり、押そうが引こうが頑として動かなくなってしまった。コロの丸太が機械の重みで押し潰されてしまったのである。

「ヨーシ、仕方がない、一時休憩だ。オイ、南条、お前がこの事件の張本人だ。本工場の材料置場へ行って丸太をもう一本持って来い。」

　澄子は一人でもう一度今来た道を引き返さなければならなかった。

「私も行く。」

　恵子が一度下しかけた腰を浮かせて立ち上った。しかし比較的体力のない他の三人は、一度下した腰を再び上げる力さえなくて、済まなそうな顔で二人を見送るばかりであった。二人は灼けつくように熱い砂利道を重い足を引摺って喘ぎながら引き返し始めた。

「グズグズするな、早く行って来い、駆け足！」

　伍長の怒号を背に浴びても、足を早める力さえない。やっと本工場の正門をくぐり、空襲の爪跡もいたいたしい機械工場の残骸を右に見て、元診療所のあった所を通り過ぎると、診療所の裏庭に当るところに小さな池があり、へちま棚が涼しそうな影を作っていた。荒れ果てて赤茶けた工場の中でここだけが、砂漠の中のオアシスのように水々しく新鮮であった。二人は救われたように池に近づいた。池の端には小さな井戸があった。恵子がガチャガチャと青いポンプをこぐと、冷たい清水がこんこんと湧き出るように流れ出した。

「わあ、素敵。いい気持だわー。澄子、私がこいであげるから、早く水を呑んで顔を洗いなさいよ。」

　歓声を上げる恵子に誘われて、二人は互に水をくみ合い、汗と埃にまみれてくしゃくしゃになった手や顔を洗い、冷たい水で喝き切った喉をうるおして、今までの惨めな気持とは打って変った生き返ったような清々しい顔を見合せて微笑し合った。

　でもすぐまた二人は現実に引き戻されて暗い表情になった。

「早く行かなければね。」

澄子が恵子にというより、むしろ自分にいいきかせるような口調でいった。恵子も、うんと仕方なしに頷いたものの、

「いいわよ、もう少し休んで行きましょうよ。あんな鬼伍長のいうことなんかいちいちきいていたら殺されてしまうわ。馬車馬じゃあるまいし、何よ、宣伝ビラぐらい読んだってどうってことないじゃないの。見るな、聞くな、いうな。あんまりだわ。」

と、持前の反逆精神をぶちまけて、池の端の大きな石の上にドシンと腰を下してしまった。

「そうねえ。」

澄子も並んで腰を下しながら、

「私たちが遅ければ遅いほど、秋子たちもそれだけ長く休めるわけですものね。」

頷いて鉢巻と戦闘帽をとり、モンペのポケットから赤い小さな櫛をとり出すと、池の水鏡に顔を写しながら、短く切った黒い髪をゆっくり梳かし始めた。一つの可愛い赤い櫛を貸したり借りたりしながら、二人は女の子らしく仲良くおめかしを始めた。これが最後の死化粧となるのも知らずに、彼女たちは無心に髪をくしけずり、冷水で濡したハンケチで赤くほてった頬を冷やして幸福そうに笑い合った。

構内は深閑としていた。一番奥の試運転工場だけは人影が動き、機械の音が僅かに南風にのって聞えて来るが、爆撃を受けた機械工場のあたりは、無残な鉄骨が軒を傾けて、人っ子一人いず、無気味なほどにしずまり返っていた。二人は何となく恐ろしくなって立上った。

材料置場から埃にまみれた丸太を取り出して、恵子が先を、澄子が後を担いで、二人はまた、熱気が渦巻くような炎天下を友の待つ田圃の中の一本道を目指して歩き始めた。道は長かった。直径十センチ、長さ二メートルもある丸太は、栄養不足のやせた肩にくい込み、水腹にこたえた。

あと百メートルばかりで発動機にたどりつこうという時、澄子は背後の上空に異様な気配を感じて思わず振返った。偵察であろうか、敵の艦載機がただ一機、駿河湾上からエンジンを止めて滑空して来たのであった。

「敵機ッ。」

澄子は前の恵子に鋭く叫ぶと、身をかくす場所を探す

暇もなくそのまま倒れるように身を伏せた。発動機のそばの道端にいた四人は危く田圃に転がり込んだが、丸太を担いで道の真中を歩いていた二人は、田圃に転げ込む余裕もなかったのである。

　敵機はそのまま頭上を通過したかに見えたが、道の真中にデンと坐り込んだ発動機を発見したのか、再び機首を返すと、発動機と丸太と澄子と恵子を目掛けて激しい機銃の乱射を浴せ掛けて来た。

「ヒューンヒューン、ババババ、バリバリバリッ。」

　白い大地にたちまち血煙が上った。

　ほんの一瞬の出来事であった。敵機はそのまま何事もなかったように北東の空を目指して遠ざかって行った。後続のないのを確めた伍長と三人の少女が田圃からはい上って、転がるように二人に走り寄った時は、二人はすでにこと切れていた。恵子は腹部をやられ、モンペのポケットのあたりから血が噴水のように吹き出ていた。澄子は背から胸を銃弾に貫かれ、まだ蕾のように淡くふくれた乳房のあたりが鮮血に染まっていた。しかし二人とも苦悶の表情はなく、今しがた洗い清めたばかりの顔は清潔で愛らしく、頬にはかすかな笑みさえ残しているようであった。

　銃声を聞きつけて続々と学徒や工員たちが集った来た。田辺先生は二人のなきがらにすがって気も狂わんばかりに動哭した。遠山先生はさすがに色青褪め、こめかみをヒクヒクけいれんさせて、無言のまま、頭をたれた。

　軍の検死官が澄子の遺体に手を触れようとすると、今まで遺骸に取りすがり、血まみれになって泣きむせんでいた田辺先生が、不浄のものでも振り払うように凛としてその手を突きのけ、工場長と軍監督官と遠山先生の前に拳を固めて開き直った。

「遺骸は学校の手で葬ります。工場側も軍も一切お手を触れないで下さい。この遺体を引き取ると一緒に、本校の生徒全員をこの工場から引揚げさせて頂きます。」

　この小柄な体のどこにこんな凄まじい気魄が潜んでいたのか、工場長も軍人たちもこの意外な女教師の言葉にしばらくはあっけにとられて物もいえず、田辺先生の血まみれの顔にみとれていたが、やがて村瀬中尉が怒りに眉を引きつらせて怒鳴った。

「田辺教諭、血を見て気でも狂ったのか。全員を工場から引揚げさせるだと？　何たる言い草だ。学徒動員は国家の命令だ。国家の命令は即ち天皇陛下の御命令であるぞ。一女教師の分際で陛下の御命令に背くとは何事だ。」

割れ鐘のような声が黒山のようになった学徒や工員たちの上にビンビン響き渡った。しかし田辺先生はひるまなかった。いとしい教え子の血潮に洗われた大地をしっかりと踏んまえて村瀬中尉を睨み、

「嘘です。天皇陛下の命令だなんて真赤な偽りです。あのお慈悲深い陛下が、何でこんな純真無垢な少女たちの犠牲まで希んでおられましょう。いいえ、陛下は国民の一人の血潮だって希んではおられません。天皇陛下の御命令という言葉は皆貴男方のような奸臣のでっち上げです。私は狂ってなどおりません。狂っているのはむしろ貴男方の方です。いいえ、今の日本は国全体が狂っているのですわ。私は二月前、この二人が学校へ戻って勉強したいと訴えに来た姿を忘れられません。あの時もっと深くあの言葉を考えてやっていたら、この子たちもこんなことになりはしなかったでしょうと悔まれてなりません。私は教師です。そしてこの学校の生徒たちの母親です。生徒を守る義務があります。もう二度とこんな悲しい犠牲者を出さないためにも、誰が何といおうと生徒を学校へ連れて帰ります。」

田辺先生はこの切ない思いが国中に届けと絶叫した。先ほどまで余りの事態に首うなだれていた遠山先生が顔を上げた。

「田辺さん、言葉を慎しみ給え。あんたは自分が何を言っているのか解っているのか。国家の命に従わない教師がどこにある。」

田辺先生の平手打ちが矢庭に遠山先生の頬に飛んだ。

「私は断じて生徒を連れて帰ります。貴男はここにお残りなさい。貴男こそ教師の資格はない。」

「な、なにッ、何ということをぬかす、この気狂い婆あめッ。」

遠山先生は野獣のように田辺先生に飛びかかろうとした。その時、

「遠山君、見苦しい、止め給え。」

静かではあるが凛とした声が響いて、人々の後から三谷校長が現れた。校長は村瀬中尉の前に立ち、

「私は学校長として今の田辺教諭の言動を全面的に支持します。本校の生徒はただちに全員引揚げさせて頂きます。このことに関する一切の責任は学校長である私が負

います。」

と厳としていいはなった。村瀬中尉の頬に陰惨な微笑が浮んだ。

「ほう、面白い。やれるものならやって貰おう。念を押しておく。後で、その言動をひるがえすことはあるまいな。」

三谷校長は足もとに倒れた二人の血まみれの遺骸に合掌し、静かにいった。

「たとえ死罪をいい渡されようとも、この二人の尊い御霊に誓って、この決意は変りません。」

こうして撫子の校旗に覆われた二つの棺を先頭に、八百人の女生徒を率いた三谷校長と田辺先生は、工場の黒い鉄門を、二度と再びくぐるまいと堅い決意をもって後にした。

翌日の八月十五日午前十時から、焼け落ちた母校のただ一箇所焼け残った講堂で、二年ぶりに全校生徒が一堂に会し、二人の告別式がしめやかに取行われた。涙も枯れ果てた遺族の姿が余りにも痛々しく、女生徒たちの胸を打った。

式の真最中、突然、十数人の憲兵が土足のまま式場に乱入して来た。憲兵隊の先頭に立った村瀬中尉が大音に呼ばわった。

「三谷校長、田辺教諭、学徒動員令違反で逮捕する。」

式場が騒然となった。女生徒の中に恐怖の悲鳴が起きた。しかし次の瞬間、彼女らは一斉に立ち上り、今しも演壇に立って弔辞をのべようとしていた校長先生と、遺族席の傍らでしずを抱きかかえるようにして慰めていた田辺先生の周りに十重二十重の人垣を作り、恩師を守ろうとけなげな決意を現して憲兵と対決した。

「貴様らのやっていることは暴動だ。どけ、どけッ。」

村瀬中尉は気狂いのように怒鳴り、生徒の波を乱暴にかき分けて今しも演壇にかけ上ろうとした時、

「ただ今より、天皇陛下の玉音を放送致します。」

スピーカーから厳かな声が流れて来た。一瞬式場は水を打ったように静まり返った。終戦の玉音放送が終った時、再び新たな動哭が式場に湧いた。

「退けッ。」

村瀬中尉の乾いたような声に従って憲兵たちはぞろぞろと焼け爛れた校庭に出て行った。席に戻った生徒たち

の間から、自ずと誇らかな校歌が湧き上った。

　河原撫子咲き匂う
　安倍の川霧朝晴れて
　み空に仰ぐ富士が嶺は
　高き希望《のぞみ》の姿かな

　戦争には敗れたが、彼女たちはこうして学問の自由を遂に得ることが出来た。
　祭壇に飾られた澄子と恵子の遺影も、このことを誇るように、静かな微笑で友の歌に聞き入っているようであった。

あとがき

昭和三十八年十月執筆を始めてから満四年、かつて同じ道を歩み、不幸にして戦禍に倒れた友への愛惜と世界平和への願いを篭めて、家事と育児の合間に人知れずこつこつと書いては消し、消しては書いて書き溜めた原稿が七百枚。夢の夢であった出版が実現しましたことは、私の生涯を通じて無上の喜びであり、お力添え下さった方々に対し、厚く御礼申し上げます。

わけても、一従業員の妻の拙い作品に対し、物心両面から全面的なご援助を賜りました静岡瓦斯株式会社育英会の、身に余るご好意に深く感謝いたします。

また、出版のきっかけをつくって下さった静岡新聞社、朝日新聞社静岡支局、出版社に紹介の労をとって下さった清水市の戸田書店、塔の碑文、墓石の銘の掲載を快くお許し下さいました斎藤代議士、春田家の皆様に深く御礼申し上げます。なお、創作にあたって懇切な助言を賜りました恩師伊藤儀一先生、神戸昌三先生、そして終始ご指導、ご協力下さいました徳間書店の皆様にも厚く御礼申し上げます。

この物語はフィクションでございますが、当時の青少年学徒の教育、生活環境、そして後世の人々には簡単には理解できないであろう内に秘められた心の葛藤などを、できるだけ忠実に描き、彼らが捨石となって築いてくれた、いわば彼らの遺産ともいうべき現在の平和を、あの美しい純白の塔とともに永遠に語り継ぎ、古い日本の歴史と伝統、そしてそれによって培われた新しい日本人の理想と使命を確認したいと存じましたが、描き切れずに意に満たない点の多かったことをお詫び申し上げます。

村田みえ

昭和５年静岡市に生まれる。昭和18年静岡県立静岡高等女学校に入学。昭和20年３月静岡市内の工場に学徒動員。同年12月静岡県立見付高等女学校に転校し，昭和22年同校卒業。昭和30年結婚，現在２児の母。

現住所：静岡市八幡本町１の１の５
静岡瓦斯社宅

やすらぎの塔

昭和42年10月１日　発行

定価　480円

著者　村田みえ
発行者　徳間康快
印刷所　三秀印刷工業
発行所　徳間書店
東京都港区新橋４の10
電話　(434) 6191
振替　東京 44392

落丁本・乱丁本はお取替えいたします

製本　明泉堂

〔プロフィール〕 **やすらぎの塔復元を求める会**

駿府城公園の「やすらぎの塔」は、市民のよく知るところですが、2001 年の地震により戦没勤労動員学徒像が破損し、未だ復元されていません。

このままでは戦争そのものが忘れられてしまうとの危機感から、関係方面に働きかけ、行方不明の学徒像を探すうち、2016 年に復元を願う人たちによってこの会ができました。

会員たちは戦争の体験がないため、「学徒動員とは何か」から勉強を始め、これまでに静岡市へ塔の復元要望と署名運動をおこないました。

本書、小説「やすらぎの塔」復刻の先に、慰霊碑「やすらぎの塔」復元という目標があります。

〔 連絡先　TEL 054-237-5715　会長 大石久雄 〕

やすらぎの塔　復刻版

2020 年 9 月 26 日発行
定価 本体 1,500 円＋税

企　画　やすらぎの塔復元を求める会

発行人　松原正明
発　行　羽衣出版
〒 422-8034
静岡市駿河区高松 3233
TEL　054-238-2061
FAX 054-237-9380

ISBN978-4-907118-58-7 C0093 ¥1500E